북한 핵 문제

총괄 3

북한 핵 문제

총괄 3

| 머리말

1985년 북한은 소련의 요구로 핵확산금지조약(NPT)에 가입한다. 그러나 그로부터 4년 뒤, 60년대 소련이 영변에 조성한 북한의 비밀 핵 연구단지 사진이 공개된다. 냉전이 종속되어 가던 당시 북한은 이로 인한 여러 국제사회의 경고 및 외교 압력을 받았으며, 1990년 국제원자력기구(IAEA)는 북핵 문제에 대해 강력한 사찰을 추진한다. 북한은 영변 핵시설의 사찰 조건으로 남한 내 미군기지 사찰을 요구하는 등 여러 이유를 댔으나 결국 3차에 걸친 남북 핵협상과 남북핵통제공동위원회 합의 등을 통해 이를 수용하였고, 결국 1992년 안전조치협정에도 서명하겠다고 발표한다. 그러나 그로부터 1년 뒤 북한은 한미 합동훈련의 재개에 반대하며 IAEA의 특별사찰을 거부하고 NPT를 탈퇴한다. 이에 UN 안보리는 대북 제재를 실행하면서 1994년 제네바 합의 전까지 남북 관계는 극도로 경직되게 된다.

본 총서는 외교부에서 작성하여 최근 공개한 1991~1992년 북한 핵 문제 관련 자료를 담고 있다. 북한의 핵안전조치협정의 체결 과정과 북한 핵시설 사찰 과정, 그와 관련된 미국의 동향과 일본, 러시아, 중국 등 우방국 협조와 관련한 자료까지 총 14권으로 구성되었다. 전체 분량은 약 7천여 쪽에 이른다.

2024년 3월
한국학술정보(주)

| 일러두기

· 본 총서에 실린 자료는 2022년 4월과 2023년 4월에 각각 공개한 외교문서 4,827권, 76만여 쪽 가운데 일부를 발췌한 것이다.

· 각 권의 제목과 순서는 공개된 원본을 최대한 반영하였으나, 주제에 따라 일부는 적절히 변경하였다.

· 원본 자료는 A4 판형에 맞게 축소하거나 원본 비율을 유지한 채 A4 페이지 안에 삽입하였다. 또한 현재 시점에선 공개되지 않아 '공란'이란 표기만 있는 페이지 역시 그대로 실었다.

· 외교부가 공개한 문서 각 권의 첫 페이지에는 '정리 보존 문서 목록'이란 이름으로 기록물 종류, 일자, 명칭, 간단한 내용 등의 정보가 수록되어 있으며, 이를 기준으로 0001번부터 번호가 매겨져 있다. 이는 삭제하지 않고 총서에 그대로 수록하였다.

· 보고서 내용에 관한 더 자세한 정보가 필요하다면, 외교부가 온라인상에 제공하는 『대한민국 외교사료요약집』1991년과 1992년 자료를 참조할 수 있다.

| 차례

머리말 4

일러두기 5

북한 핵문제, 1992. 전13권 (V.8 7월(Ⅱ)) 7

북한 핵문제, 1992. 전13권 (V.9 8월) 153

북한 핵문제, 1992. 전13권 (V.10 9월) 287

\multicolumn{7}{c}{정 리 보 존 문 서 목 록}						

기록물종류	일반공문서철	등록번호	32699	등록일자	2009-02-26
분류번호	726.61	국가코드		보존기간	영구
명 칭	북한 핵문제, 1992. 전13권				
생 산 과	북미1과/북미2과	생산년도	1992~1992	담당그룹	
권 차 명	V.8 7월(II)				

내용목차	1. 한.미국.일본 실무협의, 7.8-13
	   * 7.8-9 한.미국 협의(Washington,D.C)
	    7.13 한.일본 협의(동경)
	2. Blix IAEA 사무총장 미국 방문, 7.19-23
	
	* 북한 핵관련 대책, 한.미국간 협의, 미국의 사찰과정 참여 요구 등				

0001

1. 한·미국·일본 실무 협의, 7. 8 ~ 13

0002

외 무 부

문서번호 미일 0160-

시행일자 1992. 3. 3.

（경 유）

수 신   내 부 결 재

참 조

취급		차 관		장 관	
보존					
국 장	郑				
심의관		제1차관보	통상국장		
과 장		외교정책기획실장			
기 안	홍석규	아주국장			협조

제 목   한.일 미국관계 과장회의 개최 건의

　　　　1. 일본 외무성 다나까 북미1과장은 유광석 주일대사관 참사관 접촉시
미국의 대일, 대한정책에는 공통점이 많으므로 한.일 양측 외무부의 미국담당 과장이
정례적으로 회합, 의견을 교환할 기회가 있기를 희망하면서, 가능하면 제1차 회의를
금년 상반기중 서울에서 개최할 것을 제의하여 왔습니다.

　　　　2. 상기 양국 실무자간 정례협의는 우리의 장.중.단기 대미정책 수립에도
크게 도움이 될 것으로 사료되며, 주일대사도 한.일 실무진간 정례협의 확대는 바람직
하다는 의견을 제시하여 왔습니다.

　　　　3. 상기 일측의 양국 외무부 미국담당 과장 정례회의 개최 제의에 대해
서는 주일대사관을 통해 우리의 원칙적인 동의의사를 전달하고, 금년 상반기중 1차
회의를 서울에서 개최하기 위한 실무협의를 개시코자 하오니 재가하여 주시기
바랍니다.

첨 부 : 주일대사 보고 전문(JAW-1183) 사본 1부.   끝.

0003

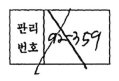

외 무 부

종 별 :

번 호 : JAW-1183   일 시 : 92 0302 2138

수 신 : 장관(아일,미북) 사본:주미대사-중계필

발 신 : 주일대사(일정)

제 목 : 미.일 관계

1. 당관 유광석 참사관은 3.2 외무성 다나까 북미과장을 오찬에 초청, 미.일관계 등을 탐문한바 동인 발언요지 하기 보고함.

가. 미.일관계 현황

0 미.일관계는 사상 처음으로 미대통령 선거이슈로 등장하는등 심각한 상태인 바, 이는 과거 미국내 일부분야 또는 특정사안 발생시(토시바사건등) 제기되었던 반일감정이 전국적으로 확산되었기 때문이며 일본내 미국 혐오감정도 심상치 않음.

0 관계악화의 배경으로서 (1) 미국의 국력 약화로 소위 AMERICAN DREAM 이 상실된데 대한 좌절감과 일본의 SUCCESS STORY 가 대비되는점 (2) 쏘련의 붕괴로 공동위협이 사라지고 일본의 경제적 위협이 부각된점 (3) 최근 미국내 대두되고 있는 일본이질론(일본은 특수한 국가이므로 다른 방식으로 다루어야 한다는 논리)이 일본인에게 침투되고 있는점 (4) 일본기업의 미국의 대표적 기업 병합과같은 자극적 사업형태등을 들수 있음.

0 특히 최근 사태가 악화된 것은 (1) 1 월 부시대통령 방일시 SALESMAN 식의 접근방법과 수상주최만찬시 HAPPENING (2) 미근로자들에 관한 사꾸라우치 중원의장, 미야자와 수상등의 발언이 미국인들의 자존심을 크게 상하게 했기때문임.

나. 일본의 대응방안

0 단기적으로는 일본이 더이상 취할수 있는 조치가 없으므로 최소한 미 예비선거가 끝날때 까지는 미국을 자극하지 않도록 조심하면서 지금까지 합의한 제반 조치들을 성실히 이행해 나간다는 방침임.(동과장은 미대통령 후보중 일본으로서는 부시대통령에게 가장 기대하고 있으며, 송가스 후보도 정론을 펴고 있다고 언급함.)

0 중기적인 대미조치는 (1) 미국내의 정확한 대일 인식제고 노력 (2) 경제문제 해결을 위한 가시적인 실적 제시노력 (3) 미국의 경제력 회복을 위한 자체노력

아주국	장관	차관	1차보	2차보	미주국	외연원	외정실	분석관
정와대	안기부	중계						

외신 2과 통제관 FM

일반문서로 재분류(92. 12. 31.)

검   8C6.30)

축구등이며 대내적으로는 (1) 미국의 압력이 일본내 반미감정의 기본원인이라는 인식하에서 국제공헌 추진에 있어서의 자율성 확대 (2) 미국의 장점 부각 (3) 부시대통령 방일시 합의사항 적극 이행 노력등이나 미측으로부터 구조 협의등을 통한 추가 요구가 많아 어려움이 있음.

　다. 미야자와 수상 방미

　0 뮨헨 선진국 정상회담(7.6-8) 이전인 7월초 방미 추진중임.

　0 양국관계에서는 대미수입확대, 쌀시장개방, PKO 문제등이 주요의제가 될 것인바, 미야자와 정권은 수입확대를 위한 경기부양조치를 취하지 못하고, 쌀시장 개방문제도 미야기등 지방선거를 의식, 소극적이며 PKO 법안도 공명당과의 협의가 부진한등 미국이 관심을 갖고 있는 문제를 하나도 해결하고 있지 못해 미측의 실망감이 있을것임.

　0 외교문제로서는 러시아정책(별전보고), 북한의 핵개발(방미시까지 핵사찰이 실현되지 않을 경우 이에대한 대응방안 협의) 월남(일측은 대월경협 재개를 희망하나 최근 미국은 MIA-POW 문제를 사유로 자제를 강력 요청)등이 가장 중요한 의제가 될 것이며 미측으로부터 중국문제(일권, 미사일 확산등)도 제기될 것임.

　라. 기타

　0 선진국 정상회담 관련 일본이 관심을 갖고 있는 주요의제는 대러시아지원, 북한 핵문제등이며, 중국의 인권문제 관련 일본이 회담시 중국을 옹호하기는 어려우나 개별접촉시 대중국 공개비난을 자제토록 노력할 것임.

　2. 다나까 과장은 미국의 대일, 대한정책에 공통점이 많으므로 한.일 양측외무성의 미국담당 과장이 정례적으로 회합, 의견을 교환할 기회가 있기를 희망한다고 하였음. 형식은 북미 1 과장회의 또는 안보, 경제담당과장 3 과장회의 어느쪽도 좋겠으며 가능하면 제 1 차 회의를 금년 상반기중 서울에서 개최할 것을 희망한다고 하였는바, 당관으로서도 한.일 실무진간의 정례협의를 확대해 감이 바람직한 것으로 사료되니 검토 회시바람. 끝

　(대사 오재희-국장)

　예고:92.12.31. 일반

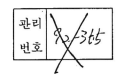

분류번호	보존기간

발 신 전 보

번   호 : **WJA-0936**   920304 0959 DQ 종별 : _____

수   신 : 주   일   대사. 총영사

발   신 : 장   관 (미 일)

제   목 : 한.일 미국관계 과장 회의

대 : JAW - 1039

1. 표제관련, 대호 일측제의에 대해서는 우리측도 원칙적으로 동의함.

2. 다만 추진형식문제에 있어서는 양국 3과장들의 편리시기를 일치시키기가
어렵다는 점등 현실적 문제점을 감안, 1차 회의는 대호 건의대로 일단 서울에서 금년
상반기중 사정이 허락한 경우 일측 3과장들이 동시 방한하여 전체 및 개별협의를 갖고
동경에서의 2차 회의는 하반기에 개최하되, 2차 회의부터는 보다 유연한 형식으로
(각과장 편리시기에 별도 방일 등), 협의하는 방안으로 추진하는 것이 좋겠음.

3. 상기 본부입장 일측에 통보바라며, 1차회의 개최시기와 관련한 일측
편리시기, 참가인사, 협의 회망의제등 관련사항 파악 보고바람.   끝.

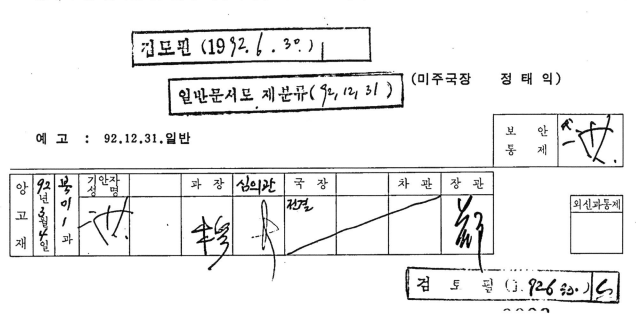

검모편 (1992. 6 . 30)

일반문서모 재분류(92, 12, 31)   (미주국장   정 태 익)

예 고 : 92.12.31.일반

		보안통제	

앙고재	92년 3월 4일 북미1과	기안자성명	과장	심의관	국장 전결	차관	장관	외신과통제

검 토 필 (926   )

관리	
번호	92-594

외 무 부

종 별 :

번 호 : JAW-1359

일 시 : 92 0310 1409

수 신 : 장 관(미일,아일,사본:주일 대사)

발 신 : 주 일 대사(일정)

제 목 : 한.일 미국관계 과장회의

　　대: WJA-0936

　　대호 본부입장을 다나까 북미 1 과장에게 통보한바, 동인은 추진형식의 문제점과 관련한 아측 견해에 일리가 있으므로 좀더 시간을 갖고 검토한후 일측 입장을 알려주겠다고 하였음을 우선 보고함. 끝

　　(대사대리 남홍우-국장)

　　예고: 92.12.31. 일반

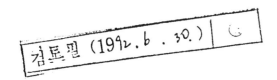

검토필 (1992. 6 . 30.)

일반문서로 재분류(92. 12. 31)

미주국　　아주국　　아주국

92.03.10　　14:21

외신 2과　통제관 EC

0007

외 무 부

관리
번호 : 92-604

종 별 :

번 호 : JAW-2068

일 시 : 92 0409 1650

수 신 : 장 관(미북,아일,통이)

발 신 : 주 일본 대사(일정)

제 목 : 한.일 미국관계 과장회의

대:WJA-0936

연:JAW-1359

표제건 관련 외무성 다나까 북미 1 과장은 유광석 참사관에게 하기와 같이 알려왔음을 우선 보고함.

1. 미국관겐 과장회의 방식을 검토한바, 북미 1 과장 및 2 과장이 함께 방한하는 방향으로 내부의견이 모아지고 있음.(안보과장은 별도 FORUM 이용)

2. 당초 5 월중 방한을 생각하였으나, 쾌일 부통령 방일, 가네마룬 부총리 방미, 수상방미등 외교일정 때문에 상금 결정하지 못하고 있음을 양해바람. 끝.

(대사 오재희-국장)

예고:92.12.31 일반

92 12 31

검 토 필 (1992. 6 30. 2

미주국   아주국   통상국

PAGE 1

92.04.09   17:30

외신 2과 통제관 BS

0008

관리	
번호	92-914

외 무 부

종 별 :

번 호 : JAW-3051   일 시 : 92 0525 1833

수 신 : 장관(미북,통이,아일)

발 신 : 주 일 대사(일정)

제 목 : 한.일 미국관계 과장회의

연: JAW-2068

1. 외무성 다나까 북미 1 과장은 금 5.25. 당관 유광석 참사관에게 표제관련 일측희망을 하기와 같이 알려오면서 아측사정을 문의한바, 검토후 회시바람

가. 북미 1 과장 및 2 과장이 6.7-9. 간 방한, 6.8(월) 오전중 관계과장회의 개최를 희망함

나. 형식은 정치, 경제분야별 개별협의가 아닌 합동회의를 희망함

2. 동 과장은 기본적으로 격식을 갖추지 않은 자유로운 의견교환을 희망하고 있는바, 회의준비 및 진행을 위해 필요하다면 미국정세 및 대아세아 정책 평가, 양국의 대미관계등 기본의제만 제의하는것이 좋을것으로 사료됨. 끝

(대사 오재희-국장)

예고: 92.12.31. 일반

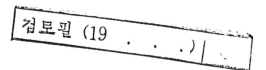

검 토 필 (19   .   .   .)

미주국   아주국   통상국

PAGE 1

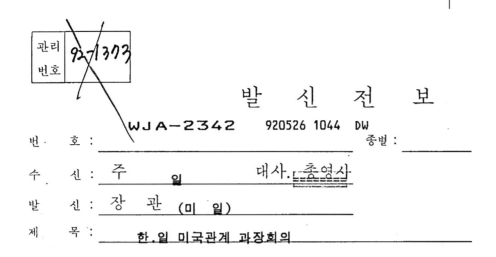

발 신 전 보

WJA-2342   920526 1044 DW

번　　호 :　　　　　　　　　　　　　종별 :

수　　신 : 주　일　　대사.총영사

발　　신 : 장　관 (미일)

제　　목 :　　한.일 미국관계 과장회의

　　　　대 : JAW - 3051

1. 대호 일측 회망대로 6.8(월) 오전 회의를 갖는데에 이의 없음.

2. 아측에서는 북미1과장, 북미2과장, 통상2과장이 참석예정이며, 의제로는
미국내 정세, 미국의 대외정책 특히 대아시아 정책 방향, 한.미, 미.일 양자관계
평가등이 좋을 것으로 생각함.

3. 회의 형식은 일측 제의대로 형식없는 자유로운 의견교환이 좋을 것이며,
회의후 간략한 실무오찬을 제안함.　끝.

(미주국장　정 태 익)

예　고 : 1992.12.31.일반

외교원 (1992. 6. 30.)

앙고재	92년5월일	북미1과	기안자성명	과장	심의관	국장	차관	장관		외신과통제

0010

관리
번호 92-1425

외 무 부

종 별 : 지급

번 호 : JAW-3232

일 시 : 92 0603 1406

수 신 : 장 관(미일,미이,통이,아일)

발 신 : 주 일본 대사(일정)

제 목 : 한.일 미국관계 과장회의

대: WJA-2342

1. 일 외무성측은 북미 2 과장이 업무상 6.7(일) 당지를 떠나기 어렵게 되었다고 하면서 표제회의를 6.8(월) 오후로 조정해줄 수 있겠는지를 문의해 왔음.

2. 상기에 비추어 회의를 오후에 개최하고 대호 오찬대신 만찬으로 일정을 조정해줄 것을 건의하며, 결과 회시바람.

3. 일측 참석자중 북미 1 과장 및 2 과장의 이력사항은 하기와 같으며, 주한대사관 참석자는 추후 통보해 주겠다 함.

가. 북미 1 과장

0 성명: 다나까 노부아끼

0 생년월일: 1946.8.26.

0 학력: 동경대학 법학과

0 주요 경력

-1970 년 외무성 입성

-주 UN 대표부, 주미대사관 근무

-세계 평화연구소 (나까소네 전 수상치 창설) 파견 근무

-대양주과장, 정보조사국 기획과장

-1990.10. 이래 북미 1 과장

나. 북미 2 과장

0 성명: 사사에 긴이찌로

0 생년월일: 1951.9.25

0 학력: 동경대학 법학과

0 주요 경력

검토필 (1992. 6 .30.)

미주국   아주국   미주국   통상국

PAGE 1

92.06.03   14:53
외신 2과 통제관 BS

0011

-1974 년 외무성 입성
-주미대사관 등 근무
-북미 1 과 수석사무관
-1990.8. 이래 북미 2 과장. 끝.
(대사 오재희-국장)
예고: 92.12.31. 일반

0012

발 신 전 보

번 호 : WJA-2495   920604 1508 FW   종별 : _____

수 신 : 주   일   대사.총영사

발 신 : 장 관 (미일)

제 목 : 한.일 미국관계 과장회의

대 : JAW - 0323

대호 입측 ~~희망을~~ 사정 반영, 회의는 6.8(월) 14:00-16:30간으로 하고 미주
국장이 만찬을 주최하는 것으로 조정하였으니 통보바람. 끝.

일측에 아는

(미주국장   정 태 익)

검토필 (1992. 6. 30.)

일반문서로 재분류(92.12.31)

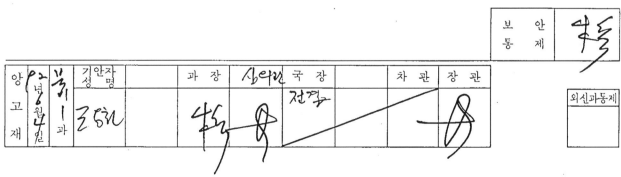

0013

외 무 부

원 본

종 별 : 지급

번 호 : JAW-3264

일 시 : 92 0604 1850

수 신 : 장 관(미일,미이,통이,아일)

발 신 : 주 일본 대사(일정)

제 목 : 한.일 미국관계 과장회의

대 : WJA-2495

1. 외무성 북미 1 과장은 금 6.4(목) 유광석 참사관에게 표제회의를 연기해 줄것을 요청하면서 하기와 같이 양해를 구해왔음을 보고함.

가. 대미구조협의(5.11)관련, 현재 국내관계부처 및 업계와의 조정을 마무리하는 민감한 단계인 바, 예상외의 문제가 생겨 북미 2 과장의 출장이 어렵게 되었음. 나. 본인만 방한하는 방안도 검토해 보았으나, 정치.경제분야를 함께 협의함이 바람직하다는 결론을 내렸으며, 일측이 제의한 일정을 지키지 못해 죄송하게 생각함.

2. 회의시기는 수상 방미 및 선진국 정상회담이후인 7 월 하순을 고려하고 있으나, 추후 제의하겠다고 함. 끝.

(대사 오재희 - 국장)

예고 : 92.12.31 일반

일반문서로 재분류(92.12.31)

검토필 (1992. 6. 30.)

미주국   아주국   미주국   통상국

92.06.04   19:31

외신 2과   통제관 BS

0014

관리
번호 92-1392

외 무 부

종 별 :

번 호 : USW-3181   일 시 : 92 0623 1859

수 신 : 장 관 (미일,정특)

발 신 : 주 미 대사

제 목 : 북한관련 한.미 실무협의   접 수 ... '92. 6. 30   ㉑ ㄴ

1. 미국무부 한국과 HASTINGS 북한 담당관은 금 6.23. 당관 박흥신 서기관과의 면담시 남북한 기본합의서 채택에도 불구 북한 핵문제를 위요하고 남북한 관계가 교착상태에 있는 것과 관련, 이에대한 아측의 실무의견을 청취하고 북한의 의도에 대한 분석평가를 상호 교환함으로써 대북한 대응방안을 모색하는 것이유용할 것으로 본다고 언급하였음. 동 담당관은 이를 위해 북한관련 한. 미 실무협의를 가질 것을 제의하고 협의시기는 하계휴가가 본격적으로 시작되기전인 7 월 중순이전이 좋겠다고 하면서 우리측 실무관계관들이 워싱턴에 출장 가능 여부를 문의하였음.

2. 동 담당관은 실무협의 형식은 ROUND TABLE DISCUSSION 또는 개별 면담등의 형식을 취할수 있을 것이라고 하면서 미측에서는 국무부에서 자신외에 정보조사국 CARLIN 동북아과장, MERRILL 연구관, SAMORE 케네디 대사실 보좌관과 NSC 의 PATTERSON 아주담당보좌관, 국방부의 PRZYSTUP 월포위츠차관 보좌관등이 협의에 참여할 수 있을 것이라고 부언함.

③. 동 실무협의는 북한관련 정보교환은 물론 대북한 공동전략 도모를 위한 한. 미 실무자간의 교감형성을 위해서도 유익할 것으로 사료되는바, 동 제의에 대한 본부입장 회시바람. 끝.

(대사 현홍주-국장)

예고: 92.12.31. 일반

미주국	장관	차관	1차보	외정실	분석관	청와대	안기부

외 무 부

문서번호 미일 10200-

시행일자 1992. 6. 26.

(경 유)

수 신 내부결제

참 조

취급			차 관	장 관
보존			綜	
국 장	鄭			
심의관		제1차관보 :		
과 장		외교정책기획실장 :		
기 안	안영집		협조	

제 목 대북한 정책 관련 한·미 실무 협의회 참석

　　　대북한 정책관련 한·미 양국 실무담당자간 협의회 개최를 위해 아래와
같이 본부 관계자의 워싱톤 출장을 건의하오니 재가해 주시기 바랍니다.

- 아 　 래 -

1. 출장목적 : 최근의 북한 정세 및 북한의 제반 대외관계 동향에
　　　　　　　 대한 의견교환과 핵문제등과 관련한 향후 한·미 공동
　　　　　　　 대처 방안을 모색하기 위한 양국 실무 당사자간 협의

2. 출 장 자 : 김영목 북미 1 과장
　　　　　　　 추규호 특수정책과장

3. 출장기간 : 7.5(일) - 7.10(금)
　　　 ※ 특수정책과장은 7.5(월)~7.11(토) : 귀로에 방일, 같은 목적으로
　　　　　　　　　　　　　　　　　　　　　　 일본 외무성 관계관 면담

//// 계 　 속 ////

0016

4. 출장일정

      o 7.6(월) : 미측과 비공식 협의(라운드 테이블)

        - 아측참석자 : 북미 1과장

                     특수정책과장 외

                     주미대사관 관계관

        - 미측참석자 : Kartman 국무부 한국과장

                     Hastings 국무부 한국과 북한담당관

                     Carlin 국무부 정보조사국 동북아과장

                     Przystup 윌포비츠 국방차관 보좌관 외 관계관

      o 7.7(화) : 미행정부 관계관 및 학계 인사와의 개별 면담

      ※ 7.10(금) : 일본 외무성 북동아과장, 분석과장 면담

                     (특수정책과장)

5. 참고사항

    출국전 정책 협의차 청와대 및 안기부 관계관들과 제1차 내부

    협의 개최   끝.

0017

	분류번호	보존기간

발 신 전 보

번 호 : WUS-3021   920629 1026 FX   종별 : _____ 지급

수 신 : 주 미   대사. ~~총영사~~

발 신 : 장 관(미 일)

제 목 : 북한관계 협의

대 : USW - 3184

1. 대호, 미측 제의에 동의함. 아측으로서도 7월 둘째주가 편리할 것으로 보이는바, 협의일자 (주초 혹은 주 후반)에 관한 미측의견을 지급 보고 바람.

2. 동 협의에는 북미 1과장, 특수정책과장이 참가예정이며, 협의시에는 비공식 간담회(Round Discussion)외에 적절히 개별 면담을 갖기를 희망하며, 특수정책과장은 연구소 방문등 학계와의 접촉도 희망하고 있음을 참고 바람.

3. 비공식 간담회시에는 대체로 다음과 같은 주제에 대해 협의하는 것이 적절한 것으로 보이는 바, 이에 대한 미측의견 있을 경우 보고 바람.

ㅇ 북한 내부 정세
   - 정치, 경제, 군사 동향

검 토 필 (1992. 6. 30   ㉑)

(이상) 탁지급 바람: //// 계 속 ////

앙고재	92년 6월 ㅂ 과	기안자 성명	과 장	국 장	차 관	장 관

보안통제

외신과통제

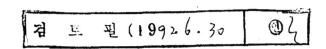

o 북한 대외정책 전반

o 북한의 대미, 대일 정책 추진

o 북한의 대남 전략

　　- 남북 고위급 대화

o 핵문제에 관한 북한 의도 분석

o 대북한 한미공동 대처 방안

- 끝 -

(미주국장 정 태 익)

예 고 : 1992. 12.31. 일반

0019

관리	
번호	P2-1106

외 무 부

원 본

종 별 : 지 급

번 호 : USW-3304

일 시 : 92 0629 1838

수 신 : 장 관 (미일,정특)

발 신 : 주 미 대사

제 목 : 북한관계 협의

대: WUS-3021

연: USW-3184

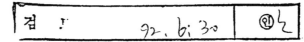

| 검 | 92. 6. 30 | ㉑ㄴ |

1. 대호, 금 6.29. 당관 박흥신 서기관이 국무부 한국과 HASTINGS 북한 담당관과 간담회 일자 및 의제관련 협의한바, 동 담당관은 일자는 7 월 둘째주중 어느때라도 무방하나 시일의 촉박을 감안, 7.8(수) 또는 7.9(목)중에 간담회를 갖고, 동 간담회를 전후하여 개별면담을 가질 것을 제의함. 대호 3 항 의제에 대해서는 이의가 없다함.

2. 미측과의 면담및 방문주선등 일정확정에 필요하니 당지 방문일정을 조속회시바람. 끝.

(대사 현홍주-국장)

예고: 92.12.31. 일반

미주국   장관   차관   외정실   분석관   청와대   안기부

PAGE 1

92.06.30   07:53

외신 2과   통제관 BX

0020

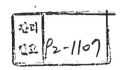

외 무 부

문서번호 미일 0160-504

시행일자 1992. 6. 30.

(경   유)

수   신 국가안전기획부장

참   조

취급		장 관
보존		
국 장		
심의관		
과 장		
기 안	노광일	협조

제   목 대북한정책 관련 한.미 실무협의회

1. 최근의 북한정세 및 북한의 제반 대외관계 동향에 대한 의견교환 및 핵문제등과 관련한 향후 한.미 공동대처 방안모색을 위해 한.미 실무협의회가 92.7.8.-9. 워싱턴에서 개최될 예정입니다.

2. 상기 한.미 실무협의회 개최준비 관련, 북한정세 및 핵문제를 담당하는 정부내 유관기관의 실무과장급 내부협의를 아래와 같이 갖고자 하오니, 귀부 담당관이 참석토록 협조하여 주시기 바랍니다.

            가. 일   시 : 92.7.3.(금)   10:00

            나. 장   소 : 외무부 소회의실(817호)

예   고 : 1992.12.31.일반

외 무 부 장 관

0021

분류번호	보존기간

발 신 전 보

번　호 : WUS-3098 920701 2258 FO 종별 :

수　신 : 주 미 대사. 총영사

발　신 : 장 관 (미 일)

제　목 : 북한관계 협의

대 : USW - 3304

북미1과장과 특수정책과장은 7.7.(화)-10.(금)간 귀지 출장예정임.
상세 항공편은 추후 통보예정임. 끝.

(미주국장 정 태 익)

예 고 : 1992.12.31. 일반 재 토 조 92. 12. 30 ○요

앙고재	92년1월1일	북국미1과	기안자성명 노량열	과장	국장 전결	차관	장관 92월	보안통제		외신과통제

공   란

공   란

공   란

공   란

공   란

공 란

공   란

공   란

공   란

공　　　　란

공   란

공   란

공   란

공 란

공   란

공　　　　란

공   란

공   란

공 란

공   란

공 란

공　　　란

공   란

공 란

공   란

공　　　란

공   란

공　　　　　란

공   란

공   란

공   란

공　　　란

공　　　란

공   란

공   란

공   란

공   란

공   란

공 란

공   란

공   란

공　　　　란

공   란

공 란

공   란

공 란

공   란

공　　란

공　　　　란

공　　　　란

공 란

공 란

공   란

공   란

공   란

공   란

공 란

공   란

공　　　란

공　　　　　란

2. Blix IAEA 사무총장 미국 방문,
   7. 19-23

0083

외 무 부

관리 번호 92 -960

종 별 :

번 호 : USW-3568   일   시 : 92 0715 1857

수 신 : 장 관 (미이) (민이) 정총, 정안, 국기) 사본:주오지리대사

발 신 : 주 미 대사

제 목 : 북한 핵문제 관련 BLIX 사무총장 공개 설명회

연: USW-3112

1. 하원 외무위 아. 태소위 (위원장: STEPHEN SOLARZ)의 STANLEY ROTH 수석전문위원은 금 7.15. 당관 조일환 참사관에게 HANS BLIX IAEA 사무총장이 연호 SOLARZ 의원의 초청을 수락하여 워싱턴을 방문, 하원 외무위의 아. 태소위, 군축.국제안보.과학소위(위원장: DANTE FASCELL), 국제경제정책. 통상소위(위원장: SAM GEJDENSON)등 3 개 소위가 공동으로 7.22(수) 개최할 예정인 북한 핵문제 관련 공개 설명회에 참석하여 IAEA 의 북한 핵 사찰 결과등에 대한 설명을 하게 될예정이라고 알려왔음.

2. 조참사관은 이에대해 BLIX 총장이 미 의회의 청문회에서 증언하는 것인지와 방미기간, 수행원등에 관해 문의한바, 동 전문위원은 아래와같이 답변함.

가. BLIX 사무총장이 SOLARZ 위원장의 아. 태소위 청문회 참석 구두 초청에대해 긍정적 의사를 표명해 옴에 따라 지난주 상기 3 개 소위원장 공동명의로 공개 설명회에 참석해 줄것을 요청하는 초청장이 발송된바 있음.

나. BLIX 총장은 7.20-23 간 방미하는 것으로 알고 있으며, 수행원 2 명중 1명은 IAEA 의 북한 핵사찰에 참가했던 직원이 될 것임.

다. 금번 북한 핵문제 설명회는 IAEA 측에서 청문회 (HEARING)라고 부르는 것을 원치 않음에 따라 공개설명회 (PUBLIC BRIEFING)라고 부르게 되었으나, 금번 설명회에서 BLIX 총장의 모두 발언과 질의.응답이 있을 예정이므로 사실상 일반 청문회와 같은 것으로 볼수 있으며, 만약 민감한 질문이 제기되어 BLIX 총장이 비공개로 답변하기를 원하는 경우에는 공개설명회 이후 별도로 비공개 설명회를 개최하게 될 가능성도 있음.

3. 동 설명회 개최 관련 동향 추보 예정임.끝.

미주국	장관	차관	1차보	미주국	국기국	외정실	외정실	분석관
정와대	안기부	중계						

PAGE 1   92.07.16   09:45
                                          외신 2과 통제관 BN

0084

(대사 현홍주-국장)

예고: 92.12.31.. 일반고문에
의거 일반문서로 재분류됨

0085

2. 北韓 核問題 관련 IAEA 事務總長 訪美

o 블릭스 IAEA 事務總長이 美 下院 亞.太小委 솔라즈 委員長의
招請에 따라 訪美, 亞.太小委등 美 下院 3個小委가 7.22 共同
主催하는 北韓 核問題 관련 公開 說明會에 參席, IAEA의 北韓
核査察 結果등에 관해 說明할 예정임.

- 한편 美 國務部는 블릭스 總長의 訪美를 契機로 同 總長에게
  보다 철저한 IAEA의 對北韓 査察을 促求하고, 금후 IAEA
  査察과 南北相互査察의 相互 補完關係 發展方案등을 協議할
  예정이라 함.   (駐美大使 報告)

0086

관리 92
번호 -9ファ

외 무 부

종 별 :

번 호 : USW-3591   일 시 : 92 0716 1936

수 신 : 장 관 (미이, 미일, 정특, 국기) 사본: 주오지리대사(중계망)

발 신 : 주 미 대사

제 목 : BLIX 총장 방미

연: USW-3568

1. 국무부 비확산 대사실 SAMORE 보좌관은 금 7.16. 당관 안호영 서기관에게 전화, 연호 설명회 참석차 방미하는 IAEA 의 BLIX 사무총장이 국무부 (KENNEDY 대사, WISNER 신임 국제안보차관, BOLTON 국제기구담당 차관보)및 국방부 (WOLFOWITZ 차관) 인사들을 면담할 예정이고, 현재 KANTER 정무차관과의 면담도 주선중이라고 알려왔음.

2. SAMORE 보좌관은 미측으로서는 (1) 그간 IAEA 의 대북 사찰실시를 평가하고, (2) 보다 철저한 사찰을 촉구(URGE)하는 한편, (3) 그간 BLIX 사무총장이 남. 북 상호사찰을 지지해 준것에 사의를 표함(THANK)과 함께 (4) 금후 IAEA 사찰과 상호사찰의 상호 보완 관계발전을 위한 BLIX 사무총장의 견해를 묻는 정도의 면담 주제를 생각하고 있다고 하였음.

3. 안서기관은 상기 설명에 사의를 표하고, 내주중 BLIX 총장과의 협의 내용을 브리핑해 줄것을 요청한바, 추보 위계임.끝.

(대사 현홍주-국장)

예고: 92.12.31. 에일짝고문에 의거 일반문서로 재분류됨

미주국	장관	차관	1차보	미주국	국기국	외정실	분석관	정와대
안기부	중계							

92.07.17   13:19

외신 2과 통제관 DE

0087

外 務 部

종 별 :

번 호 : AVW-1142   일 시 : 92 0717 1200

수 신 : 장 관(미이,국기) 사본:주미대사-중계필

발 신 : 주 오스트리아 대사

제 목 : 북한 핵문제관련 BLIX 총장 미국방문

대:WAV-1102(USW-3568)

1. IAEA 측이 준비중에 있는 BLIX 사무총장 방미일정(안)을 입수 별전 FAX 송부함.

2. 동 사무총장의 미국방문에는 PIERRE VILLAROS 사무총장 특별 보좌관과 대 이락 IAEA 사찰팀 부단장인 DEMETRIUS PERRICOS 가 수행할 것이라 하며 하원 청문회에는 증인으로서가 아니라 브리핑(질의 응답 포함)차 참석케 될것이라 함.

별첨:AVW(F)-0174 1 매.끝.

(대사 이시영-국장)

예 고:92.9.30 일반에 고문에
1거 일반문서로 재분무됨

미주국   국기국   중계

PAGE 1   92.07.17   22:08

EMBASSY OF THE REPUBLIC OF KOREA

Praterstrasse 31, Vienna
Austria 1020 (FAX : 2163436)

No : AVW(F)-0174   Date : 20272 1200

To : 장관(미이. 3거)

(FAX No :   사본: 주미대사(중)에 또)

Subject :
 염무

표지포함   2 매

Total Number of Page :

2-1

0089

19 July 1992

11:45 Departs Vienna
19:00 Arivee in Washington, D.C.

20 July

Morning Meetings with Senators and Congressmen (still being set up)

12:30 Lunch with Carnegie Endowment Center for Peace

14:00 Interviews with candidates of Agency positions

16:00 State Department Meetings being set up by Ambassador Kennedy's office

21 July
10:30-12:00 State Department Meeting with Assistant Secretary Bolton and Wisner

14:00-15:00 ITER Agreement Signing in Sec. of Energy Watkins' office
       Japanese Ambassador, Russian Minister, EC representatives

16:00 Meeting Rep. Sam Gejdenson Briefing on Iraq

22 July
10:00-11:00 Defense Department Advisory Board Meeting

13:30-15:30 House Foreign Affairs Committee-Subcommittee on Asian and Pacific
Affairs, Steven Solarz, Chairman Briefing on North Korea

16:00-17:00 Senate Staff briefing on Iraq and North Korea, strengthening of
safeguards, ect.

19:00 Dinner Army Navy Club--pending.

23 July
8:30-10:00 National Press Club Breakfast Briefing on Iraq, North Korea,
safeguards and non-proliferation.

10:30-15:00 State Department Meeting with Ambassador Kennedy and meetings he
is setting up for you to interview candidates for positions.

16:00 Depart for Airport

18:00 Depart BA for London.

0090

공　　　란

공　　　란

주 미 대 사 관

USW(F) : *4836*   년월일 : *92. 7.22* 시간 : *20 : 00*

수 신 : 장 관 (미이)

발 신 : 주 미 대 사

제 목 : *BLIX. IAEA 사무총장 설명회* (출처 :   )

배부처	장관실	차관실	一차관보	二차관보	외정실	분석관	아주국	미주국	구주국	중아국	국기국	정대국	통상국	문협국	의연원	청와대	안기부	공보처	경기원	상공부	재무부	농수부	동자부	환경처	과기처
								0																	

(4836 -33 -1)

외신 1과	
통 제	

HOUSE FOREIGN AFFAIRS COMMITTEE / SUBCMTE ON ASIAN AND PACIFIC AFFAIRS
SUBCMTE, ON ARMS CONTROL, INT'L SECURITY & SCIENCE
SUBCMTE ON INT'L ECONOMIC POLICY & TRADE
CHAIRMAN: REP. STEPHEN SOLARZ, D-NY   TOPIC: NORTH KOREA NUCLEAR PROGRAM
WITNESS: DR. HANS BLIX, DIRECTOR, IAEA WEDNESDAY, JULY 22, 1992
H-3-1 page# 1

   dest=hill,hsforaff,nkor,skor,fns21447,fns14094,nucweapon,asia,pacific
   dest+=iran,libya,india,pak,israel,alg,arg,braz,safr,latamer
   data

          REP. SOLARZ: The Subcommittees will come to order. The
     Subcommittee on Asian and Pacific Affairs, as well as the
     Subcommittee on Arms Control, International Security, and Science,
     and the Subcommittee on International Economic Policy and Trade is
     pleased to welcome Dr. Hans Blix to today's briefing on the North
     Korean Nuclear Program. I particularly appreciate the willingness
     of Dr. Blix and his colleagues to travel all the way from Vienna to
     appear before us today.

          There have been many significant developments since I last had
     the opportunity, in 1991, to discuss the North Korean Nuclear
     Program with Dr. Blix. North Korea has, of course, both signed and
     ratified an inspection agreement with the IAEA since that time.

          Dr. Blix then visited North Korea in May of this year, and two
     adhoc IAEA inspections have been conducted, one in June and one in
     July. I gather that negotiations are nearing completion with the
     North for a facility's attachment, which will regularize inspection
     procedures.

          Despite all of these developments, however, I must say that I
     still have some very serious concerns about the North Korean Nuclear
     Program. First, North Korea has publicly admitted that it has
     already reprocessed small amounts of plutonium. If the North has,
     at least, a limited operational reprocessing capability, how can the
     international community be assured that the North does not already
     possess significantly greater amounts of plutonium than it now
     claims.

          Second, North Korea claims that it has no spent fuel from the
     (5-MWE?) reactor. It has been, at least, intermittently operational
     since 1986. At today's briefing, we hope to find out if it is
     technically possible to determine through the inspection process
     whether or not the original reactor core is still in this reactor,
     as the North claims.

          Third, after his trip to Pyongyang in May of this year, Dr.
     Blix publicly stated his conclusion that the facility which the
     North calls a radio chemical laboratory would, in fact, be a
     reprocessing facility once it is completed. Given the fact that
     there appears to be no legitimate use for such a facility in North
     Korea, will the IAEA insist that the North decommission this
     facility.

          Finally, it is unclear to me precisely what the North's
     position is with respect to special inspections. We hope to learn
     from Dr. Blix today whether the North has explicitly indicated to
     the IAEA if it will accept the IAEA's right to conduct special or

                           4 036 - 33 - 2   009ᴬ

HOUSE FOREIGN AFFAIRS COMMITTEE / SUBCMTE ON ASIAN AND PACIFIC AFFAIRS
SUBCMTE, ON ARMS CONTROL, INT'L SECURITY & SCIENCE
SUBCMTE ON INT'L ECONOMIC POLICY & TRADE
CHAIRMAN: REP. STEPHEN SOLARZ, D-NY TOPIC: NORTH KOREA NUCLEAR PROGRAM
WITNESS: DR. HANS BLIX, DIRECTOR, IAEA WEDNESDAY, JULY 22, 1992
H-3-1 page# 2

challenge inspections at any facility in the North, including, if
necessary, North Korean military facilities. We hope that today's
briefing by Dr. Blix will shed some light on these and many other
issues.

Once again, I'd like to thank Dr. Blix and his colleagues, Dr.
Perricos and Mr. Villaros, for their willingness to brief us on this
very important issue. Dr. Blix, before I ask you to give the
Subcommittees the benefit of your wisdom, experience and
information, I would like to yield to my very good friend from the
state of Iowa, the distinguished Ranking Member of the Subcommittee
on Asian and Pacific Affairs, Mr. Leach.

REP. JIM LEACH (R-IA): I thank the distinguished, Hispanic
Chair, for yielding. Let me just mention, by way of introduction,
that this is one of the most burrowed and burrowing societies in the
world. And that, as we all understand, you have been allowed to
inspect what the North Koreans have allowed you to inspect. And
it's certainly my view, and I'm sure the Chairman shares this, that
the principle to challenge inspections are very important in this
type of circumstance. And one of the issues the international
community is going to have to deal with is how those take place and
what rights and discretions are given the IAEA.

My own view is, personally, to give extraordinary discretion
to the IAEA itself, without the need for super approvals form,
whether it be the UN Security Council, or whatever.

I would also stress that from an American perspective, we
place a great deal of emphasis on the signed agreement between North
and South Korea bilateral agreement, in which the North has agreed
to inspections by the South, and that there should be no implication
that one agreed to inspection by North Korea for the IAEA should, in
any way, undercut their obligations under their North-South
agreement. And I would certainly hope that the IAEA would be as
cooperative as possible in advancing this particular bilateral
agreement, and ensuring data with South Korea, as well as relevant
reciprocal data with the North.

Finally, I would just say that it is my understanding that
North Korea has some sort of misleading belief that they've got a
bargaining tool with the United States based upon their control of
several remains from the Korean War. And certainly, our society
places a great deal of emphasis on POW-MIA issues, including those
of remains. But I think everybody should understand that remains
aren't bargained for, and particularly in policy terms of this
nature. And that, we in America,, if there's going to be any hope
of being cooperative with bringing North Korea into the new world of
the 21st Century, are going to have to insist on a very tough NPT
type of circumstance inspections, and what I would assume would be
the dismantling of facilities that are in the process of being made.

Thank you very much, Mr. Chairman.

HOUSE FOREIGN AFFAIRS COMMITTEE / SUBCMTE ON ASIAN AND PACIFIC AFFAIRS
SUBCMTE, ON ARMS CONTROL, INT'L SECURITY & SCIENCE
SUBCMTE ON INT'L ECONOMIC POLICY & TRADE
CHAIRMAN: REP. STEPHEN SOLARZ, D-NY TOPIC: NORTH KOREA NUCLEAR PROGRAM
WITNESS: DR. HANS BLIX, DIRECTOR, IAEA WEDNESDAY, JULY 22, 1992
H-3-1 page# 3
      REP. SOLARZ: Thank you, Mr. Leach. Dr. Blix, please proceed.

      HANS BLIX: Thank you very much, Mr. Chairman. I am very
pleased to have the opportunity to brief your Committee on a subject
that is central on the International Atomic Energy Agency's work,
namely nuclear non-proliferation and the safeguards verification.
And I understand very well that you are focussing upon the question
North Korea, and I will be glad to answer questions and also my
introductory remarks, if you will allow me to make them -- to make
some specific points about the,, what we term, the (EPRK?), North
Korea. But I think some preliminary comments are in place.

      There has been much concern about -- among governments --
about various countries, some of them nonproliferation adherence,
and others not. Among those, that have appeared to have a
nonproliferation treaty, there have been concerns expressed by
governments about North Korea, about Iran, about Libya, and also
concerns about some states that are not parties to the
nonproliferation treaty -- evidently they are India, Pakistan,
Israel, and also Algeria.

      I'll be very glad to answer questions on these matters and I
have, as you know, two collaborators with me. Mr. Villaros on my
right side -- (inaudible) -- special assistance, who was with me in
the North Korea. He also went with me to Libya, and he has also
been on an IEA mission to a number of sites in Iran. And I have on
my left side Mr. Perricos, who is a senior member of our Safeguards
Department, and who has been the chief inspector in most of the IEA
missions to Iraq. All together, we have had 13 missions. And I
think he has headed seven of these missions.

      The first introductory point I should like to make is that we
had reason, not only to register concern, but also some satisfaction
in the nonproliferation field in the past year. Argentina and
Brazil have now concluded an agreement, creating a joint --
(inaudible) -- control system. And they have made a safeguards
agreement with the IEA opening up all their installations for IEA
inspections.

      South Africa, which for a long time refrained from adhering to
nonproliferation treaty, has done so, and concluding a safeguards
agreement with us. And we are now verifying the completeness of
that declaration. North Korea is another case where the country,
for many years, did not sign a safeguards agreement with the agency,
but has done so in the year and ratified it. And thereafter,
submitted a list, what we term an original inventory. And we are
now verifying that.

      And as you said, Mr. Chairman, we have sent two adhoc
inspection missions to it, in order to verify these lists. It is a
rather long list. We have made it public. The question is, then,
whether it is complete or not. That's the outlook for
nonproliferation, in my view, in the world. It's not altogether
gloomy, even if there are a number of sources of concern.
                                                                      0096

HOUSE FOREIGN AFFAIRS COMMITTEE / SUBCMTE ON ASIAN AND PACIFIC AFFAIRS
SUBCMTE. ON ARMS CONTROL, INT'L SECURITY & SCIENCE
SUBCMTE ON INT'L ECONOMIC POLICY & TRADE
CHAIRMAN: REP. STEPHEN SOLARZ, D-NY TOPIC: NORTH KOREA NUCLEAR PROGRAM
WITNESS: DR. HANS BLIX, DIRECTOR, IAEA WEDNESDAY, JULY 22, 1992
H-3-1 page# 4

        Indeed, there are good hopes that the Tlatelolco Treaty, for a
nuclear weapon free Latin America, may come into force next year --
Cuba having signalled that they would not stand in the way, but
would also join the Treaty, if all others did.

        There are also some optimistic signals in view of discussions
on the peace conference in the Middle East, and hopes that
discussions about a nuclear weapon free zone for that area might
move forward.

        The second introductory point, apart form this optimistic one,
I would like to make is that nonproliferation efforts consist of
many elements. And if anyone looks to the IAEA inspections as the
(bull work?) against nonproliferation, they are bound to be
disappointed. We are not claiming to be the (bull work?) against
nonproliferation.

        The verification and the inspectors of the IEA is not a
nuclear police, but they are observers and they are reporters. They
cannot stop anything from taking place, but they can report to the
world about it. The risk of detection may serve some measure of
deterrent from a diversion, but it is not a executive power that can
stop it.

        REP. SOLARZ: Dr. Blix, on that note, let me say that we have
here a problem of proliferation with votes. And the bells you've
just heard were the second bells on a 15 minute vote, which means we
only have a few minutes left. So, with your permission, the
Subcommittees will stand temporarily in recess while Mr. Leach and I
go to cast our votes. And then we will be back in about 10 minutes
and you can proceed with your statement.

        MR. BLIX: Thank you.

        (Committees recess)

        REP. SOLARZ: The subcommittee will resume its deliberations.
Dr. Blix, please proceed.

(MORE)

                    11·d·26-23-5   0097

HOUSE FOREIGN AFFAIRS COMMITTEE / SUBCMTE ON ASIAN AND PACIFIC AFFAIRS
SUBCMTE. ON ARMS CONTROL, INT'L SECURITY & SCIENCE
SUBCMTE ON INT'L ECONOMIC POLICY & TRADE
CHAIRMAN: REP. STEPHEN SOLARZ, D-NY TOPIC: NORTH KOREA NUCLEAR PROGRAM
WITNESS: DR. HANS BLIX, DIRECTOR, IAEA WEDNESDAY, JULY 22, 1992
H-3-2 page# 1

dest=hill,hsforaff,nkor,skor,fns21447,fns14094,nucweapon,asia,pacific
dest+=armscont,russia,iraq,un,cyprus,safr
data

     MR. BLIX: Thank you Mr. Chairman. I was making some
introductory remarks about the situation on the non-proliferation
stage, and saying that anyone who would look to the IEA safeguards
as the bulwark against non-proliferation would have to be
disappointed because we're not shaming any such overall role.

     In reality, the efforts to prevent further spread of nuclear
weapons to further countries is countered by several different
barriers, the first of which certainly is the political one.
Detente in an area is likely to help to maintain non-proliferation
military alliances offering umbrellas to allied states also likely
to obviate their incentives to go for nuclear weapons.

     Nuclear disarmament is another area which is important to
induce countries to commit themselves to non-proliferation, and the
recent very important agreements that are being reached in this
regard I see as encouragement for complete adherence to non-
proliferation in the world.

     There are also rewards for commitments to non-proliferation
like a transfer of technology to developing countries. Many
developing countries are very eager to have that reward. On the
whole, the agency is not engaged in dealing with the political
incentives and disincentives to commit to non-proliferation. We
are, however, dealing as an instrument of member states with the
transfer of technology to developing countries, chiefly in non-power
sectors, in nuclear sectors dealing with, say, industry, agriculture
or medicine.

     A second barrier against non-proliferation in which we are
not involved are the export controls which help to retard and make
it more difficult to a state that would be bent on proliferation.
These excellent controls are agreed upon between supplier states and
we do not have any part in those negotiations. They have recently
taken place at a meeting in Warsaw where they have agreed upon
restrictions on the export of dual-use equipment and sensitive
equipment.

     The IEA safeguards inspections were developed a little over 20
years ago at a time when the concern about non-proliferation was
chiefly directed to industrialized states and they are zeroed in on
the fissionable material, on plutonium and enriched uranium. It is
the world's first on-site inspection system. We have about 200
inspectors who travel to countries and inspect the installations and
the materials, and the cost of the system annually is about $70
million.

     We have suffered from the zero gross that has been inflicted
                                                                0098

HOUSE FOREIGN AFFAIRS COMMITTEE / SUBCMTE ON ASIAN AND PACIFIC AFFAIRS
SUBCMTE. ON ARMS CONTROL, INT'L SECURITY & SCIENCE
SUBCMTE ON INT'L ECONOMIC POLICY & TRADE
CHAIRMAN: REP. STEPHEN SOLARZ, D-NY TOPIC: NORTH KOREA NUCLEAR PROGRAM
WITNESS: DR. HANS BLIX, DIRECTOR, IAEA WEDNESDAY, JULY 22, 1992
H-3-2 page# 2

upon all-international organizations. We have been living at zero
gross for eight years. In addition to that, we have been, last year
and this year, had the problem that Russia has not been paying at
all which gave us a deficit of $25 million last year and a deficit
of $25 million this year. And unless the United States succeeds in
paying its share for 1992 early in October, we will be broke in
October.

Now, the safeguards we perform in North Korea and in other
places are in the first place, based upon the state's declaration of
the fissionable material that they have and on the installations
which they have. . And we have verified these.

We make no assumption that these declarations are correct and
truthful, and as we verify them and as we verify the use and the
movements of nuclear materials, we find, in fact, many
inconsistencies and many anomalies, and they are pursued and they
are cleared up so far.

It is, in fact, our duty not to have faith in any of the
declarations that are given to us. There are certainly in the
industrialized states difficulties and limitations in this system,
the risk of non-detection is not zero, but to have a system that
would have much finer meshes than the one we have now would cost
quite a lot and we would also probably have a great many more false
alarms.

Compared to those problems relating to industrial countries,
the problem that we have seen in the wake of the Iraqi revelations
are much greater, namely the problem that a country might have non-
declared material in non-declared installations. And that goes then
to the original inventory which they submit tb us.

In open societies it is harder to conceal any installation.
In very closed societies, and Iraq certainly was one of them, and
still is, North Korea is another closed society, it is more
difficult. The lessons learned from Iraq to reduce the risk of non-
detection are very important and I think we have drawn them in the
past here, and I would summarize them as three.

First, for the inspection to be successful, we must have
access to information about possibly secret installations, those
that have not been declared. And we try to get that through
information about exports from individual countries, we try to scan
media for any clues. We also have asked member states to give us
information on the basis of their national systems;. WE must also
have access to the sites to visit, not only routine inspections in
the sites declared, but also have the right to go to a site where we
think that there are reasons to believe that some nuclear material
or installations which have not been declared, which should have
been declared, are located. And we have had a discussion of this in
the Board of Governors of the IEA and a conclusion by the chairman
that we do have the right to perform what you term rightly, special
inspections. And I'd be glad to elaborate on that theme in a

N A2L-22-1   0099

HOUSE FOREIGN AFFAIRS COMMITTEE / SUBCMTE ON ASIAN AND PACIFIC AFFAIRS
SUBCMTE, ON ARMS CONTROL, INT'L SECURITY & SCIENCE
SUBCMTE ON INT'L ECONOMIC POLICY & TRADE
CHAIRMAN: REP. STEPHEN SOLARZ, D-NY TOPIC: NORTH KOREA NUCLEAR PROGRAM
WITNESS: DR. HANS BLIX, DIRECTOR, IAEA WEDNESDAY, JULY 22, 1992
H-3-2 page# 3
     moment. -

        The third access we need to have is access to the Security
Council. We need to be able to go to the Security Council and ask
for its backing and support in case we are not given the right to
inspection which we can claim. Unless per chance specifically we
wanted to go to North Korea. As you rightly said, they delayed
their acceptance of the safeguards agreement but have signed that
and ratified it in the past year. And they submitted, in accordance
with the rules, the original inventory. In fact, they submitted it
somewhat earlier than they really were obliged to do, and thereafter
they invited me to pay an official visit during which they had the
opportunity to explain their nuclear program to me.

        My visit was not an inspection. The inspection took place
late in May and early in June. That was the first ad hoc
inspection, and a second inspection has now taken place that's just
come back to Vienna. The question you were asking, of course, is
the inventory of installations and material which they submitted to
us, is it complete? There is an inherent difficulty in assessing
that question when you are confronted with a large nuclear program
which has been in place for several years.

        If a country like Cyprus opens up and submits an inventory, it
will be very limited, and we can gradually follow their development
of a nuclear industry, research reactors, and so forth. It is much
more difficult when a country like South Africa, or North Korea
which had been in the nuclear field for quite some time with
extensive installations, extensive deals, come in to verify that
this is full and complete.

        It is not possible for any inspector to -- whether in the
nuclear field or in other fields -- to search every square kilometer
of whole countries. In Iraq, in fact, we have had the most
extensive rights to move around anywhere, to go into any house
practically, to go into -- stop trains or trucks -- and even after a
year of this effort, we cannot say a hundred percent sure that there
is nothing hidden yet. In North Korea, we do not have such
extensive rights or movements as in Iraq.

        What we can do is look for coherence in the program that they
have declared, and examine the installations, take samples, and
watch if there are any inconsistencies. And we do do that in the
case of North Korea. We do not want to issue any false alarms, nor
do we want to issue any undeserved clean bill of health.

        In North Korea, they declared what they term a radio chemical
laboratory. They explained to me that they termed it a laboratory
because it is not yet ready. They have performed some tests. They
declared to us that they had actually reprocessed a gram quantity of
plutonium in this laboratory in 1990.

        I have stated in, coming out of North Korea, that if this
installation were to be completed and to function, we would not have.

0100

HOUSE FOREIGN AFFAIRS COMMITTEE / SUBCMTE ON ASIAN AND PACIFIC AFFAIRS
SUBCMTE, ON ARMS CONTROL, INT'L SECURITY & SCIENCE
SUBCMTE ON INT'L ECONOMIC POLICY & TRADE
CHAIRMAN: REP. STEPHEN SOLARZ, D-NY TOPIC: NORTH KOREA NUCLEAR PROGRAM
WITNESS: DR. HANS BLIX, DIRECTOR, IAEA WEDNESDAY, JULY 22, 1992
H-3-2 page# 4

any hesitation in terming it a reprocessing plant in the terminology
of the industrialized world. A question that we have asked
ourselves, and we did indeed ask the North Korean nuclear
authorities, was there never a -- (inaudible) -- plant before they
built this installation. What they term a laboratory is about 190
meters long, six stories high, is therefore a very sizable
construction. It was explained to us that they have made
experiments quite a number of years ago in which they identified
plutonium and that between that and the construction of this plant,
there was no -- (inaudible) -- plant, it was emphatically denied and
they took great pains to explain to us how it was possible to go
from a laboratory small scale experiment to this large plant.

Our experts deem it possible that it could be done, but it
still is certainly procedure that would not have been followed in an
industrialized country. And questions are therefore bound to arise
about this point.

You raised the question whether there was more plutonium than
the amount that they have declared and I have stated that these are
gram quantities. We asked of course also the question whether there
was more and this was emphatically negated.

Whether these answers are correct is subject to analysis in
the International Atomic Energy Agency. You asked me also in your
introduction whether the -- we can verify whether it's the original
core that is still in the five megawatt plant and I understand from
our experts that, at least when they changed the core, which we
expect to be within a year's time, they will be able to establish
that question. Whether it was feasible to do so earlier I'm not
quite sure and on that particular question I would like to turn it
over to Mr. Perricos to say what he can about it. And I'd be glad
to take many of the other questions and focus upon those that you
have put.

MR. PERRICOS: Well, Mr. Chairman, there is always a question
when you go to a reactor to find out how much that reactor has been
really been used. And of course the present situation in the North
Korean five megawatt electrical reactor is I think much more
important.

The way that you can try to find out is basically by, first of
all, looking at the records, trying to find out the records are
consistent, and, of course, that is not enough. The records will
show you when fuel was in and out of the reactor, when the reactor
was up and when the reactor was down, and then you try to get
through all this information and integrate the power across the
core.

This creates a certain burn of the fuel, the fuel is being
burned. Uranium is being burned, producing plutonium and other
fission products. You can measure through the fission products what
was the burn-up of that fuel. This has been done in some of the
fuel which were damaged and has been found in the reactor. The

0101

HOUSE FOREIGN AFFAIRS COMMITTEE / SUBCMTE ON ASIAN AND PACIFIC AFFAIRS
SUBCMTE, ON ARMS CONTROL, INT'L SECURITY & SCIENCE
SUBCMTE ON INT'L ECONOMIC POLICY & TRADE
CHAIRMAN: REP. STEPHEN SOLARZ, D-NY   TOPIC: NORTH KOREA NUCLEAR PROGRAM
WITNESS: DR. HANS BLIX, DIRECTOR, IAEA   WEDNESDAY, JULY 22, 1992
H-3-2   page# 5

results cannot just be expanded to cover the whole core. So, the
way that the procedures now are being followed is that the whole
core is in a way being kept intact by applying surveillance methods
and by different counters around the core that would permit us to
know if any fuel is getting out of the reactor or getting in.

When that reactor will be refueled, and that will have to
happen within a few months, that will be the time when we are going
to be able to measure all the fuel, knowing from exactly which
position it has come, and therefore verify according to the
statements in the operation records, this particular fuel is really
new fuel that came out after or just before the agency started
implementing

(MORE)

4836-33-10   0102

HOUSE FOREIGN AFFAIRS COMMITTEE / SUBCMTE ON ASIAN AND PACIFIC AFFAIRS
SUBCMTE, ON ARMS CONTROL, INT'L SECURITY & SCIENCE
SUBCMTE ON INT'L ECONOMIC POLICY & TRADE
CHAIRMAN: REP. STEPHEN SOLARZ, D-NY TOPIC: NORTH KOREA NUCLEAR PROGRAM
WITNESS: DR. HANS BLIX, DIRECTOR, IAEA WEDNESDAY, JULY 22, 1992
H-3-3 page# 1

   dest=hill,hsforaff,nkor,skor,fns21447,fns14094,nucweapon,asia,pacific.
   dest+=armscont,japan,iraq,un
   data

      the safeguards, or in reality it is sure that was there since 1986
      when that reactor started operating.

         So, we have done all the preliminary work in order to freeze
      the situation. And with the first opportunity when the reactor is
      going to shut down, we will continue with the actual -- (inaudible)
      -- issue.

         REP. SOLARZ: Thank you very much for your testimony, Dr.
      Blix, and for your comments. We have been joined by the very
      distinguished chairman of the Foreign Affairs Committee, Mr.
      Fascell. And if you would like to begin with any questions --

         REP. FASCELL: No, go ahead, I'll follow up.

         REP. SOLARZ: Well, if not, then why don't I begin with some
      questions.

         Let me say at the outset, Dr. Blix, that the North Korean
      nuclear program potentially constitutes a threat to the entire
      international non-proliferation regime, if it should turn out,
      despite of their presumptive cooperation with the IAEA, they are in
      fact continuing an effort to produce on a clandestine basis
      materials with which to make nuclear weapons. If that were to
      happen, it would produce a chain of consequences, almost too dire to
      contemplate. Not only would it increase the possibility of a
      nuclear war on the Korean Peninsula; it would generate tremendous
      pressures on South Korea and Japan to become nuclear powers as well;
      it could very easily lead to widespread nuclear proliferation to the
      sale by North Korea to rogue regimes of either the fissile material
      or off-the-rack weapons. So, clearly, we have a major interest in
      preventing a rogue regime, like the one in Pyongyang, from becoming
      a nuclear weapon state.

         Now, given the extent to which we know from history that North
      Korea is engaged in clandestine activities, particularly
      underground. During the Korean War, for example, they had major
      munitions factories underground and in caves in mountains. We know
      they've dug tunnels beneath the 38th Parallel from the North to the
      South. And it seems to many of us, therefore, that the key to our
      ability to have any confidence that your inspection regime will be
      designed to have a high possibility of detecting any efforts by the
      North to violate its pledges and promises is in their willingness to
      permit the IAEA to conduct special or challenge inspections.

         So it would be helpful if you could let us know, first,
      whether the North has agreed to permit you to conduct such challenge
      or special inspections; and, if so, under what circumstances and

                           _/r-A2/ --27--//_   0103

HOUSE FOREIGN AFFAIRS COMMITTEE / SUBCMTE ON ASIAN AND PACIFIC AFFAIRS
SUBCMTE, ON ARMS CONTROL, INT'L SECURITY & SCIENCE
SUBCMTE ON INT'L ECONOMIC POLICY & TRADE
CHAIRMAN: REP. STEPHEN SOLARZ, D-NY TOPIC: NORTH KOREA NUCLEAR PROGRAM
WITNESS: DR. HANS BLIX, DIRECTOR, IAEA WEDNESDAY, JULY 22, 1992
H-3-3 page# 2

conditions. Are you free to go wherever you want to go without
advance notice? Or must you first get their permission? And, if
so, how long a period of time would have to elapse between the
moment when you tell them you want to go to a particular site and
the moment when your inspectors are acctually permitted to go there?

MR. BLIX: Each safeguard agreement concluded under the Non-
Proliferation Treaty contains provisions about so-called special
inspections. We have extensive discussion about the nature of those
inspections in the Board of Goverors of the IAEA which concluded, by
a statement of the chairman of the Board, reaffirming the right of
the Agency to perform special inspections in order to have access to
additional information and locations in accordance with our statutes
and all comprehensive safeguards agreement.

I interpret that as meaning that where we have reasons to
believe that there are either installations or nuclear materials
which should have been declared but have not been declared. I can
first ask for explanations. And, if the explanations are
unsatisfactory, demand that a special inspection go to this site.

REP. SOLARZ: Have you gotten an agreement from North Korea in
principle to permit you to conduct such inspection?

MR. BLIX: We have not asked any member states for specific
consent to this procedure. I would assume that anything that is
laid down in a safeguard agreement with a member state, and which is
reaffirmed by the Board of Goverors, will be respected. And I do
not propose to ask any advance specific information from anyone. We
will meet that point when we get to it.

I have, however, when I was there, in response to their
question what can they do in order to give reassurance to the world
that there is nothing undeclared, suggested to them that they might
declare in advance that the Agency would be invited to go to
anyplace at anytime in North Korea, regardless of whether these
sites, this installation, was listed by them in the original
inventory. And in the press release that I issued before I left
North Korea, this particular point was included in the sentence that
stated that with a view to creating transparency(?) and confidence,
officials of the Agency are invited to visit any site and
installation they wish to see, irrespective of whether it was found
on the initial list submitted to the IAEA. This partiuclar point
was approved and accepted by them. We have not tested that. We
have not had reason yet to ask to go see any such site.

REP. SOLARZ: So, if I understand you correctly, you're saying
in effect that the North has now said that your people are invited
to go wherever they want whenever they want to?

MR. BLIX: That is correct.

REP. SOLARZ: But you have not put that offer to the test yet?

ABR/ -33-/2   0104

HOUSE FOREIGN AFFAIRS COMMITTEE / SUBCMTE ON ASIAN AND PACIFIC AFFAIRS
SUBCMTE, ON ARMS CONTROL, INT'L SECURITY & SCIENCE
SUBCMTE ON INT'L ECONOMIC POLICY & TRADE
CHAIRMAN: REP. STEPHEN SOLARZ, D-NY TOPIC: NORTH KOREA NUCLEAR PROGRAM
WITNESS: DR. HANS BLIX, DIRECTOR, IAEA WEDNESDAY, JULY 22, 1992
H-3-3 page# 3

MR. BLIX: For the time being we are busy examining the plants they have opened up and analyzing the results from other sites. They are somewhat different from the challenged inspections I think that you are referring to. By challenged inspections, one usually means in arms control context, the right of another state or organization to go to a site, regardless of whether there are any suspicions. Such a right does not exist in our safeguards agreement with them. The safeguards agreement lays down the right to special inspections; and there we must have, as I've said, some reasons to believe that something may exist. In terms of the invitation to visit, we do not need to have any such specific grounds.

REP. SOLARZ: If you are given a reason to believe that they may be conducting prohibited activities or that they may have possession of prohibited materials at a particular site, are you obligated to share that information with the North Koreans, or is it suffucient for you to be persuaded that it may be accurate and therefore you are going to ask to inspect a particular location?

MR. BLIX: I think our duty would be first to ask for an explanation to be given in a very short time. And, secondly, if the explanation was not satisfactory, we could demand a special inspection. I could also take them up on the offer to go to any installation.

Now, you ask -- there is one element that is important, and you referred to it, and that's the element of time: How much time would be needed? There have been discussions in the public suggesting that you would need what are called "surprise" inspections or "snap" inspections. And two such inspections are very important in the case of Iraq, when our inspectors discovered on trucks equipment that came from the nuclear installations. And in the second instance, where they were looking after documents and did indeed find documents which perhaps the Iraqis thought had been taken out. Here speed was of the essence.

But I would say that when you are looking for secret nuclear installations or materials, speed generally, or great speed generally, is not of the essence. We are looking for research(?) reactors, reprocessing plants, enrichment plants. And these things are not very mobile.

REP. SOLARZ: But what if you're looking for the fissile material itself? Supposing they have already produced, or in the process of producing fissile material at a clandestine facility, and you receive information that they may have that fissile material at such-and-such a place, if you tell them that we have information you may have fissile material at such-and-such a place, it stands to reason that by the time they let you show up the material will have been removed.

MR. BLIX: That is true. Fissile material is more mobile. But they must have been produced somewhere, and those installations are not so mobile.

ᄱᄊᄉᄒ-33-13   0105

HOUSE FOREIGN AFFAIRS COMMITTEE / SUBCMTE ON ASIAN AND PACIFIC AFFAIRS ·
SUBCMTE, ON ARMS CONTROL, INT'L SECURITY & SCIENCE
SUBCMTE ON INT.'L ECONOMIC POLICY & TRADE
CHAIRMAN: REP. STEPHEN SOLARZ, D-NY   TOPIC: NORTH KOREA NUCLEAR PROGRAM
WITNESS: DR. HANS BLIX, DIRECTOR, IAEA   WEDNESDAY, JULY 22, 1992
H-3-3   page# 4

REP. SOLARZ: So -- but how would you deal with the question
of trying to follow up on a report of the existence of fissile
material as distinguished from much larger and complex
installations?

MR. BLIX: Well, in -- I think we would probably have an
indication that the fissile material was produced somewhere. If you
only have the information that the fissile material, a kilogram or
several kilograms of plutonium is hidden in such-and-such a place,
then I think the chances are not very great that we would get there
so fast that we would be able to see it. A special inspection would
have to be requested. We would have to use inspectors that are
designated.

REP. SOLARZ: Right.

MR. BLIX: They would have to travel there. They might even
require simple visa requirements -- so it could not be that fast.

REP. SOLARZ: And in the event that you detected clandestine
fissile material, do you have the authority to take possession of
it?

MR. BLIX: Yes. In that case that would be a violation of the
safeguards agreement. So if we discovered fissile material that had
not been declared, we would immediately report to the Board of
Goverors, and the Board of Goverors would be obliged to report on to
the Security Council.

REP. SOLARZ: Then it would be up to the Security Council --

MR. BLIX: That's right.

REP. SOLARZ: -- to decide what to do?

MR. BLIX: That's right. Also in the case that they denied us
access. If we want to go for a special inspection, and it is turned
down or -- and the state is dragging their feet, we would also
report to the Board, and the Board would regard it, I expect, as a
violation of the safeguards agreement, and it would be immediately
submitted to the Security Council.

REP. SOLARZ: You indicated that the reprocessing facility was
not yet completed. How long do you think it would take them to
complete it if they made a decision to finish the job?

MR. BLIX: We were told that they had ordered certain
equipment from North Korean industries, and they had not been

(MORE)

4836-33-14   0106

HOUSE FOREIGN AFFAIRS COMMITTEE / SUBCMTE ON ASIAN AND PACIFIC AFFAIRS
SUBCMTE, ON ARMS CONTROL, INT'L SECURITY & SCIENCE
SUBCMTE ON INT'L ECONOMIC POLICY & TRADE
CHAIRMAN: REP. STEPHEN SOLARZ, D-NY TOPIC: NORTH KOREA NUCLEAR PROGRAM
WITNESS: DR. HANS BLIX, DIRECTOR, IAEA WEDNESDAY, JULY 22, 1992
H-3-4 page# 1

    dest=hill,hsforaff,nkor,skor,fns21447,fns14094,nucweapon,asia,pacific
    dest+=armscont,
    data

    delivered yet. Hence the implication was that they are still
    building on the construction of this plant. There was no sign of
    such construction going on when we were there. But there was no
    indication of termination either. I cannot tell you how long a time
    it would be. It depends upon the delivery capacity of these
    industries. But it's important to note that right now there was no
    production going on.

        REP. SOLARZ: If I recall correctly, under your regime a
    member state that signs an agreement with you submits a list of
    nuclear installations and facilities that are designed purely for
    peaceful purposes. Is that correct?

        MR. BLIX: Under the Non-Proliferation Treaty they are obliged
    to use nuclear energy only for peaceful purposes. However, the
    safeguards agreements specify what they have to submit for our
    inspection.

        REP. SOLARZ: So North Korea is a signatory of the NPT.

        MR. BLIX: Right.

        REP. SOLARZ: Okay. Is there any peaceful purpose for this
    yet to be completed reprocessing facility that you can think of,
    given the state of their nuclear energy program?

        MR. BLIX: Well, of course in our discussions I asked them why
    did they want to build a reprocessing installation. And the answer
    was, first, that they might wish to have plutonium for making (mixed
    oxide ?) fuels. And I remarked that they do not have any (light
    water ?) reactors in which they could use such fuels, and none is
    under construction.

        Secondly, they replied that they might wish to use it for
    breed reactors in the future. And a breed reactor of course is an
    even more remote possibility for them.

        The third explanation would be that it would enter into the
    waste disposal concept, their so-called closed-fuel cycle. In the
    Western world this is a fairly common concept; however, it is by no
    means a necessary one. And, also we have in fact in our discussions
    I think admitted that the reprocessing plant was not a very
    essential part of their nuclear program and they explained, as
    you've probably seen in media, that they were interested in
    switching to a more economic line of reactor.   0107

        REP. SOLARZ: Would you agree then with those who have said

HOUSE FOREIGN AFFAIRS COMMITTEE / SUBCMTE ON ASIAN AND PACIFIC AFFAIRS
SUBCMTE, ON ARMS CONTROL, INT'L SECURITY & SCIENCE
SUBCMTE ON INT'L ECONOMIC POLICY & TRADE
CHAIRMAN: REP. STEPHEN SOLARZ, D-NY TOPIC: NORTH KOREA NUCLEAR PROGRAM
WITNESS: DR. HANS BLIX, DIRECTOR, IAEA WEDNESDAY, JULY 22, 1992
H-3-4 page# 2
        that the primary -- that's the sole purpose of this reprocessing
facility, was in fact to enable them to produce fissile materials
for nuclear weapons?

        MR. BLIX: Well, I cannot say. I don't want to draw the
conclusion that, yes, positively it was. I can say that we do not
see any good, solid reason why they would need the plutonium for the
two purposes that were mentioned.

        REP. SOLARZ: If that is the case, do you think that they
should decommission or demobilize or destroy this facility?

        MR. BLIX: I don't think that would hurt their peaceful
nuclear program.

        REP. SOLARZ: Right. Is the IAEA going to make such a request
of them?

        MR. BLIX: No. I don't think that we can do it. I cannot
predict what the Board would do. But under the safeguards agreement
the strict obligation is to declare everything. In fact, the North
Koreans, when we discussed this, said, "Look, why is all this
concern about the plutonium? If we produce plutonium it will be
declared and under safeguards. And there are other countries in the
world that are reprocessing same(?) fuels." I pointed out that this
is right, but they have much vaster nuclear programs in which they
can make immediate use, or at least a future use of the plutonium
for mixed (oxide ?) fuel or for breed reactors.

        REP. SOLARZ: Mr. Leach?

        REP. LEACH: I'd like to pursue several of the issues that
have just been talked about. One of the concerns in some parts --
(inaudible) -- is that the IAEA inspection of a declared facility
has been used as an excuse for the North not to comply with their
agreement with the South which involves more intrusive inspections
of potentially undeclared facilities. And, also, the agreement with
the South does involve, as I understand it, a dismantlement
implicitly of any reprocessing facilities. And there are a couple
of things that I think ought to be raised.

        One, I mean just by clarification, you have indicated that it
would certainly be your assumption that the IAEA would report to the
Security Council if it were denied access to any facility. But
that, as I understand it, does not imply that you have to go to the
Security Council to get permission to seek access to an undeclared
facility. Is that correct?

        MR. BLIX: That's correct.

        REP. LEACH: So your assumption is that you, as the IAEA, have
the right for the so-called challenged snap inspection without
seeking permission from the Security Council or any other outside
organization. Is that correct?

0108

HOUSE FOREIGN AFFAIRS COMMITTEE / SUBCMTE ON ASIAN AND PACIFIC AFFAIRS
SUBCMTE, ON ARMS CONTROL, INT'L SECURITY & SCIENCE
SUBCMTE ON INT'L ECONOMIC POLICY & TRADE
CHAIRMAN: REP. STEPHEN SOLARZ, D-NY TOPIC: NORTH KOREA NUCLEAR PROGRAM
WITNESS: DR. HANS BLIX, DIRECTOR, IAEA WEDNESDAY, JULY 22, 1992
H-3-4 page# 3

MR. BLIX: I don't term them either snap or challenged inspections -- special inspections, yes, without any authorization from the Security Council.

REP. LEACH: Are you making a distinction between --

MR. BLIX: Well, snap inspections are usually referred to as something that can sort of parachute in quickly.

REP. LEACH: Yeah.

MR. BLIX: And that is not characteristic with what we are doing.

REP. LEACH: So there is a difference. I want to be careful here. I don't care about what's a characteristic. I'm talking about right and authority.

MR. BLIX: Right.

REP. LEACH: Is it the position of yourself, as director of the IAEA, that you have the right to a challenged or snap inspection?

MR. BLIX: (Inaudible) -- inspections. I speak to the --

REP. LEACH: Okay, I know you do, and that is why I want to get -- You say you have a right to a special inspection, but you do not say you have a right to a challenged or snap inspection?

MR. BLIX: Because I define them as somewhat different from the special inspections.

REP. LEACH: Why do you not have a right? I mean, it is my understanding of your charter that there is nothing that bars you from a challenged or snap inspection. What, in your judgment, precludes you from having that right?

MR. BLIX: A challenged inspection I would take to be one that you can demand to go to anyplace, whether you suspect that place, or have a reason to believe that there is something in it or not.

REP. LEACH: I realize there is a distinction between the two. I accept the distinction. What I am asking you is whether you believe you don't have that right. Now, let me give you an example. If we take the North and South Korean situation, let us assume that the South Koreans believe that there is a suspicious something going on, and it is very likely to be on a military base. Would you take the position that you do not have the right to do a challenged inspection on that military base, or would you take the position that you do have the legal right to do it, although it's a judgmental call on whether you would do it?

0109

HOUSE FOREIGN AFFAIRS COMMITTEE / SUBCMTE ON ASIAN AND PACIFIC AFFAIRS
SUBCMTE, ON ARMS. CONTROL, INT'L SECURITY & SCIENCE
SUBCMTE ON INT'L ECONOMIC POLICY & TRADE
CHAIRMAN: REP. STEPHEN SOLARZ, D-NY TOPIC: NORTH KOREA NUCLEAR PROGRAM
WITNESS: DR. HANS BLIX, DIRECTOR, IAEA WEDNESDAY, JULY 22, 1992
H-3-4 page# 4
            MR. BLIX: I would --

     REP. LEACH: So my first question is: Do you have the right?
And my second question is: Do you not want to do it? I mean, there
are two issues.

     MR. BLIX: I would --

     REP. LEACH: Do you have the right to such an --

     MR. BLIX: I would take the view that if we had reason to
believe that there is something nuclear at the military installation
which should have been declared, then I can requset a special
inspection at that military installation. There is no restriction
mentioned in the Board of Goverors' conclusion about our rights to
special inspections.

     REP. LEACH: But one of the problems here, and again coming
back to the distinction between challenged and special, as you've
drawn them out, is that under the challenged circumstance there
might be a generalized belief that a country may be doing something,
but you just might not know where they are doing it. And if you
draw this distinction between challenged and special, adn say you
cannot do a challenged, you're depriving yourself of the right to
doing something that it might take seven different locations, each
of which would have a one-in-seven or one-in-twenty chance that
something might be going wrong. So all I'm trying to nail down is
how aggressive is the IAEA, and therefore how much confidence should
a government that wants to be supportive of the IAEA will it be.
And I must tell you if you deny the right to challenge inspections,
the confidence level deteriorates. And whether it deteriorates
significantly or slightly is a matter of judgment. And so I do want
-- I think it's fair to ask: First, legally, do you have the right
to a challenged inspection? Yes or no?

     MR. BLIX: Could I hear your definition of a challenged
inspection?

     REP. LEACH: You -- well, I -- Let me give my definition. I
mean, my definition is a challenged inspection would be on the
territory of a country that -- where there's a belief that
suspicious activity may be carried on, although you may not know for
sure if that is the exact location. Can you do a challenged
inspection in that circumstance?

     MR. BLIX: The definition of special inspections that I would
have is that we would have reasons to believe at a specific point
there is something which should have been declared and which had not
been declared. I do not think that concept allows us to vaguely say
that we would like to go to anyplace in that country. That was the
reason why I asked North Koreans

     (MORE)
                                            4836-33-18   0110

HOUSE FOREIGN AFFAIRS COMMITTEE / SUBCMTE ON ASIAN AND PACIFIC AFFAIRS
SUBCMTE, ON ARMS CONTROL, INT'L SECURITY & SCIENCE
SUBCMTE ON INT'L ECONOMIC POLICY & TRADE
CHAIRMAN: REP. STEPHEN SOLARZ, D-NY TOPIC: NORTH KOREA NUCLEAR PROGRAM
WITNESS: DR. HANS BLIX, DIRECTOR, IAEA WEDNESDAY, JULY 22, 1992
H-3-5 page# 1

    dest=hill,hsforaff,nkor,skor,fns21447,fns14094,nucweapon,asia,pacific
    dest+=armscont,un,iraq
    data

also to issue a standing invitation for us to go to places where we
would not have such suspicions and where we (got it?).

    REP. LEACH: Well, Mr. Blix, we're talking about an
evidentiary threshold here, and one of the problems in--in a world
in which clandestine activity takes place, and in some societies in
which it's more clandestine than others by historical record,
whether we're talking Iraq or--or North Korea is the difficulty of
establishing this evidentiary threshold.

    Now, let me give some examples. Let's say photo evidence from
satellites indicates an un-understood reason for a facility or that
there is a particularly high level of security around a particular
military site in a country in which this type of activity is--may
well be going on. Is that not large enough for the IAEA to become
involved in, or is it large enough?

    MR. BLIX: Well, I agree with you that there can often be
questions of how high is the evidentiary threshold. If I were in
doubt, I would also have the possibility to go to the board of
governors, under which--to which I am subordinated, of course--and
ask them to instruct me to undertake an inspection.

    The Security Council is evidently also free in the face of
evidence--

    REP. LEACH: To direct you?

    MR. BLIX: --to--to demand or request of the agency that we
perform an inspection, and you might also realize that the rules
that the safeguard agreements under NTTE (ph) are drawn up with a
view not only to the North Korea, but to all other countries in the
world.

    REP. LEACH: That is understood. And then--and then let me--I
mean, you live this, and so no one is closer to it than yourself,
but in a general political science way, sometimes governments like
to give decentralized authority to bureaucracies so that you can
avoid some delicate political kinds of questions.

    MR. BLIX: Mm-hmm (acknowledgement).

    REP. LEACH: And it would be my personal opinion that the IAEA
ought to have far more power than an OSHA inspector. And OSHA
inspectors in the United States of America--and OSHA implies
Occupational Safety and Health--have very capricious authority to go
where they want to look for violations of safety and health. And it
would strike me that the authority of the IAEA should be perceived

0111

HOUSE FOREIGN AFFAIRS COMMITTEE / SUBCMTE ON ASIAN AND PACIFIC AFFAIRS
SUBCMTE, ON ARMS CONTROL, INT'L SECURITY & SCIENCE
SUBCMTE ON INT'L ECONOMIC POLICY & TRADE
CHAIRMAN: REP. STEPHEN SOLARZ, D-NY TOPIC: NORTH KOREA NUCLEAR PROGRAM
WITNESS: DR. HANS BLIX, DIRECTOR, IAEA WEDNESDAY, JULY 22, 1992
H-3-5 page# 2
     to be quite gigantic and that the goal should be that the IAEA
     should be insulated from having to seek political approval, whether
     it be from the Security Council, where--

         MR. BLIX: Mm-hmm (acknowledgement).

         REP. LEACH: --at given points in time, a veto authority may
     exist, where a country that has the veto authority might be
     protecting a client or itself. 'And so I am personally disappointed,
     and I--and I stress this--that--that you're making this distinction
     as large as you're making it, and it would be my hope that that
     distinction would. weaken.

         And now it also underscores in the position of North Korea
     that there is this bilateral arrangement, and that North Korea might
     be using your inspection capacities as an excuse not to abide by an
     agreement with the South which appears to be more intrusive than
     you've allocated your own rights and authorities.

         Now, I realize in international affairs, there's a lot of
     discussion on how broad these authorities of the IAEA should be, but
     I--I would hope that the agency would pushing to--be pushing to
     expand, rather than retract, your own perceived authority and let
     people complain that you have too much authority, rather than too
     little. I mean, that that--that that's where the burden of proof
     should be.

         Now, does that--would you care to comment on that?

         MR. BLIX: Well, let me just tell you that I have no objection
     to more authority being conferred upon me--latitude to go anywhere
     in the member states, but I cannot read the discussions in the board
     of governors in the agency as conferring upon me an authority to go
     to places where I do not have any suspicion at all that there is
     anything--something--that should have been declared.

         You have mentioned the North-South agreement, and we, of
     course, have studied that agreement, and I am on record publicly as
     saying that we think it is desirable that this agreement enter into
     force and be implemented, and I have explained to the North Korean
     authorities that safeguards if a (specific form? formal) of
     transparency regulates it, formal transparencies they are obliged to
     undertake vis-a-vis us. There is nothing to stop them from going
     beyond that transparency which the safeguards agreement implies and
     open up to South Korea or to other concerned states.

         In fact, if their intention or wish is to create confidence
     about what they are doing, then it is advisable for them to open
     up--(inaudible)--and I think they haven't (have?) quite understood,
     well understood that point.

         Another matter is whether they actually are implementing this
     agreement. I understand that the talks between North and South are
     not going so well so far.
                            𝓤𝓕36-33-20 ·   0112

HOUSE FOREIGN AFFAIRS COMMITTEE / SUBCMTE ON ASIAN AND PACIFIC AFFAIRS
SUBCMTE. ON ARMS CONTROL, INT'L SECURITY & SCIENCE
SUBCMTE ON INT'L ECONOMIC POLICY & TRADE
CHAIRMAN: REP. STEPHEN SOLARZ, D-NY   TOPIC: NORTH KOREA NUCLEAR PROGRAM
WITNESS: DR. HANS BLIX, DIRECTOR, IAEA   WEDNESDAY, JULY 22, 1992
H-3-5   page# 3

REP. LEACH: I appreciate that. As you know, our former
ambassador to the United Nations, Tom Pickering, as well as others,
have suggested that the Security Council ought to be considering
ways of sharing information and taking more seriously the
proliferation issue, including cooperation on such things as
challenge inspections. And so this discourse is something that is
not new to the agency, and so I--I would only stress from my
perspective that I--I would hope you would go back to your board and
say that there appears to be a--a willingness in more quarters than
has hitherto been perhaps the case for the board taking on greater
authority than apparently the board to date has--has suggested it's
willing to.

But I--I think it is absolutely intolerable, and I use this
carefully, intolerable that in certain circumstances such as North
Korea, [the] International Atomic Energy Agency does not feel it has
the power to make what could be described as challenge or snap
inspections of undeclared facilities. And for the world community
to have great confidence in the proliferation inspection regime, I
think that circumstance has to be addressed, and--and I would say
that the evidence--I mean, when the world community was taken aback
by how far Iraq had gone, when it looked like we were preparing for
possible engagement that Iraq's preparation had been exaggerated by
so-called knowledgeable sources and after the engagement it was
discovered that instead of exaggerating, it had been underestimated,
that we should be very concerned. And it highlights and should
highlight to your agency the import of this particular issue.

REP. SOLARZ: If the gentleman will yield--

REP. LEACH: Yes.

REP. SOLARZ: --there--there is one ambiguity here that
perhaps you can clear up. Dr. Blix, you've made it clear that you
feel that unless you have some reason to believe that a prohibited
activity is going on, you don't have the right to conduct a special
inspection. But supposing you are given reason to believe that they
do have clandestine fissile material which is mobile and can be
moved rapidly at a particular site?

Under those circumstances, as you interpret your charter, are
you obligated to let the North know in advance that you want to go
to that particular site to determine if they have fissile material,
or are you in a position that you understand your right to simply
dispatch your inspectors to such a site to determine whether the
information you've received is accurate?

MR. BLIX: I think the present rules require that you request
an explanation first. I am simply reporting to you what the rules
say. Now, that does not mean that the explanation, that you have to
wait very long for that, but you must realize that sending
inspectors into North Korea or to any other country is not just to
parachute them into the country.

HOUSE FOREIGN AFFAIRS COMMITTEE / SUBCMTE ON ASIAN AND PACIFIC AFFAIRS
SUBCMTE, ON ARMS CONTROL, INT'L SECURITY & SCIENCE
SUBCMTE ON INT'L ECONOMIC POLICY & TRADE
CHAIRMAN: REP. STEPHEN SOLARZ, D-NY TOPIC: NORTH KOREA NUCLEAR PROGRAM
WITNESS: DR. HANS BLIX, DIRECTOR, IAEA WEDNESDAY, JULY 22, 1992
H-3-5 page# 4

REP. LEACH: Will the gentleman yield? There's a--there's
another legal distinction here that's very crucial. I mean, the
chairman asked your interpretation of your charter. I think there's
a major distinction between charter interpretation and board
president or board uneasiness. In my view of your charter, there's
a very broad authority, but you have carefully laid out this morning
that you--

MR. BLIX: (Are you talking about?) the UN charter or--

REP. LEACH:. No, I mean IAEA.

MR. BLIX: The safeguards agreement.

REP. LEACH: Yeah, the safeguards agreement. But you say your
board is very reluctant to authorize, and I think those are two
different circumstances, are they not? Or am I--am I misreading
that situation?

MR. BLIX: Well, what I am saying is that when the board
discussed the institutional special inspections, that so far has
never been used to an additional location. I could not read from
that discussion of the board, to which I am subordinated, a--an
authorization for me to request a special inspection to go in any--

REP. LEACH: I--I appreciate that, but I think it's important
for us to understand that if the board shifted their view, they are
not under a legal restraint not to--to do that, are they? Is that
not fair to--to--to assess?

MR. BLIX: The board is free to--even to modify the
agreements, of course.

May I take it that your view is that in the--in the case of
North Koreans, it would be highly desirable for the agency and for
the director general to be able to say that I now send this team in,
and it is to be (inspected? expected?). And by the same token, I
take it that you must conclude that this age--this power should
exist in relation to all other countries, as well, who have (NT-
type?) safeguards?

REP. LEACH: Who have potential, yes. And I--and I think
there may be distinctions you want to make between the likelihood of
countries and circumstances, but certainly I agree with exactly that
assessment.

REP. SOLARZ: Well, I am told that Dr. Blix will have to leave
by 3:00, so I want to--let me first before yielding to Mr.
Lagomarsino--(inaudible)--say when he leaves, I would hope the
members could remain for us to proceed with the markup of the Hong
Kong Policy Act, with respect to which I believe consensus has
already been established and which we can take up expeditiously.

0114

HOUSE FOREIGN AFFAIRS COMMITTEE / SUBCMTE ON ASIAN AND PACIFIC AFFAIRS
SUBCMTE, ON ARMS CONTROL, INT'L SECURITY & SCIENCE
SUBCMTE ON INT'L ECONOMIC POLICY & TRADE
CHAIRMAN: REP. STEPHEN SOLARZ, D-NY TOPIC: NORTH KOREA NUCLEAR PROGRAM
WITNESS: DR. HANS BLIX, DIRECTOR, IAEA WEDNESDAY, JULY 22, 1992
H-3-6 page# 1

       dest=hill,hsforaff,nkor,skor,fns21447,fns14094,nucweapon,asia,pacific
       dest+=armscont,un,iraq,iran,india,ussr,alg,india,cuba,pak,israel
       data

         Dr. Blix, I would also hope that you would be prepared to
accept some written questions from us, covering areas that we
weren't able to get into before you leave, and which hopefully you
could submit written responses to for the record.

         MR. BLIX: I'd be very glad to. I've seen some of the written
questions in advance. We'd be glad to respond to those. But let me
reaffirm that I have--would be delighted to have more power than I
interpret the agreement and the board giving me now, but I think
there would be hesitation and reluctance in the (state?) community
to confer upon an international official the right to send
inspectors, inspections at very short notice to any--any site
anywhere in the country, whether suspicions exist or not. It may
well be desirable that such an authority exist, but I have to be
honest with you and say that so far there is not.

         It might also be difficult for the Security Council to do such
a thing in a very quick, very short moment.

         REP. SOLARZ: Mr. Lagomarsino.

         REP. ROBERT LAGOMARSINO (R-CA): Thank you, Mr. Chairman.

         First of all, let me ask you, to--to what extent do you rely
on intelligence sources from--from whatever country in determining
where you want to make inspections--without--without, obviously,
without going into detail about how you get the intelligence and so
on.

         MR. BLIX: To a limit--very limited extent. In fact, it's
only the last few years that we have been asking member states to
give us intelligence. The basic information we act upon are the
declarations of member states, and of course if we suspect that a
country is deliberately hiding something, then you cannot at all
rely upon that and, in fact, well, we don't rely upon it. We don't
have faith in--in anybody.

         But we look--(inaudible)--upon media reports and we will be
getting information about exports to countries. This could very
well have been helpful in the case of Iraq to see that suspicious
activities were going on.

         REP. LAGOMARSINO: Now, with respect to Iraq, obviously that's
a--that is a different situation because of the UN resolution?

         MR. BLIX: Yes, the US resolution--UN resolution and the
agreement between Iraq and the secretary-general gives us freedom to .
go anywhere in that country--(inaudible)--much wider than what we

HOUSE FOREIGN AFFAIRS COMMITTEE / SUBCMTE ON ASIAN AND PACIFIC AFFAIRS
SUBCMTE. ON ARMS CONTROL, INT'L SECURITY & SCIENCE
SUBCMTE ON INT'L ECONOMIC POLICY & TRADE
CHAIRMAN: REP. STEPHEN SOLARZ, D-NY TOPIC: NORTH KOREA NUCLEAR PROGRAM
WITNESS: DR. HANS BLIX, DIRECTOR, IAEA WEDNESDAY, JULY 22, 1992
H-3-6 page# 2
have under the Nonproliferation Treaty generally.

REP. LAGOMARSINO: So there you don't have to tell the Iraqis,
at least theoretically, that you're going to come there tomorrow at
3:00?

MR. BLIX: No.

REP. LAGOMARSINO: You can just go.

MR. BLIX: No, there are no visa requirements, nothing of that
sort. We do not need to have any designation of inspectors. The
freedom is much greater. We have much worse--more strong--stronger
restrictions in the normal procedures.

REP. LAGOMARSINO: You know, in one way of putting it, I
guess, the discussion of the production of fissile material by North
Korea has focused on the back end of the nuclear fuel cycle
production of plutonium. What about the--have you analyzed the
front end, the--for example, the enrichment of uranium?

MR. BLIX: There is no sign that they've been devoting
themselves to enriched uranium.

REP. LAGOMARSINO: There--there is no sign of that?

MR. BLIX: No, there is no such sign. That we have--I mean, I
cannot exclude it--

REP. LAGOMARSINO: Because that's something you would be
looking for and looking at.

MR. BLIX: We would everywhere, but there is no sign of that.

REP. LAGOMARSINO: Is there any evidence of the North Koreans
colluding with others on their nuclear program or on the other
states' nuclear program--for example, Iraq or Iran or India?

MR. BLIX: We have not seen any evidence of that. We--their
links have been mainly to the Soviet Union in the past. Most of
their nuclear scientists were trained in Dubno.

REP. LAGOMARSINO: Did you--did you inspect Iran?

MR. BLIX: Yes--(inaudible)--

REP. LAGOMARSINO: How about Algeria?

MR. BLIX: Algeria is not a partner to the Nonproliferation
Treaty, but they have some nuclear installations which they have
purchased on the condition that they be submitted to safeguards:
Included among them is a research reactor, which they've bought from
China and which we've sent inspectors to, yes.

0116

HOUSE FOREIGN AFFAIRS COMMITTEE / SUBCMTE ON ASIAN AND PACIFIC AFFAIRS
SUBCMTE, ON ARMS CONTROL, INT'L SECURITY & SCIENCE
SUBCMTE ON INT'L ECONOMIC POLICY & TRADE
CHAIRMAN: REP. STEPHEN SOLARZ, D-NY   TOPIC: NORTH KOREA NUCLEAR PROGRAM
WITNESS: DR. HANS BLIX, DIRECTOR, IAEA WEDNESDAY, JULY 22, 1992
H-3-6   page# 3

REP. LAGOMARSINO: So you do inspect that?

MR. BLIX: Yes.

REP. LAGOMARSINO: How about--

MR. BLIX: (I can thus?) say nothing about what the Algerians
are doing outside the sites which we are--which are submitted to
safeguards, but those which are submitted, yes. Of course we
inspect them.

REP. LAGOMARSINO: Well, do you have any suspicions about what
Algeria might be doing in non-covered--

MR. BLIX: No, we have--I cannot tell you that we have any--
any suspicions or question marks regarding those reactors which
are--which we are visiting, but we are not giving any clean bill of
health in general terms.

REP. LAGOMARSINO: All right. And what about India? Do you
inspect any facilities in India?

MR. BLIX: Yes. India is also not a partner to the
Nonproliferation Treaty, and it's well known that they have both the
capacity to enrich uranium and to reprocess. We are inspecting some
plants, and we do not have any particular problems with that
inspection, but, of course, that doesn't mean that India--India
could not do whatever they like in other areas.

REP. LAGOMARSINO: Then you have no access to those?

MR. BLIX: No. The same applies tof Pakistan.

REP. LAGOMARSINO: Well, what about Cuba?

MR. BLIX: The same applies to Israel. In Cuba, they are
building nuclear power plants which will be subject to safeguards
and they have not yet the obligation to submit all their nuclear
installations. If they ratify the Tlatelolco treaty, then they will
have to enter into a full-scale safeguards agreement with us.

REP. LAGOMARSINO: Do you know where North Korea is getting
its reactor fuel from?

MR. BLIX: Yes, they declare that they are acquiring it from
their own territory. It's natural uranium and, in fact, I went to
two uranium mines and facilities where they are producing the fuel--
(inaudible; off-mike question)--uranium metal for the reactors.
They do not need enrichment for that. This is natural uranium.

REP. LAGOMARSINO: You may have testified about this before,
but let me ask you again--how great have been--if at all--were the
discrepancies between the inventories and the information they
actually provided to you in the first place?

HOUSE FOREIGN AFFAIRS COMMITTEE / SUBCMTE ON ASIAN AND PACIFIC AFFAIRS
SUBCMTE. ON ARMS CONTROL, INT'L SECURITY & SCIENCE
SUBCMTE ON INT'L ECONOMIC POLICY & TRADE
CHAIRMAN: REP. STEPHEN SOLARZ, D-NY TOPIC: NORTH KOREA NUCLEAR PROGRAM
WITNESS: DR. HANS BLIX, DIRECTOR, IAEA WEDNESDAY, JULY 22, 1992
H-3-6 page# 4

MR. BLIX: We have not established any--any differences
between or discrepancies between the inventory and what we have seen
and verified so far--(inaudible; crosstalk)--exclude that it will
come in the future.

REP. LAGOMARSINO: So in other words, what they told you they
had checked out?

MR. BLIX: For the time being, yes.

REP. LAGOMARSINO: For the time. being.

MR. BLIX: Of course, this is subject to analysis, and I am
not drawing any conclusions.

REP. LAGOMARSINO: I'm still, I guess, confused about the
difference between a special inspection and a challenge inspection.
Let me see if--maybe I do understand it. In your terminology,
anyway, a special inspection is one where you--you call up the
Iraq--well, not the Iraqis, you just do it there--but the North
Koreans and you say, "We have information that fissile material is
being stored in such-and-such a place and we want an explanation of
that." That would be--and then they give you the explanation or
they don't, and then you would do the inspection.

A challenge inspection, I guess, under your terminology, would
be where you just go there and say, "Here we are, folks. We want to
look at this."

MR. BLIX: No, we would just say that we want to see this
particular place. We don't have to explain whether there are any
reasons to believe that they have been cheating--(inaudible)--

REP. LAGOMARSINO: Right. Now--now, do you, in the case of a
special inspection, have to tell them what your information is?

MR. BLIX: We have never done it, so--

REP. LAGOMARSINO: Oh.

MR. BLIX: --it will have to be tailor-made, and there is no--
there are no procedures accepted by the board so far. I think that
we would have to say that we have reason to believe that there is
something not declared in this particular place. I don't think that
we will have to specify what our sources are.

REP. LAGOMARSINO: Okay. Thank you.

REP. SOLARZ: Mr. Goss.

(MORE)

4836-33-26   0118

HOUSE FOREIGN AFFAIRS COMMITTEE / SUBCMTE ON ASIAN AND PACIFIC AFFAIRS
SUBCMTE, ON ARMS CONTROL, INT'L SECURITY & SCIENCE
SUBCMTE ON INT'L ECONOMIC POLICY & TRADE
CHAIRMAN: REP. STEPHEN SOLARZ, D-NY TOPIC: NORTH KOREA NUCLEAR PROGRAM
WITNESS: DR. HANS BLIX, DIRECTOR, IAEA WEDNESDAY, JULY 22, 1992
H-3-6 page# 5

0119

4836-33-27

HOUSE FOREIGN AFFAIRS COMMITTEE / SUBCMTE ON ASIAN AND PACIFIC AFFAIRS
SUBCMTE, ON ARMS CONTROL, INT'L SECURITY & SCIENCE
SUBCMTE ON INT'L ECONOMIC POLICY & TRADE
CHAIRMAN: REP. STEPHEN SOLARZ, D-NY TOPIC: NORTH KOREA NUCLEAR PROGRAM
WITNESS: DR. HANS BLIX, DIRECTOR, IAEA WEDNESDAY, JULY 22, 1992
H-3-7 page# 1

    dest=hill,hsforaff,nkor,skor,fns21447,fns14094,nucweapon,asia,pacific
    dest+=armscont,un,iraq
    data

        REP. PETER GOSS (R-FL): Thank you, Mr. Chairman. I apologize
for coming in late and for the interruption, but there are--I think
most of this has been covered, but I just would like to try and get
to a bottom line, if I might and--and let me oversimplify. On a
scale of, say, one to 10, how much of the information that you need
to know to do your job can you get? Forty percent? Sixty percent?

        MR. BLIX: From where do you mean?

        REP. GOSS: Sorry?

        MR. BLIX: From where?

        REP. GOSS: From the North Koreans.

        MR. BLIX: --(inaudible)--well, they have declared
installations and nuclear material to us.

        REP. GOSS: I understand that, but that wasn't the question.

        MR. BLIX: We verify that. I mean, I cannot make assumptions
on how much hypothetically could they be cheating about.

        REP. GOSS: All right. That was the question.

        (Laughter)

        MR. BLIX: If I knew, we would try to go there.

        REP. GOSS: Well, that really does get to the heart of the
question. Let me ask it another way--do you have serious worries
that we are missing something beyond what is declared that we should
be taking steps to do something about?

        MR. BLIX: We have a professional duty to be seriously worried
everywhere. In the case of North Korea, at the beginning of the
hearing, I explained that we find it usual--I would even say
exceptional--that a country can build a fairly large installation
for reprocessing without having gone through the--(audio break)--at
length with the North Korean authorities. This is a specific matter
relating to North Korea.

        REP. GOSS: I guess, then, my question is on a scale of one to
10, what is your degree of satisfaction after your discussions?

        MR. BLIX: Well, they took great pains to try to explain how
in Korean culture they do take big jumps from a very small scale to

                                                              0120

HOUSE FOREIGN AFFAIRS COMMITTEE / SUBCMTE ON ASIAN AND PACIFIC AFFAIRS
SUBCMTE, ON ARMS CONTROL, INT'L SECURITY & SCIENCE
SUBCMTE ON INT'L ECONOMIC POLICY & TRADE
CHAIRMAN: REP. STEPHEN SOLARZ, D-NY   TOPIC: NORTH KOREA NUCLEAR PROGRAM
WITNESS: DR. HANS BLIX, DIRECTOR, IAEA WEDNESDAY, JULY 22, 1992
H-3-7 page# 2

something very big, but this is a question of judgment whether one
regards this as plausible. The way to that--(inaudible)--and which
the chairman was probing about, was can we see from the Fimedelar
(ph) plant how much fuel could there have been available for
reprocessing? This is another way of verifying it. We are neither
giving a clean bill of health nor sounding--want to sound an alarm.
We want to analyze this before we come up with any assessment.

REP. GOSS: I yield to the chairman.

REP. SOLARZ: Thank the gentleman for yielding. Let me put it
somewhat differently. Have the North Koreans turned down any
requests by you or your associates to inspect any facilities in the
country or any requests for information regarding its nuclear
program?

MR. BLIX: Not so far.

REP. SOLARZ: So, so far, they've let you go everywhere you
want to go and they've given you all the information that you've
asked for--so far as you know?

MR. BLIX: We have gone to the installations which they have
declared in the original inventory. They have shown us the material
that was there. I was taken some places which was also not in the
original inventory.

REP. SOLARZ: And what, if anything, is the IAEA doing
differently in North Korea as compared to your practice in Iraq
before the war to help ensure that no undeclared activities go
undetected?

MR. BLIX: In Iraq, we are going to sites which are designated
for inspection by the special commission attached--

REP. SOLARZ: I know what you're doing in Iraq. My question
is, are you doing anything in North Korea that you didn't do in Iraq
before the Gulf War to help make sure that the North Koreans, unlike
the Iraqis, don't have undeclared programs or facilities?

MR. BLIX: Well, we welcome intelligence information if anyone
is willing to give it to us.

REP. SOLARZ: Mr. Goss?

REP. GOSS: I'm reclaiming my time for one final follow-up,
and I appreciate the chairman's assistance in going the direction
you did.

(MORE)

0121

HOUSE FOREIGN AFFAIRS COMMITTEE / SUBCMTE ON ASIAN AND PACIFIC AFFAIRS
SUBCMTE, ON ARMS CONTROL, INT'L SECURITY & SCIENCE
SUBCMTE ON INT'L ECONOMIC POLICY & TRADE
CHAIRMAN: REP. STEPHEN SOLARZ, D-NY TOPIC: NORTH KOREA NUCLEAR PROGRAM
WITNESS: DR. HANS BLIX, DIRECTOR, IAEA WEDNESDAY, JULY 22, 1992
H-3-8-E page# 1

dest=hill,hsforaff,nkor,skor,fns21447,fns14094,nucweapon,asia,pacific
dest+=armscont,un,iraq
data

    MR. BLIX: Excuse me, if I may please. Mr. Perricos reminds me
there is something else to say on this and that is that in the case
of Iraq we were not aware of any reprocessing activities nor indeed
have found any subsequently.

    In the case of North Korea, where the country declared an
installation devoted to reprocess, of course, that higher detail
requires much more analysis.

    REP. GOSS: I guess I wanted to get back to my satisfaction
question again in terms of your mission, world peace and so forth,
and containing nuclear proliferation.

    Do you feel that there is an unusual threat emanating from
North Korea with regard to nuclear production of any type, either in
terms of proliferation or in terms of potential unilateral action or
use for regional geopolitical gains? Do you see anything
extraordinary on your radar scope there? Any blip or any spike in
the chart that means that you're going to go back there and spend
some more time and more energy there than, say, in other areas where
declarations are made also?

    MR. BLIX: Well, you're using precisely the term I would like
to you when you mentioned radar. The safeguards inspections are
like a radar scanning the horizon and saying here and now you have
this and that. We cannot radar scan the minds of people. We cannot
give any clean bill of health.

    REP. GOSS: We understand.

    MR. BLIX: Therefore, we report what we are seeing and we
also want to be precise of what we have not been able to see or
cannot see at the moment.

    I do not -- it's not my job to tell you whether you should be
concerned or not about the activities in North Korea. I have
advised the North Korean authorities that if they do wish to have
detente in that area, than maximum transparency, not only vis-a-vis
the agency but also vis-a-vis South Korea and other interested
states is important. And I fully realize the very great potential
for a conflict in this area if there were indeed to be a building in
nuclear weapons capacity is evident in relation to South Korea,
Japan, et cetera. I have no difficulty understanding that.

    REP. GOSS: I don't think any of us do. I think that's why we
asked the question. We are concerned that the monitoring as it is
does in fact do the job satisfactory to detect that and prevent that
from happening. And I guess I'm going to leave from this particular

0122

HOUSE FOREIGN AFFAIRS COMMITTEE / SUBCMTE ON ASIAN AND PACIFIC AFFAIRS
SUBCMTE, ON ARMS CONTROL, INT'L SECURITY & SCIENCE
SUBCMTE ON INT'L ECONOMIC POLICY & TRADE
CHAIRMAN: REP. STEPHEN SOLARZ, D-NY TOPIC: NORTH KOREA NUCLEAR PROGRAM
WITNESS: DR. HANS BLIX, DIRECTOR, IAEA WEDNESDAY, JULY 22, 1992
H-3-8-E page# 2

meeting with the unknown of knowing how satisfied how satisfied you
are that the monitoring is complete enough, unless you'd like to
suggest that you are more satisfied or less satisfied.

MR. BLIX: From the point of view of the monitoring, you would
like to have maximum freedom of movement and maximum right. And I
would be welcome to have the kind of capacity there which is
suggested. However, I'm not entirely hopeful that the governments of
the world whether at the IEA or in the UN would like to confer upon
one single authority that power.

The agreement between South and North Korea has a clause which
says that the South and the North, in order to verify the nuclear
station shall conduct inspections of the object selected by the
other side and agreed upon between the two sides in accordance with
procedures, et cetera.

I don't know whether this is interpreted as the right to
challenge inspections but the words "and agreed upon," seem to me at
least to open the possibility for some restrictions.

REP. GOSS: Thank you very much.

Mr. Chairman, you've been very generous. Thank you.

REP. SOLARZ: Thank you.

Mr. Leach, you had a final question?

REP. LEACH: Yes. Well, Mr. Blix, many of us believe you're
the most important inspection agency in the world. And ironically in
terms of American politics some of us think our bureaucracies have
gotten too much power. But at least with regard to yours, I think
you have too little.

And one of the things that I don't know if you've ever really
dealt with is the whole area of enforcement and dismantlement. I
mean, if this reprocessing facility should be dismantled, do you
have the capacity to dismantle it?

And secondly, do you need an air force or is that something
your Board would have some doubts about providing you?

MR. BLIX: Well, you are raising such a broad prospective now.
We have the ambition to survive October, which we will not, unless
the United States gives us contribution for this year. There have
been questions of whether we should have a satellite capacity. And
that, too, I think, is rather dreamy at the time when we are at zero
growth.

The specific question about dismantlement --

REP. LEACH: Well, let me say --

0123

/ ⌒ D-32-31

HOUSE FOREIGN AFFAIRS COMMITTEE / SUBCMTE ON ASIAN AND PACIFIC AFFAIRS
SUBCMTE, ON ARMS CONTROL, INT'L SECURITY & SCIENCE
SUBCMTE ON INT'L ECONOMIC POLICY & TRADE
CHAIRMAN; REP. STEPHEN SOLARZ, D-NY TOPIC: NORTH KOREA NUCLEAR PROGRAM
WITNESS: DR. HANS BLIX, DIRECTOR, IAEA WEDNESDAY, JULY 22, 1992
H-3-8-E page# 3

MR. BLIX: -- I could answer in the following manner. In Iraq we have been given the task by the Security Council either to destroy or to remove or render harmless the weapons capacity and weapons material production capacity of Iraq and we are giving the Iraqis instructions what they should destroy.

And Mr. Perricos here on my side has personally supervised how they were blowing up building worth a couple of hundred million dollars. So yes, we can have role in the field of dismantlement if we are given that task by the Security Council. It is not a task I think that exists under the Safeguards Agreement, though.

REP. LEACH: I appreciate that. Let me just say from my perspective, you're working in an extraordinary area of difficulty with a great deal of commitment and facility and it's an embarrassment that the United States has not been more forthcoming in our procedures on funding. It's an agency certainly that we have an obligation, despite whatever problems we have here at home, to give a higher and not lower priority. We will do the best we can to support you.

Thank you.

REP. SOLARZ: Yes. I wouldn't want you to feel your presence here had not produced some benefits, Dr. Blix, because I think you've made such a powerful case for the kind of work you do. I'm sure each of us will do everything we can to encourage the Administration and Congress to make sure that the necessary U.S. contribution to your agency is forthcoming so that you can continue your work.

Two final very brief questions. I understand that when you were there you were permitted to briefly see some underground tunnels in the Yong B'ong (ph) area. And in the two subsequent inspections that took place, were these tunnels look at in any greater detail? Do you know what the purpose of the tunnels is?

MR. BLIX: No. I think our host wanted to show these tunnels because there had been media reports about them. They were empty with the exception of some arrangement for air-conditioning and they were not declared in their original inventory. We did not see any reason why they should have been.

REP. SOLARZ: And has the North indicated to you the precise number of damaged fuel rods that were removed?

MR. BLIX: Yes.

REP. SOLARZ: How many?

MR. BLIX: Well, I'm afraid that figure is one that belongs to the quantity of things that fall under Safeguard confidential. I doubt the figure is in itself terribly interesting. 0124

HOUSE FOREIGN AFFAIRS COMMITTEE / SUBCMTE ON ASIAN AND PACIFIC AFFAIRS
SUBCMTE, ON ARMS CONTROL, INT'L SECURITY & SCIENCE
SUBCMTE ON INT'L ECONOMIC POLICY & TRADE
CHAIRMAN: REP. STEPHEN SOLARZ, D-NY TOPIC: NORTH KOREA NUCLEAR PROGRAM
WITNESS: DR. HANS BLIX, DIRECTOR, IAEA WEDNESDAY, JULY 22, 1992
H-3-8-E page# 4
          REP. SOLARZ: Well, let me thank you very much. We will have
some follow-up questions for you which hopefully you can give us
written answers to for the record.

          I want to thank you for coming. This has been very
illuminating. It certainly helps us to discharge our
responsibilities and I don't have to tell you how important your
mission is and encourage you to continue pursuing it with great
diligence.

          Thank you very much. .

                              END

                                                              0125

                              ⊥⊥A36-33-33

공   란

공   란

외 무 부

종 별 :

번 호 : USW-3679   일 시 : 92 0723 1736

수 신 : 장관(미이,미일,정총,국기) 사본:주오지리대사-본부중계필

발 신 : 주 미 대사

제 목 : BLIX 사무총장 NPC 조찬 간담회

연: USW-3568

워싱턴을 방문중인 HANS BLIX IAEA사무총장은 금 7.23 당지 NATIONAL PRESS CLUB 에서 핵 확산 방지에 대한 조찬 간담회를 가졌는바, 동 요지 아래 보고함.(당관 안총기 서기관참석)

1. BLIX 사무총장은 자신의 금번 워싱톤 방문목적은 핵융합 원자로 건설함의, 미하원에서의 설명회, 국무부 및 국방부등 미행정부 관리들과의 핵 안전조치 및 검증문제협의등을 위한 것이었다고 말함.

2. BLIX 총장은 최근 아르헨티나, 브라질, 쿠바,남아공등에 있어서 핵 확산방지및 안전조치에 대한 많은 진전이 있었다고 평가하고 최근 우크라이나, 벨라루스, 카작스탄등 구소련공화국들의 핵물질 보유가 새로운 문제로 대두 되었으나, 이들이 곧NPT 제도에 동참하게 되면 효과적인 조처가 이루어질 것이라고 설명함.

3. 북한 핵 문제와 관련 BLIX 총장은 북한의 안전조치 협정 비준, 신고목록 제출등 에의한 사찰이 실시됨으로서 그동안 많은 진전이 있었으나, 아직도 의문점은 남아 있 다고설명하고, 북한이 IAEA 사찰시 원자로 접근등에있어 다소 거부적인(RELUCTANT) 태도를 보였는지 여부를 묻는 질문에 대해 북한은 사찰과정에서 아직까지는 협조적이 었다고 답변함.(NO LACK OF COOPERATION)

4. BLIX 총장은 이락의 경우는 폐쇄된 사회에서 외부에 의해 발견되지 않은 채 핵 시설을 건설할 수 있다는 것을 보여주는 좋은 사례라고 지적하고, 이락에 대한 사찰과 관련하여 IAEA 에대한 비난이 있으나, 이것은 IAEA 가 보다 큰 권한을 가지고 있는 것으로 오해하고 있는데서 비롯된 것이며, IAEA 는 핵 확산방지 문제에 대한 경찰(POLICE) 이 아니고 관찰자(OBSERVER)일 뿐이라고 언급함. 또한 BLIX 총장은 이락의 경우처럼 신고하지 않은 시설에 대한 특별사찰이 가능하기 위해서는 별도의 정보가

미주국   미주국   국기국   외정실   중계

외신 1과 통제관 ✓

0128

IAEA 에 제공되어야 한다고 말하고, 현재 IAEA 는 회원국으로 부터 정보를 제공받고 있다고 부언함.

5. 한편 BLIX 총장은 미국, 소련등 큰 몫의 IAEA 분담금을 맡고 있는 나라들의 분담금지불이 지연되고 있어서 IAEA 의 재정 형편이 매우 어려우며, 현재대로 라면 금년 10월부터 IAEA의 재원은 고갈될 상황에 있다고 설명하면서 IAEA 재원 유지를 위한 협조를 당부함.

(대사 현홍주-국장)

근사시설도 특별사찰 요청할 수 있어

(워싱턴=聯合) ~~미군륙파원~~ = 美하원외교위 亞太小委(위원장 스티븐 솔라즈)는 22일 미국을 방문중인 한스 블릭스 국제원자력기구(IAEA) 사무총장을 초치, 북한 核문제에 대한 청문회를 개최하고 의심되는 북한의 核시설과 물질에 대한 강제사찰을 촉구했다.

의원들은 북한이 땅굴을 파고 지하에 공장을 건설하는 등 은닉의 명수인 만큼 필요하다면 군사시설을 포함한 어떤 목표물에 대해서도 불시로 강제사찰을 실시해야 한다고 주장하고 이를 보완하기 위해 남북한간에 합의된 상호사찰도 병행돼야 한다는 입장을 밝혔다.

의원들은 또 북한의 설명만으로는 존재이유가 납득되지 않는 재처리공장이 해체돼야 한다는 입장을 강력히 개진했다.

블릭스총장은 북한이 방사화학실험실이라고 일컫는 시설은 그것이 완성돼 가동될 경우 재처리공장이라고 부르는데 주저하지 않을 것이라고 말하고 북한이 재처리 시설을 해체해도 그들이 말하는 평화적 核계획을 해치지는 않을 것이라고 덧붙였다.

그러나 그는 북한이 왜 플루토늄을 필요로 하는지 그들의 설명만으로는 납득할 수 없지만 결론을 내리는 것은 유보하겠다고 말했다.

그는 북한이 통보하지 않은 곳에서 의심스런 활동이 있을 경우 그것이 군사시설 이라도 특별사찰을 요청할 수 있으며 남북한간의 상호사찰이 실천되는게 중요하다는 입장을 밝혔다.

그는 모든 안전협정은 특별사찰조항을 담고 있어 국제원자력기구가 추가정보와 장소에 접근하기 위한 특별사찰을 수행할 권리가 있다고 지적하고 통보되지 않은 시설이나 물질이 있다고 믿을 경우 먼저 단기간내의 설명을 요구하고 해명이 불만족스러우면 특별사찰을 요구할 것이라고 설명했다.

이날 청문회에서는 IAEA측의 특별사찰 개념과 美의원들의 강제 불시사찰요구를 둘러싸고 의원들과 블릭스총장간에 공방전이 전개되기도 했다.

의원들은 국제원자력기구가 의심나는 곳에 대한 불시강제사찰을 실시해야 한다고 촉구한 반면 블릭스총장은 현재 규정상 북한측에 먼저 해명을 요구해야 된다는 입장을 보였다.

그는 국제원자력기구가 북한에 대해서는 이라크의 경우처럼 광범위한 권한을 갖고 있지 않으며 불시사찰이라고 해도 조사관을 보내는게 낙하병을 투하하는 것과는 다르다고 강조했다.

그는 기술적인 불시사찰이 이라크의 경우에는 중요하지만 쉽게 움직일 수 없는 재처리시설이나 농축공장, 원자로 등을 사찰하는데 스피드는 그렇게 중요한 것이 아니라고 설명했다.

블릭스총장은 내년의 임기만료를 앞두고 재선문제와 IAEA 재정문제를 협의하기 위해 20일부터 미국을 방문중에 있다.(끝)

0130

a125CALL r
u n BC-NUCLEAR-KOREA   03-07 0527
BC-NUCLEAR-KOREA

NORTH KOREA MAY HIDE NUCLEAR SECRETS — U.N. INSPECTOR
    By Lyndsay Griffiths
    WASHINGTON, July 22, Reuter — Nuclear inspectors cannot
give North Korea a clean bill of health on a huge "laboratory"
it has built to treat plutonium, Hans Blix, director general
of the International Atomic Energy Agency, said on Wednesday.
    "We do not see any good solid reason that they would need
the plutonium," Blix told a U.S. congressional panel.
    Asked if the North Korean "laboratory" — purportedly
processing the nuclear material for non-military purposes —
should be destroyed, Blix said: "I don't think that would hurt
their peaceful nuclear programme."
    North Korea says its "laboratory" is not completed and is
intended for advanced breeder reactors and experimental waste
disposal, not for military ends.
    It admits to producing a small amount of plutonium at the
laboratory but says that was just for experimental purposes.
    But Blix said that, once completed, the plant could
certainly reprocess plutonium on a larger scale.
    U.S. Central Intelligence Agency chief Robert Gates has
said North Korea might have nuclear weapons in a matter of
months or years.
    Nuclear experts say North Korea — which has allowed
Blix's United Nations agency to inspect its self-declared
atomic facilities — may already possess a more sophisticated,
secret nuclear programme.
    "In a country of Korea's level of development, plutonium
has no civilian use, just weapons use," said Gary Milhollin,
director of the Wisconsin Project on Nuclear Arms Control.
    "That's not a lab: it's as big as an aircraft carrier and
is really a plutonium production plant," he added.
    The experts have also expressed scepticism that Pyongyang
could have built the six-floor lab without first constructing
a secret prototype producing greater amounts of plutonium.
    "We find it unusual, not to say exceptional, that a
country can build a fairly large plant for reprocessing
without going through a pilot plant and we have discussed that
with the North Koreans at great length," Blix told the House
Foreign Affairs subcommittee on Asian and Pacific Affairs.
    North Korea insists it has no secret pilot plant producing
nuclear material, but Blix said, "We are neither giving a
clean bill of health nor wanting to sound an alarm."
    Blix, responding to criticism that his agency has failed
to be sufficiently aggressive in inspecting North Korean
installations, said his monitors were not "nuclear police."
    "We are observers; we are regulators," he replied, adding
that the agency was short of cash and would go broke in
October unless the United States paid its 1992 dues.
    He said a team of agency inspectors recently returned from
North Korea met no problems, but added, "The risk of
non-detection is not zero."
    It is difficult to verify if Pyongyang has provided a
complete inventory of its instalments, a task made harder in
a country with "a large nuclear programme that has been in
place for several years."
    Lawmakers at the hearing expressed concern that North
Korea will comply with the IAEA inspections as a means of
avoiding more stringent checks by adjoining South Korea.
    REUTER LG JAS LD
Reut00:42 23-07

0131

강제不時사찰 개념싸고 공방전

하원 청문회 발언 요지

(워싱턴=聯合) 李文鎭특파원 = 美하원 외무위의 아시아-太平洋소위(위원장 스티 슐라즈)는 때마침 訪美중인 한스 블릭스 국제원자력기구(IAEA) 사무총장을 불러 :일 청문회를 개최했다.

먼저 블릭스총장이 지난 5월의 北韓방문과 6,7월 두차례 실시된 임시사찰결과를 명하고 의원들의 질문에 답하는 형식으로 진행된 이날 청문회는 강제사찰의 개념 둘러싸고 美의원과 블릭스총장이 궁방전을 벌이는 양상을 연출했다.

다음은 청문회 발언 요지.

▲슐라즈= 두차례 임시사찰이 실시됐지만 北韓이 그들 주장보다 훨씬 많은 양의 루토늄을 보유하고 있지 않다고 어떻게 믿을수 있는가 하는 문제 등을 포함해 여 히 심각한 우려가 많다. 북한은 군사시설을 포함, 북한내의 어느 시설에 대해서도 IEA의 특별 또는 강제사찰권을 인정했는가.

▲짐 리치(공화.아이오와)= 북한에 대해서는 IAEA가 유엔안보리 등의 위임없이 충분한 자유재량권을 갖고 강제사찰을 실시하는 것이 중요하다. 또한 南北韓간에 의된 상호 사찰의 실시와 건설중인 재처리시설의 해체가 필요하다.

●블릭스총장= 그들이 제출한 시설과 물질의 리스트가 완전한 것인가는 전국을 샅이 뒤질수도 없고 또 오랜기간 광범위하게 많은 양이 축적된 것인만큼 쉽게 단 을 내리기가 어렵다. 이라크에서 우리는 휴전협정에 따라 가장 광범위한 권한을 여받았지만 1년이 지난 지금도 숨겨진 것이 없다고 장담할 수 없다. 더욱이 북한 대해서는 이라크에서처럼 광범위한 권한을 부여받고 있지 않다. 그들이 방사화학 험실이라고 부르는 시설은 완성돼 작동한다면 재처리공장이라고 부르는데 주저할 없다.

▲슐라즈= 북한이 핵무기를 제조한다면 韓半島에서의 핵전쟁 가능성을 증대시킬 아니라 한국과 日本도 핵보유 압력을 받을 것이기 때문에 무슨 수를 써서라도 그 의 핵무기 보유를 막아야 한다는게 우리의 중대 관심사이다. 북한은 땅굴굴착 등 닉의 명수인만큼 IAEA의 특별 또는 강제사찰을 수락할 용의가 있는지가 중요하다. 들이 여기에 동의했는가 했다면 어떤 조건인가. IAEA는 사전통고없이 북한의 어느 이니 갈수 있는가. 아니면 그들 승인을 먼저 얻어야 하는가. 이 경우 통고와 사찰

0132

간의 간격은 어떤가.

●블릭스= 모든 안전협정│특별사찰조항을 담고 있어 IAE■ 추가정보와 추가 장소에 접근하기 위한 특별사찰을 실시할 권한을 갖고 있다. 통보되지 않은 시설이나 물질이 있다고 믿을 경우 아주 짧은 시간 먼저 설명을 요구하고 해명이 불만족스러우면 특별사찰을 요구할 것이다.

▲숄라즈= 그런 사찰을 허용하는 원칙등에 관해 북한의 동의가 있었는가.

●블릭스= 북한은 본인이 平壤을 떠나기전 IAEA가 원하는 어느 장소나 시설이라도 방문할 수 있을 것임을 약속했다. 그러나 아직 그런 약속에 따라 어디를 보겠다고 요청하지는 않았다. 지금은 그들이 공개한 공장을 심시하고 사찰한 결과를 분석하는데도 바쁘다. 당신이 말하는 軍縮개념상의 강제사찰권한은 IAEA와 北韓간의 안전협정에는 없다. 기습 또는 불시사찰은 이라크의 경우는 중요하지만 쉽게 움직일수 없는 재처리시설, 농축공장이나 원자로 등을 사찰하는데는 스피드문제가 그렇게 중요하지 않다. 핵본열물질은 유동적이지만 그것도 어느 곳에서 생산되었을 것이고 생산시설은 함부로 움직일 수 없다. 어쨌든 핵본열물질이 생산됐다고 믿을만한 근거가 있으면 특별사찰이 요청돼야 한다.

신고되지 않은 숨겨진 핵본열물질이 발견되거나 그들이 접근을 봉쇄하면 이는 안전협정위반이고 즉각 이사회와 安保理에 보고된다. 재처리시설의 건설을 중지했다는 시사는 없으나 현재 그곳에서 생산되는 것도 없다. 그들이 왜 플루토늄을 필요로 하는지 그들의 설명만으로는 납득할 수 없지만 결론은 내리지 않겠다. 재처리시설을 해체해도 그들이 말하는 평화적 核계획을 손상시킨다고는 생각하지 않는다.

▲리치= IAEA의 사찰을 그들이 한국과의 상호사찰을 기피하는 구실로 삼지 않을까 우려된다. IAEA가 안보리등의 승인없이도 강제적인 불시사찰을 실시할 수 있다고 본다. 북한의 군사시설에서 의심스런 무엇이 진행중이라고 한국인들이 믿을 경우 IAEA는 그 군사시설에 강제사찰을 실시할 권한이 있는가 없는가.

●블릭스 = 강제사찰보다 특별사찰이라고 하는게 옳다. 어쨌든 그런 경우 그 군사시설에 특별사찰을 요청할 수 있다. 南北韓간의 상호사찰이 실천되는 것도 바람직하다.

▲숄라즈= 모호한 점이 있어 분명히 해야겠다. 북한이 이동 가능한 분열물질을 은밀히 숨기고 있다고 믿을 때 사찰을 희망한다는 사실을 그들에 미리 통고해야 하나.

●블릭스= 현재 규정상 그들의 설명을 먼저 요청해야 한다. 조사관을 보내는 것이 낙하병을 투하하는 것과는 다르다는 것을 이해해야 한다.(끝)

0133

(YONHAP) 920723 1018 KST

美下院 外務委 北韓 核問題 公開說明會 (1차안)

1992. 7. 23.

外 務 部

> 美下院 外務委는 7. 22. 「한스 블릭스」 IAEA 事務總長을 參席시킨
> 가운데 北韓 核問題에 관한 公開說明會를 가진 바, 同 要旨 아래
> 報告드립니다.

1. 「블릭스」 事務總長 冒頭發言 要旨

   o 北韓과 같이 장기간 核施設을 보유한 나라의 경우, 申告된
     施設의 目錄이 완벽한지 與否를 立證하는 것은 容易치 않음.

   o 北韓은 90년 實驗室을 통한 그램 단위의 플루토늄 抽出을
     是認하였으나 그이상의 플루토늄 抽出은 否認함.

   o 大型 再處理施設(길이 190m, 높이 6층)을 건설중인 北韓은
     중간 단계의 試驗施設(pilot plant) 存在를 否認하나, 이는
     일반적인 産業國家에서는 있을 수 없는 일임.

   o 北韓의 核開發 疑惑 관련, 지나치게 놀랄 일은 아니나 섣부른
     安心을 할 상황은 아님.

2. 質疑.應答 要旨

   o IAEA의 대북한 强制査察 또는 特別査察 權限 與否   0134
     - 「솔라즈」 의원은 北韓이 IAEA에 의한 强制査察 또는 特別
       査察에 同意 하였는지 問議함.

- 1 -

- 「블릭스」 總長은 다음과 같이 답변함.

  . IAEA는 未申告 疑心이 있을 경우 該當國家에게 먼저 解明을
    요구하고 동 解明이 不滿足스러울 경우 特別査察을 要求할
    수 있음.

  . 동 IAEA 核安全措置協定上의 特別査察은, 未申告 疑心 여부에
    관계없이 일정 장소를 査察할 수 있는 軍縮條約上의 强制査察
    과 같이 강력한 것이 아님.

  . 北韓이 IAEA가 원할 경우 北韓內 어느 장소든지 訪問을 許容
    한다고 한것은, IAEA 特別査察制度의 한계를 다소 補完해 줄
    수 있음.

o IAEA 査察의 效率性 및 南北相互査察의 必要性
  - 「리치」 의원은 北韓이 IAEA 査察을 徹底하고 效果的인 南北
    相互査察을 回避하는 구실로 이용하고 있다고 말하고 IAEA 特別
    査察의 效率性을 問議함.
  - 「블릭스」 사무총장은 IAEA 特別査察의 限界性을 認定하면서,
    北韓이 南北相互査察을 통해 核에 관한 透明性을 더욱 提高시키는
    것이 바람직하다고 답변

o 北韓의 核物質 隱匿 可能性
  - 「솔라즈」 의원은 만일 北韓이 核物質을 生産하여 隱匿하고
    있다는 情報가 있을 경우의 査察 節次를 問議함.

- 2 -

0135

- 「블릭스」 사무총장은, 그러한 경우 特別査察이 要求되며 또한 隱匿된 核物質이 발견되는 경우에는 IAEA 理事會 및 安保理에 報告되어 必要한 措置가 취해질 것이라고 答辯

o 北韓의 再處理施設 現況
- 「블릭스」 총장은 再處理施設의 建設이 현재는 一時 中斷된 것으로 보이나 必要 部品을 주문중이라는 北韓의 답변으로 보아 建設을 繼續할 것으로 본다고 答辯

3. 分析 및 評價

o 금번 「블릭스」 총장의 證言은 美議會內 北韓 核問題를 다루는 주요 의원들에 대해 北韓의 核再處理施設이 아무런 經濟的 妥當性이 없는 것임을 再確認시킴으로써, 北韓의 核武器 開發 推進 事實을 다시한번 周知시키는 契機가 됨.

o 특히 IAEA 特別査察制度가 일반 軍縮條約上의 강력한 不時强制 査察과 다른 脆弱한 制度임이 분명히 確認됨으로써, 北韓의 核武器 開發을 철저히 檢證.遮斷하기 위해서는 徹底하고 强制的인 南北相互査察이 必須的이라는 사실을 美國內 朝.野에 충분히 認識시킴.

- 끝 -

- 3 -

0136

長 官 報 告 事 項

報 告 畢

1992. 7. 24.
國際機構局
國際機構課(38)

題 目 : IAEA 사무총장의 미하원 소위 설명회

92.7.23 '블릭스' IAEA 사무총장의 미하원 외무위 공개 설명회에서 발언한 내용중 IAEA의 특별사찰 실시 권한과 대북한 사찰관련 특기사항을 아래 보고 드립니다.

1. IAEA의 특별사찰 실시문제

o IAEA는 협정당사국내에 <u>신고되지 않은 핵시설 또는 물질</u>이 있다고 믿을 <u>근거가 있을때</u> 이에 대한 <u>특별사찰</u>(special inspection)<u>을 실시</u>할 수 있는 권한이 있음

    * 92.2월이사회는 미신고 핵시설 및 물질관련 추가정보(additional information)를 입수하여 관련 장소(locations)를 사찰하기 위한 IAEA의 특별사찰 실시 권한을 재확인함

o 그러나 IAEA의 <u>특별사찰은</u> 군축 검증 차원에서 의심이 있건 없건 아무장소나 사찰할 수 있는 <u>강제사찰(challenge inspection)과는 의미가 다름</u>

    * IAEA는 미신고 의심이 있을 경우 당사국에 먼저 해명을 요구하고, 동 해명이 불충분한 경우 <u>당사국과 협의를 거쳐</u> 특별사찰 <u>실시</u> (안전조치협정 제77조)

    * 당사국이 특별사찰 실시를 계속 거부하거나 특별사찰 실시 결과 <u>협정의무 위반사실(미신고 핵물질등)</u>이 발견되는 경우 동내용을 <u>안보리에 보고</u> (IAEA 헌장 제12조C)

0137

o 시간적 요소가 중요하기 때문에 기습사찰(surprise inspection)이 필요하다는
  주장도 있지만 비밀 핵시설이나 물질을 찾고 있을 경우 사찰실시 속도가 그렇게
  중요한 것은 아님
  - 원자로, 재처리공장, 농축공장등의 시설은 그렇게 쉽게 옮길수 있는 것이
    아니며, 핵물질도 이동은 가능하지만 생산된 시설을 찾는것이 중요하므로
    시간을 다루는 사항은 아님
  - 또한 IAEA는 강제적 성격의 기습사찰 권한이 없음

o 신고되지 않은 군사시설에 어떤 핵 물질이 있다고 믿을만한 근거가 있을때
  IAEA는 동 군사시설에 대해서도 특별사찰을 요구할수 있을것임
  - 이는 NPT상 핵무기 비보유국가들중 전면 안전조치협정 체결 당사국에 한해
    적용 가능함

o 이라크의 경우에는 안보리 결의(제687호)에 의거 IAEA 사찰단이 이라크내 모든
  시설을 자유롭게 사찰할 수 있는 광범위한 권한을 부여 받았으나, 북한에 대하
  여 IAEA는 이같은 사찰권한을 갖고 있지 못함
  - 단, 북한은 언제, 어느장소(신고하지 않은 시설 포함)라도 IAEA 관리의 방문
    을 허용할 것이라고 약속한 바 있음

2. 북한이 신고한 핵시설 및 물질관련 특기사항

  가. 방사화학 실험실
    o 소규모의 실험시설(pilot plant)의 단계를 거치지 않고 바로 대규모 재
      처리공장의 건설이 가능할 수 있었는지에 대해 북한측은 명확히 설명하고
      있지 못함
      - 전문가들 견해에 의하면 일반 산업국가에서는 있을 수 없는 일이지만
        (안전도 문제를 전혀 고려하지 않는다면) 가능은 할것 이라함
      - 동시설의 건설은 현재 중단된 상태이며, 어떠한 것도 생산치 못하고 있음
    o 북한의 핵 재처리시설 건설 목적이 핵무기 제조를 위한것이라고 결론을
      내릴수는 없지만, 재처리시설이 없다 하더라도 북한의 평화적 핵개발
      계획이 손상되지 않을 것임
      - 그러나 IAEA는 북한에 대해 동 재처리 시설의 해체(dismantle)를 요구
        할수 있는 권한이 없음

0138

나. 사용후 핵연료의 양과 플루토늄 추출양

　　ㅇ 5MW 원자로 노심(core)에 있는 핵연료가 87년 최초로 장입된 핵연료인지
　　　여부는 앞으로 1년이내 에 예상되는 핵연료 교체시 확인 가능

　　　- 앞으로 장입될 새로운 핵연료는 감시장치 설치등을 통해 전용 여부를
　　　　철저히 확인할 수 있을 것임

　　　- 북한은 동 원자로에서 수거한 손상된 핵연료봉(damaged fuel rod)의
　　　　숫자를 보고했으나, 안전조치 비밀 규정에 따라 밝힐수는 없음

　　ㅇ 북한은 90.3월 방사화학실험실에서 그램단위 플루토늄 추출을 시인했으나
　　　그 이상의 플루토늄 추출은 강력히 부인함

다. 농축 우라늄 시설

　　ㅇ 북한이 핵연료 주기연구를 하고 있으나 우라늄농축을 시도하고 있다는
　　　흔적은 없음

　　　- 북한은 원자로 연료로 자국내에서 생산된 천연우라늄을 사용하고 있기
　　　　때문에 아직까지 농축우라늄의 필요성은 없는것으로 판단

라. 북한 최초보고서의 성실성

　　ㅇ 현재까지는 북한이 신고한 내용과 IAEA가 실제 검증한 결과간에 차이가
　　　없는 것으로 보임

　　ㅇ 그러나 북한의 핵능력에 대한 평가와 관련 확실한 보증을 주거나 경종을
　　　울릴 단계 는 아님

3. 기타

　ㅇ IAEA가 강제사찰을 실시할 수 있는 보다 강력한 권한을 갖게 되기를 바라는 바
　　이나, 회원국 모두 가 그러한 강력한 사찰권한의 부여를 인정하려고 하지는 않음

　ㅇ IAEA는 지난 수년전부터 당사국이 신고한 내용이외에 극히 제한된 범위(very
　　limited extent)의 외부 정보를 받고는 있으나, 이를 전적으로 신뢰할 수는
　　없음

　　- IAEA는 사찰강화를 위해 외부로부터의 지속적인 첩보 정보제공을 환영함 끝

0139

「블릭스」 IAEA 事務總長 訪美活動 報告

1992. 7. 24.

外　務　部

> 「한스 블릭스」 IAEA 事務總長의 7. 19~23간 訪美中 主要 發言 內容 및 特記事項을 아래 報告합니다.

1. 美下院 外務委 公開說明會(7. 22)

가. 「블릭스」 事務總長 冒頭發言 要旨

○ 北韓과 같이 장기간 核施設을 보유한 나라의 경우, 申告된 施設의 目錄이 완벽한지 與否를 立證하는 것은 容易치 않음.

○ 北韓은 90년 實驗室을 통한 그램 단위의 플루토늄 抽出을 是認하였으나 그 이상의 플루토늄 抽出은 否認함.

○ 大型 再處理施設(길이 190m, 높이 6층)을 건설중인 北韓은 중간 단계의 試驗施設(pilot plant) 存在를 否認하나, 이는 일반적인 産業國家에서는 있을 수 없는 일임.

○ 北韓의 核開發 疑惑 관련, 지나치게 놀랄 일은 아니나 섣부르게 安心을 할 상황도 아님.

나. 質疑·應答時 「블릭스」 總長 答辯 要旨

○ IAEA의 대북한 強制查察 또는 特別查察 權限 與否
  - IAEA는 未申告 疑心이 있을 경우 該當國家에게 먼저 解明을 요구하고 동 解明이 不滿足스러울 경우 特別查察을 要求할 수 있음.

0140

－ 1 －

- 동 IAEA 核安全措置協定上의 特別査察은, 未申告 疑心 여부에 관계 없이 일정 장소를 査察할 수 있는 軍縮條約上의 强制査察과 같이 강력한 것이 아님.
- 北韓이 IAEA가 원할 경우 北韓内 어느 장소든지 訪問을 許容한다고 한 것은, IAEA 特別査察制度의 한계를 다소 補完해 줄 수 있음.

o IAEA 査察의 效率性 및 南北相互査察의 必要性
- IAEA 特別査察은 限界性이 있으므로, 北韓이 南北相互査察을 통해 核에 관한 透明性을 더욱 提高시키는 것이 바람직함.

o 北韓의 核物質 隱匿 可能性
- 核物質 隱匿 情報가 있을 경우 特別査察이 要求되며 또한 隱匿된 核物質이 발견되는 경우에는 IAEA 理事會 및 安保理에 報告되어 必要한 措置가 취해질 것임.

o 北韓의 再處理施設 現況
- 再處理施設의 建設이 현재는 一時 中斷된 것으로 보이나 必要部品을 주문중이라는 北韓의 답변으로 보아 建設을 繼續할 것으로 보임.

- 2 -

0141

3. 評價

o 금번 「블릭스」 총장의 訪美 活動은 美行政府 및 議會內 北韓 核問題를
다루는 主要人士들에 대해 北韓의 核再處理施設이 아무런 經濟的 妥當性이
없는 것임을 再確認시킴으로써, 北韓의 核武器 開發 推進 事實을 다시한번
周知시키는 契機가 됨.

o 특히 下院 外務委 公開說明會를 통해 IAEA 特別査察制度가 일반 軍縮
條約上의 강력한 不時強制査察과는 다른 脆弱한 制度임이 분명히 確認
됨으로써, 北韓의 核武器 開發을 철저히 檢證.遮斷하기 위해서는 徹底하고
強制的인 南北相互査察이 必須的이라는 사실을 美國內 朝.野에 충분히
認識시킴.

- 끝 -

0142

- 3 -

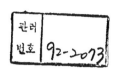

「블릭스」 IAEA 事務總長 訪美活動 報告

1992. 7. 24.
外 務 部

「한스 블릭스」 IAEA 事務總長의 7. 19～23간 訪美中 主要 發言 內容 및 特記 事項을 아래 報告합니다.

1. 美下院 外務委 公開說明會(7. 22)

   가. 「블릭스」 事務總長 冒頭發言 要旨

      ○ 北韓과 같이 장기간 核施設을 보유한 나라의 경우, 申告된 施設의 目錄이 완벽한지 與否를 立證하는 것은 容易치 않음.

      ○ 北韓은 90년 實驗室을 통한 그램 단위의 플루토늄 抽出을 是認하였으나 그 이상의 플루토늄 抽出은 否認함.

      ○ 大型 再處理施設(길이 190m, 높이 6층)을 건설중인 北韓은 중간 단계의 試驗施設(pilot plant) 存在를 否認하나, 이는 일반적인 産業國家에서는 있을 수 없는 일임.

      ○ 北韓의 核開發 疑惑 관련, 지나치게 놀랄 일은 아니나 섣부르게 安心을 할 상황도 아님.

   나. 質疑.應答時 「블릭스」 總長 答辯 要旨

      ○ IAEA의 대북한 强制查察 또는 特別查察 權限 與否
         - IAEA는 未申告 疑心이 있을 경우 該當國家에게 먼저 解明을 요구하고 동 解明이 不滿足스러울 경우 特別查察을 要求할 수 있음.

－ 1 －

0143

- 동 IAEA 核安全措置協定上의 特別査察은, 未申告 疑心 여부에 관계
  없이 일정 장소를 査察할 수 있는 軍縮條約上의 強制査察과 같이
  강력한 것이 아님.
- 北韓이 IAEA가 원할 경우 北韓內 어느 장소든지 訪問을 許容한다고
  한 것은, IAEA 特別査察制度의 한계를 다소 補完해 줄 수 있음.

o IAEA 査察의 效率性 및 南北相互査察의 必要性
- IAEA 特別査察은 限界性이 있으므로, 北韓이 南北相互査察을 통해
  核에 관한 透明性을 더욱 提高시키는 것이 바람직함.

o 北韓의 核物質 隱匿 可能性
- 核物質 隱匿 情報가 있을 경우 特別査察이 要求되며 또한 隱匿된
  核物質이 발견되는 경우에는 IAEA 理事會 및 安保理에 報告되어
  必要한 措置가 취해질 것임.

o 北韓의 再處理施設 現況
- 再處理施設의 建設이 현재는 一時 中斷된 것으로 보이나 必要部品을
  주문중이라는 北韓의 답변으로 보아 建設을 繼續할 것으로 보임.

- 2 -

0144

3. 評 價

o 금번 「블릭스」 총장의 訪美 活動은 美行政府 및 議會內 北韓 核問題를 다루는 主要人士들에 대해 北韓의 核再處理施設이 아무런 經濟的 妥當性이 없는 것임을 再確認시킴으로써, 北韓의 核武器 開發 推進 事實을 다시한번 周知시키는 契機가 됨.

o 특히 下院 外務委 公開說明會를 통해 IAEA 特別査察制度가 일반 軍縮 條約上의 강력한 不時强制査察과는 다른 脆弱한 制度임이 분명히 確認 됨으로써, 北韓의 核武器 開發을 철저히 檢證.遮斷하기 위해서는 徹底하고 强制的인 南北相互査察이 必須的이라는 사실을 美國內 朝.野에 충분히 認識시킴.

- 끝 -

- 3 -

0145

블릭스 한스 IAEA 사무총장 미 청문회 증언

북한 어느곳이든 사찰가능 밝혀

재처리시설 해개발용 주장에 동의안해

다음은 한스 블릭스 국제원자력기구(IAEA) 사무총장이 미하원 외교위 아시아·태평양 소위 원회의 분문회에서 가진 문답 내용이다. 〈편집자〉

스미스 의원=국제원자력기구의 사찰이 신고된 모든 핵물질의 전용 여부를 가려내면 그만인가, 아니면 특별사찰을 할 수 있어야 한다고 보는가. 국 제원자력기구도 특별사찰을 할 수 있다는 입장이 있느냐.

블릭스=내가 북한을 방문했…

솔라즈 의원=…

솔라즈=그렇다, 그런데 북한이 그러한 사찰에 …

		정 리 보 존 문 서 목 록			
기록물종류	일반공문서철	등록번호	32700	등록일자	2009-02-26
분류번호	726.61	국가코드		보존기간	영구
명 칭	북한 핵문제, 1992. 전13권				
생 산 과	북미1과/북미2과	생산년도	1992~1992	담당그룹	
권 차 명	V.9 8월				
내용목차	1. 8월 2. 북한 핵문제 국제기구(회의) 공식문서 배포문제, 7-8월 * 북한 핵관련 대책, 한.미국간 협의, 미국의 사찰과정 참여 요구 등				

0001

1. 8월

0002

북한 핵관련 마이니찌신문 보도내용
=======================================
(8.3. 석간 1면)

< 핵사찰 미국참가인정 >

미국정부소식통은 2일 북한이 비공식적으로 미국정부에 대하여 미국의
핵사찰 참가를 인정하는 의향을 전해왔다고 밝혔다. 동시에 북한은 핵시설
관계의 자료를 전달할 방침도 전하고 더욱이 이 문제를 협의하기 위해 남.
북한과 미국이 참가하는 핵문제 3자회담도 제안했다.

(워싱턴발 시게무라 특파원)

---

o 동 소식통에 의하면 북한은 최근 평양을 방문한 미국 민간인을 통하여 미국
  정부 최고레벨에 미.북관계의 개선을 바라는 입장을 전달함과 동시에 이를
  위하여 전향적으로 성의를 갖고 임해 갈 것을 강조했다. 이를 위하여 미.북
  관계의 최대의 장애로 되어있는 핵사찰문제에 관해서는 미국이 핵사찰에 참가
  하는 것을 받아들일 용의가 있다는 입장을 전달했다. 더욱이 이 문제를 협의
  하기 위하여 남.북한과 미국의 3자회담 개최도 제안하였다.

o 이밖에 북한은 지금까지 IAEA에 제출한 핵시설에 관한 모든 자료를 미국측에
  인도할 의향을 전해왔다고 한다. 북한의 제안과 새로운 방침은 김용순 당
  국제부장, 김달현 부수상과 회담한 미국 민간인을 통하여 미정부에 전달되었다.

(한국은 회의적 - 서울 3일 시모까와 특파원)

o 한반도의 핵사찰문제를 둘러싸고 북한이 미국의 핵사찰 참가를 인정하고자
  한다는 방침을 비공식적으로 미국정부에 전달되었다는 것이 2일 밝혀졌으나,
  한국정부소식통은 "북한의 종래의 태도로 볼때 이의 실현가능성은 희박하다"고
  말하고 북한의 제안에 회의적이었다.

- 1 -

0003

駐 日 大 使 館　　　　　　　　(Page 1 - 1)

JAW(F) :　2754　　　　　日 時:

受　信: 長 官 (아일, 정문, 국가)

發　信: 駐日大使 (일정　임경)

題　目　북한핵관계　　　　　　　　(9.3 朝, 夕 刊)

'92 6--3 17:42

核査察　米参加認める

北朝鮮「資料提供も」

米政府筋明かす

毎日新聞 1面

【ワシントン2日=志村智一】米政府筋は二日、朝鮮民主主義人民共和国（北朝鮮）が非公式に米政府に対し米国の核査察参加を認める意向を伝えてきたことを明らかにした。同時に北朝鮮は核施設関係の資料を手渡す方針も伝え、さらに、この問題を協議するための南北朝鮮と米国による核問題三者会談も提案した。

同筋によると、北朝鮮は「立場を伝える」と同時に、こうしている核査察問題について接近平核を訪問した米民間人を通じ、米政府級高レベルに米朝関係の改善を望む

投接平核を訪問した米民間のために前向きに取り組んで、米国の核査察への参加を受け入れる用意のある立場を伝えた。さらに、この米朝関係の最大の懸案になっている

問題を協議するために訪北方針は、金容淳・党国際接や金達玄・劉宗和と会談した米民間人を通じて、米政府に伝達された。

このほか、北朝鮮はこれまで国際原子力機関（IAEA）に提出した核施設に関する資料のすべてを、米国に渡す意向も伝えてきたという。北朝鮮の提案と新って、朝鮮民主主義人民共

和国（北朝鮮）が米国の核査察参加を認める方針を非公式に米政府に伝えたことが二日、明らかになったが、韓国政府筋は「北の従来の態度からみて、その実現可能性は薄い」と述べ、北朝鮮側が米国の核査察参加を認める意向を韓国政府筋に伝えられていないだけに、北朝鮮提案と新って、朝鮮半島の核査察問題を巡る南北朝鮮・米国による「三者会談」提案は、「北朝の構想」として、韓国政府筋に伝えられているのは、明らかになっていなかった。

【ソウル3日=山田正晴】韓国は懐疑的

0004

北"核사찰 美참가 허용"

美에 비공식통보 南北韓·美 3者회담도 제의

日 每日新聞보도

【東京=聯合】北韓은 對美한 핵사찰에 美國의 직접 참가를 허용하겠다는 입장을 비공식적으로 美정부에 전달했다고 日本 마이니치(每日) 신문이 3일 美정부소식통을 인용, 워싱턴發로 보도했다.

북한은 보유 핵시설 관계자료를 미국에 넘겨줄 뜻을 밝히는 한편, 이 문제를 협의하기 위한 韓·美·북한 3者회담의 개최도 함께 제의했다.

美정부소식통은 북한 당국이 최근 平壤을 방문했던 한 미국인을 통해 美정부 최고위층에 美·北韓 관계 개선 희망을 전달하는 한편, 이를 위해 양국간 최대 장애물이 되고 있는 핵사찰에 미국의 참가를 수락할 용의가 있다고 말했다고 마이니치는 전했다.

이 소식통은 또 북한은 이러한 문제들을 협의하기 위해 남·북한과 미국이 참여하는 3者회담의 개최를 제의하고, 북한이 국제원자력기구(IAEA)에 제출한 핵시설 관련 자료일체를 미국측에 제공할 의향이 있음도 아울러 밝혔다고 말했다.

마이니치신문은 북한의 이같은 제안과 방침들은 최근 북한을 방문, 金容淳 노동당 국제부장·金達玄부총리등과 회담한 미국 민간인을 통해 美정부에 전달됐다고 밝혔으나, 이 민간인이 누구인지는 설명하지 않았다.

北韓제의 韓美이간策

美정부소식통 논평

【東京=聯合】北韓이 최근 비공식적으로 美정부에 대해 對北핵사찰참여를 인정할 용의가 있다고 전한 것과 관련, 美國정부소식통은 3일「북한의 제의는 어디까지나 민간인을 통해 타진한 것이기 때문에 미국의 기본정책에는 아무런 변경도 없다」고 말한 것으로 일본 마이니치(每日)신문이 4일 보도했다.

마이니치신문에 따르면 美정부 소식통은 특히「미국은 북한이 한국을 건너뛰어 민간인을 통해 의사를 타진한 처사에 대해서도 韓美 이간전략으로 간주하고 있다」고 설명했다.

소식통은 또「북한이 이같은 비공식 타진을 시도한 것은 핵문제에서 미국의 의혹을 해소시켜주지 않는한 日本과의 관계정상화등의 진전도 도모할수 없다는 결론에 도달했기 때문이 아니겠느냐」고 반문했다.

중앙 (92. 8. 4)

北, 核사찰 美참여·3者회담 제의

美 "韓·美이간 전략" 거부

【東京·워싱턴=聯】北韓이 타진한 처사에 대해서도 밝혔다.

최근 비공식적으로 美정부·美 이간전략으로 간주하고 「에 대해 對北핵사찰참여를 있다고 설명했다.

인정할 용의가 있다고 전한 이에앞서 마이니치 신문보 3일 「북한의 제의는 북한의 최근 평양발 방과 관련, 美國 정부소식 온 북한의 미국 민간인을 통어디까지나 민간인을 통해 美·북한 핵사찰에 위타진한 것이기 때문에 미국 해 북한 관계개선을 위의 기본정책에는 아무런변 직접 참가를 허용할 의사를경로 없다고 말한 것으로 전달했다고 3일 보도했일본 마이니치(每日)신문다.

이 4일 보도했다. 한편 롤포윗츠 美국방

마이니치 신문에 따르면 차관은 9일 북한의 비밀리美정부 소식통은 『미 에 핵무기 개발계획을 하지국은 북한의 한국을 건너뛰 않고 있다는 것을 확신시켜어 민간인을 통해 의사를 줄 강제사찰이 필요하다고

자력기구(IAEA)에 신고하지 않은 장소에서 핵무기 개발계획을 하지 있는 확인을 하기위해 남북한 합의에 의해 가능한

"우리는 북한이 국제원

공보처(USIA) 월드네트 방송프로로 숨연, 지역포, 4차관은 이날 美강제사찰을 실시해야한다고 강조했다.」

중앙(92. 8. 4)

"상호사찰" 계속거부때

對北강제核사찰 고려"

美롤포위츠차관

【워싱턴=南宮鎭】美國은 을 고려하지 않을 수 없다고 美국방부의 폴 롤포위츠 차관은 3일 밝 혔다.

北韓이 계속해서 남북한의에 의한 상호·핵사찰방 안을 받아들이지 않을경우 유엔을 통한 對北경제사찰 촉진책담당차관은 3일 국무부의 대외정책하의 ▽프로그램인 「월드 네트

에 ▽연 對北강제사찰의 사찰을 거부하고 있는 상필요성을 밝혀 이 문제가 태라고 지적, IAEA에 검토되었음을 시사했다. 신고하지 않았고, 은폐하고롤포위츠차관은 北韓이 있는 핵시설이 기위해서도 이러한 강제사두차례에 걸친 국제원자력 모른다는 우려를 표시시키기구(IAEA)의 사찰을 찰이 필요하다고 말했다.받아들인 것은 긍정적인현상이지만 남북한 상호

국민(92. 8. 4)

공   란

공   란

공   란

공   란

공 란

공 란

미, 북한의 핵관련 3자회담 일축

<워싱턴-연합> 이문호특파원 - 북한이 최근 평양을 방문한 미국 민간인을 통해핵문제와 관련한 남북한 및 미국의 3자회담을 제의한 것은 사실이나 미국이 이같은제의를 일소에 부치고 접수조차 거부했다고 현홍주 주미대사가 밝혔다.

현대사는 6일 기자들과 만나 이같이 말하고 북한은 또 국제원자력기구(IAEA)에제공한 핵관련정보를 미국에게도 제공하겠다고 제의했지만 국제원자력기구의 사찰에미국을 특별히 참여시키겠다는 말인지 아니면 남북한간에 협의중인 상호사찰에 미국인을 참여시키자는 것인지 모호하다고 밝히고 이 역시 미국이 일축했다고 말했다.

현대사는 북한이 IAEA의 임시사찰을 두차례 받음으로서 일부 의문이 해소됐음에도 불구하고 의구심이 늘어난 부분도 많은 만큼 상호사찰의 필요성이 더욱 커졌다고지적하면서 IAEA사찰과 남북한 상호사찰의 병행을 요구하는 한미양국의 정책에는 전혀 변화가 없다고 말했다.

이같은 북한측 제의를 미정부에 전달하려했던 민간인은 워싱턴소재 전략국제문제연구소의 윌리엄 테일러씨인 것으로 전해지고 있다.

현대사는 북한측이 핵문제를 빌미로 3자회담을 관철시키는 동시에 상호사찰에대한 국제압력을 완화시키면서 시간을 끌려는 전술인 것 같다고 분석하면서 미-북한간에서 메신저역할을 자청하려는 민간인의 주장과 미정부의 입장은 엄연히 구분해야된다고 주장했다.

그는 미국은 상호사찰이 실현돼도 스스로 참여하지 않을 생각이며 이에 관해 한미간에 이견은 없다고 강조했다. <끝>
연합 920807 0826 KST   5132-3-2

0013

ZCZC   YONHAP-653
U YON

U.S. -NORTH KOREA

U.S. DISMISSES N. KOREAN PROPOSAL FOR TRIPARTITE NUKE TALKS
    WASHINGTON, AUG. 6 (DANA-YONHAP) -- THE UNITED STATES HAS
DISMISSED A NORTH KOREAN PROPOSAL FOR A MEETING OF SEOUL,
PYONGYANG AND WASHINGTON ON INTER-KOREAN NUCLEAR ISSUES. HYUN
HONG-CHOO, SOUTH KOREAN AMBASSADOR TO WASHINGTON, SAID THURSDAY.
    THE PROPOSAL WAS RELAYED BY WILLIAM TAYLOR, VICE PRESIDENT OF
THE CENTER FOR STRATEGIC AND INTERNATIONAL STUDIES (CSIS), WHO
VISITED NORTH KOREA JUNE 23-29 AND MET WITH RANKING OFFICIALS,
INCLUDING PRESIDENT KIM IL-SUNG.
    PYONGYANG ALSO PROPOSED GIVING WASHINGTON THE NUCLEAR-RELATED
INFORMATION THAT IT SUBMITTED TO THE INTERNATIONAL ATOMIC ENERGY
AGENCY (IAEA), SUGGESTING POSSIBLE U.S. PARTICIPATION IN NUCLEAR
INSPECTIONS IN NORTH KOREA, HYUN TOLD REPORTERS.
    IT WAS UNCLEAR WHETHER THE SUGGESTED PARTICIPATION WAS AS PART
OF AN IAEA INSPECTION TEAM OR INTER-KOREAN MUTUAL INSPECTION TEAM
AND THE UNITED STATES DISMISSED THE SUGGESTION, HE SAID.
    THE UNITED STATES WAS NOT CONSIDERING PARTICIPATING IN
INTER-KOREAN INSPECTIONS, AND THERE WAS NO DIFFERENCE OF OPINION
ON THIS MATTER BETWEEN SEOUL AND WASHINGTON, HYUN SAID.
    THE AMBASSADOR ACCUSED NORTH KOREA OF USING THE NUCLEAR
CONTROVERSY TO ARRANGE A TRIPARTITE MEETING TO EASE INTERNATIONAL
PRESSURE ON IT TO ACCEPT INTER-KOREAN MUTUAL NUCLEAR INSPECTION.
    THE IAEA HAS CONDUCTED TWO AD HOC INSPECTIONS IN NORTH KOREA
AND IS PREPARING FOR ITS FIRST ROUTINE INSPECTION TOWARD END OF
THE MONTH. SEOUL IS INSISTING ON SEPARATE NUCLEAR INSPECTION BY
SOUTH AND NORTH KOREA THAT WOULD OPEN UP SUSPECTED MILITARY
SITES, SOME AFTER A 24-HOUR NOTICE.
    SUSPICIONS AGAINST NORTH KOREA'S NUCLEAR PROGRAM HAD PARTLY
INCREASED DESPITE THE IAEA'S AD HOC INSPECTIONS, AND THERE WAS NO
CHANGE IN THE SEOUL-WASHINGTON POLICY THAT PYONGYANG MUST ACCEPT
INTER-KOREAN INSPECTION, HYUN SAID. (END)

YONHAP 0359 GMT 080792

NNNN

5/32-3-3

0014

연합 H1-111 S06 외신(640)

美, 北韓의 核관련 3者회담 일축

　　(워싱턴=聯合) 李文鎭특파원 = 북한이 최근 평양을 방문한 미국 민간인을 통해 核문제와 관련한 남북한 및 미국의 3자회담을 제의한 것은 사실이나 미국이 이같은 제의를 일소에 부치고 접수조차 거부했다고 玄鴻柱 駐美대사가 밝혔다.

　　玄대사는 6일 기자들과 만나 이같이 말하고 북한은 또 국제원자력기구(IAEA)에 제공한 核관련정보를 미국에게도 제공하겠다고 제의했지만 국제원자력기구의 사찰에 미국을 특별히 참여시키겠다는 말인지 아니면 남북한간에 협의중인 상호사찰에 미국인을 참여시키자는 것인지 모호하다고 밝히고 이 역시 미국이 일축했다고 말했다.

　　玄대사는 북한이 IAEA의 임시사찰을 두차례 받음으로서 일부 의문이 해소됐음에도 불구하고 의구심이 늘어난 부분도 많은 만큼 상호사찰의 필요성이 더욱 커졌다고 지적하면서 IAEA사찰과 남북한 상호사찰의 병행을 요구하는 韓美양국의 정책에는 전혀 변화가 없다고 말했다.

　　이같은 북한측 제의를 美정부에 전달하려했던 민간인은 워싱턴소재 전략국제문제연구소의 윌리엄 테일러씨인 것으로 전해지고 있다.

　　玄대사는 북한측이 핵문제를 빌미로 3자회담을 관철시키는 동시에 상호사찰에 대한 국제압력을 완화시키면서 시간을 끌려는 전술인 것 같다고 분석하면서 美-북한간에서 메신저역할을 자청하려는 민간인의 주장과 美정부의 입장은 엄연히 구분해야 된다고 주장했다.

　　그는 미국은 상호사찰이 실현돼도 스스로 참여하지 않을 생각이며 이에 관해 韓美간에 異見은 없다고 강조했다.(끝)

(YONHAP)　920807　0814　KST

0015

공   란

공   란

공   란

공 란

공　　　　　란

공   란

공   란

시사 저널 (92. P. 134)

한 반 도

한국, 핵폭탄 제조기술 확보

피터 헤이즈 박사 특별기고문 上 … 美 '포기 압력' 속 기반 다져

70년 당시 朴正熙 대통령은 한국의 무기산업을 발전시키기 위한 연구를 담당할 2개의 특별실무팀을 구성했다. 당시 한국의 무기개발위원회는 핵무기개발 선택권을 검토한 결과를 박대통령에게 보고하는 자리에서 한국이 핵무장의 길로 가야 한다고 건의했다. 박대통령은 71년 말 또는 72년 초 이같은 권고를 실천에 옮기기로 결정한 것으로 알려졌다.

박대통령이 이같은 결정을 내린 직접적 원인은 닉슨 대통령이 괌독트린을 실천하기 위해 주한미군 7사단을 철수시켜 베트남에서 고전하는 미군을 지원토록 하겠다고 발표한 것과 관계가 있다. 닉슨의 결정은 당시 한국에 미 2사단과 6백~7백개의 핵무기가 배치돼 있는 상황에서 내려졌다.

68년부터 재처리능력 보유에 주력

74년 인도의 핵폭발실험에 충격을 받은 미국은 한국의 핵무기 개발계획에 대한 경계를 게을리하지 않았다. 이미 한국은 72년 이래 프랑스 정부와 핵재처리 시설을 들여오기 위한 협상을 벌였고 이같은 사실을 미국도 알고 있었다.

75년 6월 한국과 프랑스 사이의 핵협력에 관한 내용이 공개되자 한국 정부는 핵관련 기술이 자원안보뿐 아니라 일본의 도카이 무라 재처리시설에 대응하기 위해서도 필요하다고 역설했다. 한국은 68년 이래 재처리 능력을 보유하고자 노력해왔지만 자원 안보문제는 부차적인 것이었다.

그러나 런던 핵공급국그룹 회의에서 여러 의문점이 제기된 후 프랑스 정부는 한국과 협상을 다시 벌여 앞으로 프랑스에서 공급되는 핵관련 장비를 20년 동안 복제할 수 없도

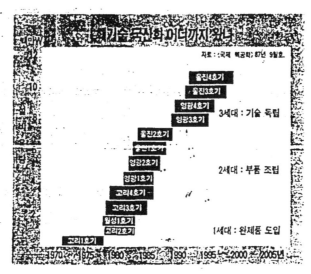

록 했다. 이어 75년 9월22일 마침내 국제원자력기구(IAEA)·프랑스·한국 등 3자간에 핵안전협정이 체결됐다.

이때쯤 미국 정부는 한국이 핵재처리계획에 뛰어든 동기가 플루토늄을 군사적 목적으로 이용하려는 데 있다고 확신하게 됐다. 75년 3월 미국은 한국 정부에 재처리계획을 포기하라고 요구했다. 미국은 미국 회사로부터 들여올 예정인 한국의 원자로 2호 구입에 필요한 수출입은행의 지원을 철회하겠다고 위협했다. 또한 미국은 프랑스·캐나다·벨기에 정부에 한국과의 재처리 협상을 중단하라고 요구했다. 미국의 키신저 장관은 박대통령에게 "만일 한국이 핵무기 개발계획을 강행할 경우 대한 안보공약을 취소할 수 있다"고 통고했다. 결국 한국 정부는 이 계획을 포기해야 했다.

카터 행정부 시절에도 한·미 양국은 핵문제를 가지고 티격태격했다. 한국의 관계와 하계는 카터 대통령의 주한미군 철수계획과 핵무기 철거계획을 번복시키기 위해 "만일 미국이 예정대로 철수를 강행할 경우 한국은 핵무기를 개발하지 않을 수 없다"는 내용의 성명을 쏟아냈다. 이런 가운데 대단히 영향력

있는 메시지가 78년 한 한국 장성으로부터 핵확산금지 문제를 책임지고 있는 미 국무부 고위 관리에게 전달됐다. 즉 미국이 핵무기 철수계획을 번복하지 않는다면 한국은 핵확산금지조약(NPT)의 조인을 늦출 것이라는 이 장성의 밀은 국무부 관리의 등골을 오싹하게 만들었다. 주한미군의 핵무기가 지난 수십년 동안 북한에 대한 전쟁억지력을 갖고 있다는 점을 한국 정부는 인식하고 있었다.

78년 카터 행정부가 주한미군의 철군계획을 번복한 후 한국은 탄도미사일 연구와 핵재처리 능력 확보를 동시에 추구했다. 이를테면 79년 한국은 W-38 핵탄두를 장착한 채 7천㎞ 떨어진 목표물을 1마일 이내의 오차로 강타할 수 있는 '아틀라스 센토르' 대륙간 탄도탄을 구매하려 했다.

한국은 탄도미사일 연구와 개발을 80년 자

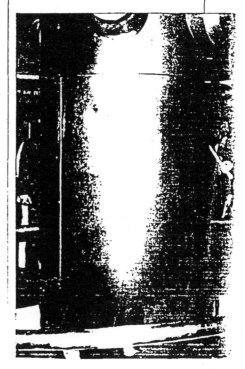

58

0023

으로 중단된 대덕... 됐다 추진했다 84년 ... 한국의 ... 생산하기 위해 캐나다 실무진과 재처리기술을 도입하려 했다. 노임의 ... 82년 시작된 캐나다 원자력공사와 플루토늄 재순환에 대한 공동연구였다. 이의 순조롭게 진행돼 이듬해 12월 양국은 핵관련 협정을 맺고 2단계 준비를 시작했다. 이때 미국 정부는 캐나다에 한국에 대한 협조를 중단해달라고 요청했다. 한국이 합법적으로 원자력기술을 취득하려던 노력은 실패로 끝났고 한국은 이때부터 미국의 간섭을 못마땅하게 여겨왔다.

한국의 원자력개화은 핵연료순환 체계의 설계·건설·가동에 필요한 모든 재화와 용역을 최대한 국산화한다는 데 기초하고 있다. 시행 초기에 한국은 스스로 설정한 목표를 이룰 수 없었다. 85년 원자로 9호기와 10호기는 국산화율을 63%로 잡았지만 실제로는 28%에 머물렀다. 88년 들어 한국의 핵연료생산 자급률은 66%, 핵물질 생산율은 57% 설계공학 자급률은 71%에 이르렀다. 또 자급도에서 원자로의 시스템분석은 70%, 건설설계는 75%, 가동방법은 1백%를 이뤄냈다. 한국전력 관계자들은 한국형 표준원자로 1호기와 2호기가 95년이나 96년 가동하면 설계는 79%, 부품은 72%의 자급도를 이룩할 것으로 본다.

91년 현재 한국은 총 7.3기가와트의 원자력발전을 통해 해마다 핵분열 물질인 플루토늄239를 1.3t 추출할 수 있다. 2000년 발전 총량이 10기가와트가 되면 해마다 3.5%씩 발

전용량이 높아져... 때문 ...플루토늄239를 추출할 수 있다 ... 사용후 핵연료가 1백 ... 있다. 2000년까지 플루토늄239를 ... 않는다고 할 때 비축량은 2백t으로 늘어난다. 핵무기 하나를 만드는 데 보통 15~23kg의 플루토늄239가 필요하다. 한국은 중성자반사 기술을 사용하지 않는다면 90년을 기준으로 해마다 60개에서 92개의 핵무기를 생산할 수 있는 비율로 플루토늄을 축적하고 있다. 2000년까지 한국은 86개에서 1백32개의 핵폭탄을 제조할 수

"91년 현재 한국은 총 7.3기가와트의 원자력 발전을 통해 해마다 플루토늄239를 1.3t 추출할 수 있다."

있는 플루토늄을 갖게 될 것이다.

한국은 자체적으로 우라늄을 농축할 수 있는 능력이나 기술을 보유하고 있지 않다. 90년까지만 해도 한국은 우라늄 농축업무를 미국과 프랑스에 전적으로 의존했다. 그러나 지난 89년부터는 중국과 소련을 염두에 두고 공급다변화 정책을 펴기 시작했다.

확인되지 않은 한 보고서에 따르면 한국의 원자력 관계팀이 옛 소련 정부의 초청을 받아 그곳 핵산업의 상업적 용도를 평가한 것

으로 알려졌다 ... 원자력단지 ... 위 수력 연구원들이 ... 전으로 동원된 보스크만 시와 1백km 떨어져 있는 ... 연구소를 방문한 것으로 알려져 있다. 그런 이 뒤의 일정 ... 우라늄농축과 재처리 과정을 남북이 ... 파악할 수 있는 ... 포함돼 있었다. 보고서에는 레이저를 사용해 우라늄 동위원소를 추출하는 방법에 대해 한국과 소련이 공동으로 연구하는 방안도 제시돼 있다. 한국전력측과 소련이 테크스나브사 사이의 계약에 따라 앞으로 10년 동안 1천t의 농축우라늄을 공급하기로 한 가운데 첫회분 40t이 90년 11월 에어로플로트편으로 서울에 도착했다.

보도에 따르면 한국원자력연구소는 농축 계획에 필수적인 레이저 분광기술을 장기적으로 개발하는 데 상당한 자원을 투자했다고 한다.

85년 12월 한국핵연료주식회사는 대전에 연간 2백t의 경수로용 핵연료를 재조할 수 있는 기술지원 계약을 크라프트워크 유니언사와 맺었다. 86년 건설이 시작됐고 89년 9월부터 가동됐다. 첫 연료봉 다발이 90년 2월 고리 경수로 2호기에 투입됐다. 미확인 보도에 따르면 한국원자력연구소는 86년 중수로용 핵연료를 개발했으며 87년 이후엔 월성 중수로 발전에 필요한 핵연료를 공급해왔다고 한다.

지난 90년 한국은 프랑스의 신기술총연합회(SGTN)에 95년까지 3천t의 사용후핵연

원자력 시대의 개막 : 78년 고리 1호기 내부를 시찰하는 박대통령(왼쪽). 카터 대통령의 주한미군 철수 방침은 한국의 '핵무장론'을 촉발시키는 계기가 됐다.

료를 저장할 시설의 설계용역을 주었다. 95년까지 기존 원자로는 사용후핵연료 약 2천7백t을 축적하게 된다. 92년 1월 현대중공업은 미국의 태평양핵회사와 계약을 맺고 한국 내에서 태평양핵회사의 사용후핵연료 비축기술을 판매할 수 있는 권리를 얻었다.

91년 3월 한국과 옛 소련은 서울에서 회담을 갖고 양국이 공동으로 핵연구사업을 하는 문제와 체르노빌국제센터에 한국이 참여하는 방안을 협의했다. 며칠 후 한국의 한 무역회사와 옛 소련의 한 민간연구소는 옛 소련의 핵폐기물 저장기술을 한국 내로 들여올 수도 있다고 발표했다.

《핵연료》의 저자인 앤 맥클로린이 지난 90년 지적했듯이 한국은 사용후핵연료를 재처리하고자 하는 꿈을 완전히 포기하지 않은 것이 분명하다. 89년 10월 한국은 미국·캐나다와 3국 협정을 맺어 한국에서 공동처리업무를 실시하자는 요구를 비공식적으로 하기 시작했다(공동처리는 사용후핵연료 재처리의 일환으로 플루토늄과 비핵분열 우라늄을 혼합하는 것이다. 이렇게 해서 생긴 제품은 혼합산화연료로 핵원자로에 투입된다).

아주대가 한국의 장기 원자력계획에 관해 제출한 보고서는 기존의 경수로 및 중수로 원자로 외에 고속증식로를 건설할 것을 권고하고 있다. 90년 8월 한국원자력연구소가 마련한 장문의 핵전략 보고서에 따르면 한국은 2010년까지 1백50메가와트급 고속증식로를 독자적으로 건설해 2007년과 2016년 중에 상업화할 수 있는 플루토늄 재처리순환작업을 개발한다.

중국 재처리공장 건설 … 한국 자극

91년 11월27일 한국은 영국 정부와 계약을 맺고 영국의 핵연료사가 한국 핵산업의 연료순환업무를 맡아주도록 했다. 비록 국내에서 재처리를 하지 않겠다고 공약했지만 한국은 일본의 선례를 따라 재처리 업무를 해외에서 할 수도 있다.

고속증식로가 돼 비싼 것을 감안하면 혼합연료를 사용한 플루토늄 재순환에 대한 공동처리야말로 한국의 중단기적인(5년에서 10년을 말함) 핵확산문제와 관련돼 있다. 그 배경에는 고속증식로 연구의 일환으로 혼합산화연료를 6개의 경수로 원자로에 사용한 일본의 예를 본뜨고, 일본과 경쟁하려는 심리가 깔려 있다. 2010년까지 일본은 플루토늄을 83t 생산해 그중 53t을 20년 동안 경수로용으로 재순환하고 나머지는 고속증식로용으로 전환할 예정이다. 그러나 이처럼 엄청난 양의 플루토늄을 축적하고 있는 일본 정부의 모호한 태도 때문에 남북한은 일본을 경계한다.

87년 중국도 96년에 상업화할 것을 목표로 하루 1백kg의 플루토늄을 재처리할 수 있는 시범공장을 지을 것이라고 발표했다.

한·영 원자력협정 : 91년 11월27일 이상옥 장관과 존 웨이크험 장관이 서명했다.

"한국은 사용후핵연료를 재처리하지 않겠다고 공약했지만, 일본의 선례를 따라 해외에서 재처리할 수도 있다."

중국이 추진중인 핵연료공장의 냉각시험 시설도 한국 정부로 하여금 이 분야에 뛰어들도록 유도하고 있다. 오는 2000년까지 중국은 6.3t의 상업용 플루토늄을 축적할 것으로 예상된다.

86년 2월 한국 과학기술처는 한국원자력연구소가 미국에서 들여온 3개의 기존 원자로를 대신해 90년까지 30메가와트급 연구용 원자로를 건설할 것이라고 발표했다. 금년 말 준공 예정인 이 '다목적 연구용 원자로'는 플루토늄을 생산하는 데 쉽게 전용될 수 있기 때문에 미국의 철저한 감시를 받는 것으로 알려졌다. 또 지난 85년 프랑스의 지원으로 한국원자력연구소 내에 설치된 照射 후 시험시설'(PIE)도 이에 관계된 물리화학 기술 및 조작 기술을 모두 재처리 작업에 응용할 수 있어 미국의 특별 감시를 받고 있다.

현재 보유한 핵기술 능력으로 볼 때 한국은 핵폭탄을 만드는 데 필요한 산업적 기반과 기술을 충분히 갖추고 있다. 특히 발사수단은 다양하다. 위기가 생기면 우라늄235를 이용한 5백kg 이상의 기폭장치를 전진기지로 옮겨놓을 수 있다. 비상시에는 F-16 전투기에 장착해 공격할 수 있다. 우라늄235를 이용한 핵기폭장치는 주한미군이 한국군에 이양한 나이키 허큘리스 미사일에 의해서도 운반할 수 있다. 사정거리 1백40km의 이 미사일은 1kt의 W31 핵탄두를 발사할 수 있다. 한국군은 78년 9월26일 나이키 허큘리스 미사일을 개량해 시험발사했는데 사정거리가 종전의 1백50km에서 2백50km로 늘었다.

개량형 나이키 허큘리스 1호는 1백~5백kg의 탄두를 발사할 수 있다. 한국은 95년까지 지상관측을 위한 소규모 로켓을 개발할 예정이다. 90년 2월에는 국산기술로 만든 지구관측위성을 93년 발사할 것이라고 발표했다. 1억1천6백만달러가 드는 이 사업에는 외국 기업들도 참여해 96년까지 로켓을 개발, 99년에는 무게 2백kg에서 4백kg의 위성을 쏘아올릴 것을 목표로 하고 있다. 만일 자체기술로 위성발사 로켓을 개발한다면, 이는 한국이 대륙간 탄도탄을 발사할 수 있는 기술을 갖는다는 것을 의미한다. 그 목표에 이르기 위해서는 미국이 마련한 미사일 기술통제에 관한 협정을 우회해야만 한다. 이같은 평가가 옳다면 한국은 앞으로 5년 내에 핵무기를 제조해 실전배치할 수 있는 핵옵션을 갖게 된다.

어느 한 국가가 핵기술을 보유하는 것이 반드시 핵무장으로 간다는 법은 없다. 기록을 보면 45년부터 82년 사이 "핵무장으로 갈 수 있는" 77개국 중 오직 20%만이 실행에 옮겼다. 그렇다고 핵능력이 핵확산과 무관하다고 말하려는 것은 아니다. 분명 한국의 핵기술 능력은 다른 나라의 핵확산 성향에 영향을 주고 있기 때문에 한국의 핵관련 정책결정을 정확히 파악하는 게 중요하다. ■

피터 헤이즈 (노틸러스 퍼시픽 연구소 대표)

"한국 핵전략 돌변할 수 있다"

피터 헤이즈 박사 특별기고문⑤…"日 핵능력이 핵무장 부추길 수도"

한국에서의 핵확산 문제는 핵전문가 스티븐 마이어가 지적했듯이 다양한 동기요인과 억지요인의 관계 속에서 파악해야 한다. 핵무장으로 가는 동기요인에는 △주변국의 직접 또는 잠재적인 핵위험 △재래식 무기의 위협 △국내 정정의 혼란 △방위비 감소 등이 있다. 반면에 억지요인으로는 △강대국의 압력 △미국의 안보공약 △기술적 한계 △남북통일 등을 들 수 있다. 이같은 요인들은 다음의 다섯가지 측면에서 평가되어야 한다.

첫째 핵확산이다. 핵확산이란 그렇게 단순한 개념이 아니다. 우선 한국은 중장기적으로 '핵옵션'(핵무기 보유의지를 갖기부터 무기개발에 이르기까지의 다양한 선택권)을 가질 수 있을 것이다. 직접 핵무기를 실험·배치하지 않는 범위 내에서 핵무기 보유국이 될 수도 있다. 또는 초보적 핵과 재래식 무기로 무장한 적대국에 대항할 수 있는 핵능력 보유국이 될 수도 있다.

둘째 지정학적 측면이다. 거시적으로 볼 때 한반도에서의 핵확산문제와 관련된 이해당사국에는 중국 독립국가연합 미국 일본 남한 북한 등이 포함된다. 대만도 핵개발을 계속할 경우 여기에 포함될 수 있다.

셋째 남북통일이 핵확산에 끼칠 영향이다. 모든 한국인은 '강력한 통일한국'이란 이상과 분단이라는 엄연한 현실 사이에 살고 있다. 남북분단과 그에 따른 여파는 비무장지대 양쪽에 사는 사람들의 정치생활을 지배하고 있다. 따라서 분단상황을 고려하지 않고서는 한반도 핵확산문제를 이해할 수 없다. 한국 내 좌파세력이 우파진영에 대해 북한과의 협상을 가로막는 장애물을 제거하도록 압력을 행사하고 있다는 사실도 고려되어야 한다.

넷째 시간적 개념이다. 앞에서 열거한 여러 변수들은 어떤 시간대를 기준으로 하느냐에 따라 그 의미가 크게 달라진다. 예를 들어 한반도에서 미국의 핵확산 억지효과는 지금과는 달리 95년 이후에는 급속히 줄어들 것

이다. 한국이 핵연료 구입 및 기술에서 전적으로 미국에 종속되어 있기 때문에 미국이 한국의 핵능력을 통제할 수 있지만 이같은 상황은 달라질 수 있다.

마지막으로 '통일한국'은 모든 변수들에 질적 변화를 가져올 것이다. 남북한은 핵무장으로 나가지 않고도 통일을 이뤄낼 수 있지만 이 경우 중국·러시아의 직접적인 핵위협 또는 일본으로부터의 잠재적 핵위협에 봉착하게 된다. 궁극적으로는 통일한국이 탄생하면 지역 내 비중이 커지기 때문에 스스로 핵무장으로 가는 것을 자제할 것이다. 그러나

> **"한국은 중장기적으로 핵선택권을 가질 수 있다. 핵무기를 실험·배치하지 않는 범위 내에서 핵무기 보유국이 될 수도 있다."**

중·단기적으로는 통일에 관한 여러가지 변덕스런 상황이 반대의 영향을 미칠 수 있다. 정부가 핵보유 결정을 내릴 경우 영원히 통일을 막는 걸림돌이라는 비판을 받을 수도 있지만, 많은 사람들은 핵 잠재능력을 보유해야 하며 이를 가로막아서는 안된다고 생각한다.

이상의 요소들을 종합하여 한국에서의 핵확산 가능성에 대해 알아보자.

직접적 핵위협 : 외부의 핵위협에 대해 미국이 한국에 제공해온 핵억지력은 한국이 핵무장으로 가는 길을 막아온 주요 요인이다. 그러나 옛 소련의 붕괴와 중국과 한국과의 관계개선으로 한국의 핵무장 욕구의 중요성은 줄어들었다. 또 한국은 핵확산금지조약(NPT)에 가입함으로써 핵위협이나 핵공격으로부터 보호받을 수 있다. 만일 강대국의 선제 핵공격 금지협약이 한반도 비핵지대화

를 뒷받침해줄 경우 한국은 확고한 안전보장을 얻을 수 있다.

요컨대 한국은 단기적으로는 '직접적 핵위협'을 이유로 핵무장을 서두를 것 같지는 않다. 장기적으로 중국이나 러시아의 핵위협에 맞서 한국이 자체적으로 핵무기를 만들기로 결정한다면 핵무기 생산을 시작하기도 전에 이들 나라로부터 핵시설에 대한 공중폭격을 받게 될 것이다. 이같은 가능성은 한국이 핵무기를 생산한 후에도 마찬가지다. 한국의 핵무기고는 만일 한국이 어느 강대국의 적대국과 연계할 경우 언제든 그 나라의 표적이 될 수 있다. 일본이 자체적으로 핵폭탄 개발을 자제해온 것은 이같은 이유 때문이고 한국도 그런 선례를 따르는 편이 나을 것이다.

핵무기를 개발하려면 △기존의 안보협약 △국내 정치적 압력 △기술적 종속성이라는 세가지 장애물을 뛰어넘어야 한다. 그러나 2000년쯤이면 기술적 장애는 상당 정도 극복할 수 있다. 남북이 함께 비핵선언을 폐기할 수도 있다. 반대로 통일한국은 분단되어 있을 때에 비해 핵무기가 없더라도 안전하다고 판단할 수도 있다.

북한의 잠재적 핵위협 : 북한의 핵위협은 단기적으로는 여러 가지 상황적 요인 때문에 핵무장을 가로막는 요인으로 작용한다. 우선 미국의 대한 안보공약은 대단히 신뢰할 만한 것이다. 미국 정부는 과거 주한미군 철수정책과 관련해 카터 행정부의 전철을 밟을 것 같지는 않다. 미국은 한국에 군대를 주둔시키는 데 있어서 △유사시 아·태지역에서 군사개입을 하고 △북한이 핵확산금지조약의 올타

리 안에 완전히 들어올 때까지 핵확산 저지를 한다는 두가지 긴요한 이해를 갖고 있다. 또 미국은 주한 미 보병2사단을 본토로 불러들이는 것보다 한국에 주둔시키는 쪽이 훨씬 비용이 덜 먹힌다는 계산을 하고 있다. 한국은 미국이 가장 저렴하게 미군을 주둔시킬 수 있는 나라이다. 적어도 2000년까지는 미군이 한반도에서 철수하지 않을 것이다. 따라서 미국의 안보공약에 대한 신뢰 상실로 한국이 핵무장을 추진할 가능성도 별로 없다.

중기적 판단(1995~2000년)은 좀더 불확실하

다. 북한의 핵개발계획이 1995년까지 차단된다면 논란의 여지가 생길 수 있다. 그렇지 않을 때는 주한 미 지상군의 계속적인 주둔 여부는 미군 병력의 전진배치에 수반되는 비용 문제에 달려 있다. 그렇지만 2000년경 지상군이 철수하더라도 공군과 첩보부대는 잔류할 것이고 한국도 핵확산금지조약상의 의무나 국내 정치적 압력, 평화적 이미지를 섣불리 깰 수 없기 때문에 북한의 핵위협을 명분으로 핵무장을 하기는 힘들 것이다.

2000년 이후의 장기적 관측은 별개의 문제이다. 중국과 러시아 사이의 새로운 대립과 북한의 잠재적 핵위협은 남한 내 핵무장 반대파들에게 커다란 압력요인이 될 것이다. 이때쯤 한국이 핵무장을 결정한다면 그것은 일본의 핵위협 때문일 것이다. 이 문제에 관한 한 아직은 국민적 합의가 이루어져 있지 않다. 많은 한국인은 핵선택권을 갖게 되면 이웃 나라를 자극하기 때문에 국익에 맞지 않

는다고 말한다. 따라서 일본의 플루토늄 과잉 보유나 재빠른 핵무장 가능성 때문에 한국이 핵무장을 하기로 마음 먹을 것 같지는 않다. 그러나 북한의 핵무장 가능성과 함께 일본의 핵능력은 한국이 2000년 이후 핵무장쪽으로 기울도록 부추길 가능성이 있다.

한국의 강대국 지향성: 한국이 핵무장쪽으로 갈 수 있는 또 다른 동기는 지역 내 강국이 되고자 하는 한국의 열망이다. 강대국 여부를 판단하는 기준으로 대개 군사비 규모·병력 수·국민총생산(GNP)·무역량을 든다. 각 항목에서 적어도 4위 이내에 들어야 그 나라를 지역 내 강국으로 규정할 수 있다. 그런 기준에서 볼 때 한국은 군사강국도 경제강국도 아니다. 설령 앞으로 괄목할 만한 성장을 이룩한다 해도 이같은 순위는 2000년까지 변할 것 같지 않다.

남북한이 통일되더라도 큰 변화는 없을 것이다. 통일한국은 군비지출면에서 4위, 병력 수에서 3위, GNP에서 5위, 무역량에서 3위를 차지한다. 앞으로 10년 동안 가속화될 이같은 결과는 한국 혼자서, 또는 통일한국이 핵무기 생산을 통해 지역강국 대열에 뛰어들려 할 수도 있다는 점을 시사한다. 다른 지역 강국도 '핵이 없는' 통일한국을 심각한 군사적 또는 경제적 위협세력으로 볼 것 같지는 않다. 통일한국이 어느 지역강국과 제휴한다 하더라도 핵무장까지 함께 하지 않는 한 군사능력이나 국민총생산 서열에서 큰 변화를 가져올 것으로 보기는 힘들다.

한국이 지역강국으로 부상하고자 하는 욕망에는 국내 정치적 요인이 영향을 끼친다. 통일한국 정부는 현재처럼 '통일을 위해 핵보유를 포기하라'는 식의 국내 정치세력의 반대에 부딪치지 않을 것이다. 민족감정으로 고무된 국내 여론은 통일한국의 핵능력 보유를 지지하는 쪽으로 기울 가능성이 크다. 통일한국은 핵보유를 반대하는 미국의 영향력에서 벗어나 외세로부터 간섭받지 않는 자주적 정부를 원할 것이다.

모든 것을 종합해보면 한국은 2000년 내에는 핵무장의 길로 치달을 것 같지 않다. 이같은 결론은 다른 모든 요인을 배제하더라도 두가지 요인 때문에 그러하다. 한국의 핵능력 보유를 가로막는 가장 뚜렷한 억제요인은 핵 재처리 시설·우라늄 농축시설과 기타 핵무기 관련 기술을 보유하지 못한 점이다. 이같은 장애가 오래 남아 있지는 않을 것이지만 한국의 핵무장을 억제하는 △안보공약 △우라늄 공급 중단 △핵위협으로부터의 보호 등의 변수가 제대로 기능하도록 하는 데 필요한 시간을 벌어줄 것이다. 그 다음에는 한국이 공개시장이나 합법적 암시장을 통해 핵교역을 하거나 국내에서 연구개발하는 것을 주시할 것이다.

둘째는 이 지역의 비핵지대화가 (통일)한국에 대한 외부의 공격을 억지하는 지역안보기구 구실을 할 것이라는 점이다.

남북한은 올해 초 한국판 '비핵지대화'를 이룩하기로 합의했다. 그러나 미국 일본 러시아 중국이 정치력을 발휘하지 않는 한 이 제안은 유산될 가능성이 크다. 한가지 해결책은 한반도 비핵지대화의 범위에 중국·러시아의 극동부·일본·괌·알래스카·알류산열도를 포함시키는 것이다.

동북아시아의 비핵지대화는 한반도뿐만 아니라 재처리계획의 꿈에 부풀어 있는 일본, 다른 나라에 대해서는 군축을 요구하면서도 막상 자기네는 빠지겠다는 중국, 괌·일본·오키나와·알류산 지역에서의 핵무기 철수를 고려하는 미국, 극동과 북태평양에서 핵무기 철수를 고려하는 러시아에게 압력을 가할 기회를 제공한다.

결론적으로 한국의 핵확산 잠재력은 다음의 경구를 생각나게 한다. "능력은 서서히 변한다. 그러나 의도는 하루아침에 변할 수 있다." 비핵지대화는 남북한이 비핵국으로 남아 있을 개연성을 높여준다. ■

'영변 핵사찰' : 한 핵전문가는 "우리도 국제원자력기구 수준의 사찰능력은 갖고 있다"고 말했다.

美, 한국에 '핵사찰 교육'

비밀리에 핵시설장에서 … 한국측은 부인

한국은 독자적으로 북한에 대한 핵사찰을 수행할 능력이 있는가. 상호사찰 논의가 시작되면서 누구나 한번쯤 갖게 되는 의문이다. 결론부터 말하면 한국은 사찰능력을 갖고 있다.

한국은 남북한의 미묘한 관계 때문에 핵사찰 능력은 물론 모든 핵문제를 철저히 통제해왔다. 얼마 전 정주영 국민당 대표가 "우리는 사찰능력이 없으니 미국에게 맡기자"라고 했다가 망신을 당했는데 이는 정대표의 무지도 무지지만 핵문제에 관한 정부의 비공개주의를 단적으로 말해주는 예였다.

핵문제는 발전소와 무기라는 평화적·군사적 성격을 함께 갖고 있다. 전문가들은 이를 핵의 이중성이라고 부르며 전자는 원자력으로, 후자는 핵으로 분류한다. 이같은 이중성 때문에 원자력이 핵으로 전용되는 것을 감시하는 사찰과 핵무기 통제를 위한 사찰이 있다. 국제원자력기구 (IAEA) 의 사찰은 전자의 경우이다. 미국과 한국이 주장하는 상호사찰은 거기에다 후자의 요소를 포함한 것으로 사실상 군사적 차원의 검증행위이다.

사찰은 어떻게 하는가. 한 사찰관은 이를 '백사장에서 바늘 찾기'에 비유했다. 무거운 장비를 짊어지고 수만명 규모의 핵시설을 이잡듯이 뒤져야 하고 때로는 굶으면서 밤을 꼬박 새워야 한다. 그래서 사찰관을 선발하는 기준은 다름아닌 '체력'과 '감'이다. 당연히 경험 많은 사람이 우대받는다. 정부의 한 핵사찰 전문가는 "북한 핵사찰은 △감춘 핵물질과 시설은 없는가 (은닉성) △속이고 있는 것은 없는가 (기만성) △공식 주장과 실제능력 사이의 괴리는 없는가 (허구성) △사고 위험은 없는가 (안전성) 의 측면에서 진행될 계획이다"라고 말했다.

남북한 독자적인 상호 핵사찰 가능

사찰능력은 어느 정도인가. 한국은 풍부한 원자력 기술인력을 보유하고 있다. 1990년 현재 1만3천2백명이 원자력 분야에 종사하고 있고, 그 가운데 5천명이 기술인력이다. 또 지난 19년 간 매년 2백여일 씩 국제원자력기구의 사찰을 받아왔다. 풍부한 수검경험은 곧 간접적인 사찰경험이라고 할 수 있다. 실제로 수검실무자의 체험은 사찰요원 교육에 활용되고 있다. 또 한국은 83% 이상의 원자력기술 자립을 이룬 상태이다. 이 정도면 사찰에 기술적 어려움은 없다고 한다.

국제원자력기구에는 약 2백명의 핵사찰관이 있는데 그 가운데 과기처에서 파견된 요원이 3명 있다. 이들은 국제기구 소속이고 봉급도 국제원자력기구에서 받기 때문에 남북 상호사찰에는 참가할 수 없다. 그러나 이미 이 자리를 거치고 돌아온 사람들은 사찰요원으로 활용될 수 있다. 그 외에도 국제원자력기구에는 시찰코스부터 1년 정규과정까지 다양한 사찰요원 훈련 프로그램이 있다. 여기서 연수를 받은 사람도 상당수에 이른다. 이상을 종합해 볼 때 한국은 소수의 훈련된 사찰요원과 다수의 기술요원을 보유하고 있는 셈이다. 재미있는 것은 북한도 우리와 비슷한 사찰능력을 갖추고 있다는 점이다.

그런데 최근 미국이 한국측 핵사찰 요원에 대해 비밀교육을 시켰다는 사실이 밝혀졌다. 여기에 참가한 한 인사에 따르면 교육은 미국의 제안으로 시작됐고 올해 봄 20여명이 두차례에 걸쳐 로스알라모스 등 미국의 주요 핵시설을 둘러보고 기술교육을 받았다고 한다. 그는 "북한핵에 대한 정보를 독점하고 있는 미국은 상호사찰에 참가할 남한측 요원에게 자기네가 알고싶은 정보를 찾는 방법을 가르치려 한 것 같다"고 말했다.

기묘한 것은 정부 당국은 하나같이 이를 부인하는 반면, 이 사실이 공개된 것은 그레그 주한미국대사의 입을 통해서였다는 점이다. 김종휘 청와대 외교안보비서관은 "우리나라에 핵전문가가 넘쳐나는데 미국에까지 가서 훈련한다는 것은 말이 안된다"고 말했다. 남북고위급회담 대표 가운데 한사람은 이를 확인하지는 않았지만 "북한이 틈만 나면 우리를 미국 앞잡이라고 하는데 (알려지면) 곤란하다"고 말해 북한을 자극하지 않으려는 정부의 난처한 입장을 대신했다. 그래서 이 사실을 아는 정부 내 실무자들에겐 함구령이 내려졌다. 그렇다면 미국측이 이 사실을 흘린 이유는 무엇일까. 익명을 요구한 외무부 관계자는 "미국이나 일본이 가장 우려하는 것은 상호사찰이 남북한의 비밀 핵협력으로 이어지는 것이다. 그레그 대사의 발언은 여기에 쐐기를 박으려는 이간책이다"라고 말했다. ■

0028 韓宗燮 기자

공 란

공   란

공 란

공   란

공   란

공   란

William J. Taylor Jr., guest writer for The Korea Herald's "Window on Korea & to the World" column, is vice president for International Security Programs at the Center for Strategic and International Studies in Washington, D.C. — Ed.

Inter-Korea N-checks: changing with the times

By William J. Taylor Jr.

The Korean Peninsula is caught up in the rapid change worldwide that has followed the end of the Cold War. In South Korea and the United States, we understand the dimensions of change. Somehow, we think that the North Korean leadership does not. However, based on my 21 days in North Korea, I know that the senior government officials of North  Korea have a clear picture of what is happening in the world around them. As Kim Il-sung (who is fully in control of his faculties) told me personally in a three-hour discussion in his residence last month, "The world is changing all around us." Then he went on to explain the adverse implications for his country of such changes as "the collapse of communism in the former Soviet Union and the consequent loss of 100,000 tons of oil and coal annually" and more. He spoke of ways in which his country has changed already and elaborated some of the ways in which he wants to change further.

> ...continue with the highly successful, present ROK/U.S. carrot-and-stick diplomacy which has been carefully orchestrated with Japan, Russia and even China. If one thinks carefully about events over the past year, this policy has brought changes in DPRK behavior with lightning-like speed since their May 1991 dual entry into the U.N. along with South Korea.

North Korean officials would never admit that many of the changes that have had important impact on their country are the result of President Roh's Northern policy and the ROK/U.S. diplomacy toward North Korea which has been carefully orchestrated with other regional powers. We should not want them to have to admit anything; we should want only to have their change continue along a road to peaceful reunification.

But, within the sea of change around us all, we are at a sort of crossroads in North-South relations. It is the impasse we are now experiencing over the mutual inspections mandated by the Denuclearization of the Korean Peninsula agreement. The impasse is not difficult to discern. Both sides distrust each other and refer to each other's "sinister motives." And both sides have taken negotiating positions which are now totally incompatible. On the North's part, the position is roughly: We'll trade ROK inspections of the Yongbyon nuclear facilities for inspection of all U.S. bases in the South. The ROK position, concurred in by the United States, is based on the principle of "symmetry." Roughly the position is: For ROK inspections of Yongbyon, we'll trade DPRK inspections of one base in the South.

Both positions are "non-starters." If they are opening positions in the negotiations, they have lasted as such far too long. One side or the other must change *and soon*.

Before I went to Pyongyang this third time, I checked with U.S. and South Korean officials at the highest levels of government. Basically, their assessments were the same: the burden of proof is on North Korea to remove all doubts about its nuclear activities. The North Korean game is to try to convince the world, especially Japan, that IAEA inspections are sufficient. But a bilateral inspection regime is the only way to remove all doubts about a covert program. Nothing good will come their way until they accept the bilateral regime.

There is real tension in Seoul and Washington over this situation. It is at times of mistrust and tension that wars occur, by miscalculation or accident — as in 1914. In my opinion, for reasons stated elsewhere, taking the case to the U.N. Security Council for a sanctions-based solution is not the way out. So, what is the solution?

First, continue with the highly successful, present ROK/U.S. carrot-and-stick diplomacy which has been carefully orchestrated with Japan, Russia and even China. If one thinks carefully about events over the past year, this policy has brought changes in DPRK behavior with lightning-like speed since their May 1991 dual entry into the U.N. along with South Korea.

Second, send a message to Pyon-
(Continued on Page 7)

(Continued on Page 7)

From Page 1

gyang *fast* that the South is ready to make a positive gesture by amending the present one-for-one inspection position. For example, offer "baskets" of bases for inspection, perhaps in basket one, Yongbyon for 3-4 bases in the South, permitting the DPRK to name them. The North may amend its own position, but we should not wait to find out. Let's take the initiative. Kim Il-sung told me that "We always respond positively to positive gestures" — and the North has indeed done so over the past year.

Third, under the premise that all steps toward reunification are a North-South affair, change the ROK/U.S. position to accept *trilateral* ROK/U.S./DPRK talks at least once in relation specifically to mutual nuclear inspections. As I have told DPRK officials repeatedly, there is absolutely no way they can drive a wedge in U.S./ROK relations; the U.S. commitment to ROK security is firm and unwavering.

There are at least three ways to modify the DPRK and ROK negotiating positions which I have discussed recently in both Seoul and Pyongyang. None of the three adversely affects the security interests of the North, the South, or the United States. But we must move quickly, before mistrust and miscalculation set in. ∎

0035

K.H
(92. 8. 18)

外務部 情報狀況室
受信日時　92. 8. 18 08:20

제목 : 한미 양국의 상호사찰문제 신축성 검토 보도
　　　　－ 미 '디펜스 뉴스'誌報道.

韓美, 상호사찰 신축성 검토 시사

　　(워싱턴=聯合) 李文鎭특파원 = 韓美 양국은 고착상태를 보이고 있는 南北韓 核협상에 돌파구를 마련하기 위해 상호사찰문제에서 보다 신축성 있는 자세를 취할 것을 검토하고 있음을 美관리가 시사했다고 디펜스 뉴스誌가 18일 보도했다.

　　이 잡지는 신축성있는 자세가 무엇인지 구체적으로 밝히지 않았으나 일부 학자들 사이에서는 한국내 복수의 몇개 美軍기지에 대한 北韓측 접근을 허용해야 한다는 견해가 대두되고 있다고 소개했다.

　　그러나 남북한 핵문제에 정통한 관계자는 각각 한곳씩 서로 궁개한다는 상호사찰에 관한 기본방침에는 전혀 변화가 없으며 韓美간에 이견도 없다고 밝혀 이같은 보도내용을 일축했다.

　　디펜스 뉴스는 또 南北韓 상호사찰협상의 고착으로 駐韓美軍의 단계적 철수와 역할전환문제의 실천이 지연되고 있다고 지적했다.

　　잡지는 이어 한국문제에 대한 특집기사를 통해 오는 12월 선거에서 30년만에 처음으로 순수 민간인 대통령이 탄생함으로써 한국은 군사독재의 유산으로부터 변모하는 과정에서 일대 전환점을 맞을 것이라고 말하고 盧泰愚대통령의 인기는 임기중의 경제사정 악화로 상당히 손상을 입었지만 정치에 대한 군사통제를 없앤 대통령으로서 역사에 기록될 것이라고 밝혔다.(끝)

0036

공   란

공   란

공　　　란

공　　　란

공   란

대 한 민 국
외 무 부

"지 급"

1992. 8. 21.

아래 문건을 수신자에게 전달하여 주시기 바랍니다.

제 목 : __자 료__

수 신 : __민자당 남 주흥 보좌역__

(수신처 FAX No. : __784-6191__)

발 신 : __외무부 제 1 차관보__

표지포함 총 __11__ 매

0042

1. 남.북한은 작년말 한반도 비핵화 공동선언을 채택, 핵무기의 보유.제조.시험 등을 금지하고 핵재처리시설과 우라늄 농축시설을 포기하기로 했읍니다. 핵재처리시설등의 포기에 대해서는 성급한 결정이었다는 일부 비판이 있읍니다. 이 문제에 대한 견해는 무엇입니까?

o NPT 체제등 국제법상으로 농축 및 재처리시설 보유를 금지하는 규정이 있는 것은 아님. 그러나 우리가 이의 포기를 선언하게 된 것은 현재로서 이를 보유할 경제적 필요성이 크지 않은 상황에서 북한의 핵무기 개발을 저지하는 것이 무엇보다도 시급한 과제였기 때문임. 특히 북한이 핵재처리시설을 계속 건설하고 있는 것은 핵무기 개발의 의혹을 야기시키고 남.북한간에 핵경쟁을 불가피하게 유발시킬 위험이 크므로 우리가 선제적으로 핵재처리시설을 포기 하여 북한의 상응한 포기를 유도할 수 있게 된 것임.

o 이는 남북이 군사적으로 대치하고 있는 한반도의 특수한 안보 현실에 따른 것임. 또한 핵재처리시설등을 보유하기 위해서는 핵재처리 기술 보유국의 협력이 필요한 것이 현실인바, 이를 위해서는 우선 핵에너지의 평화적 이용과 관련 우리측 의도에 대한 국제사회의 신뢰가 선행되야 한다는 실제적 고려에도 기인하고 있음.

o 또한 우리의 비핵정책 선언은 최근 범세계적인 핵군축 노력에 적극 참여함으로써 국제사회의 지지와 협력을 유도하고 이를 기반으로 하여 유리한 위치에서 한반도 통일 노력을 주도해 나간다는 고려가 있었던 바, 우리의 선제적 조치 결과로서 남.북한 기본관계 합의서와 한반도의 비핵화에 관한 공동선언의 채택이 가능할 수 있게 되었음.

- 1 -

0043

2. 한반도 비핵화 공동선언은 역시 핵무기의 물리적 제거에 초점을 두고 있는
   비핵화정책이라는 측면에서 핵무기의 배제, 즉 특정지역내의 국가들이
   조약을 맺어 핵무기 생산.보유.배치.실험등을 금지하고 핵보유국이 이를
   존중함으로써 핵무기의 확장과 군비 경쟁을 방치하는 비핵지대화정책과는
   구별되고 있읍니다. 우리의 핵정책은 앞으로 어떤 방식을 따라야 한다고
   보십니까 ?

o 핵무기 없는 세계의 구현이라는 이상적 측면에서만 본다면, 한반도 비핵지대화에
  대하여 어느 누구도 이론을 제기할 수는 없을 것임.

o 그러나, 이미 유엔군축특별총회나 NPT 검토회의의 최종선언에서도 나타난 바와
  같이 비핵지대 설치는 지역내 안보 환경이 고려되어야 하고, 역내 모든 국가가
  함께 합의.참여하는 경우에야 현실적으로 가능한 것임. 또한, 비핵지대 설치가
  기존의 안보체제를 저해하여서는 안된다고 봄.

o 오늘날 국제적으로 통용되는 「비핵지대화」의 개념은 예컨대 일본 또는 한반도
  등 국한된 지역이 아닌, 국가 안보 문제가 상호 연관되는 일정 지역내 모든
  국가가 참여하는 경우에 사용되고 있는바(예 : 남미 비핵지대조약, 남태평양
  비핵지대조약등), 동북아지역의 모든 국가가 함께 참여하지 않는 한, 한반도의
  경우에는 비핵지대화가 맞지 않는 개념임.

- 2 -

0044

o 즉, 주변국가가 다량의 핵무기를 보유.배치하고 있는 한반도 상황과 오늘날의
  발달된 핵무기 운반수단을 감안하여 볼때 전반적인 역내 안보 정세를 고려하지
  않고 주변 관계국간의 완전한 합의와 보장없이 극히 좁은 지역인 한반도에만
  국한하여 비핵지대를 창설하자는 주장은 무의미하고 비현실적인 것임.   이는
  일본이 비핵지대를 설정한 것이 아니라 비핵3원칙을 선언한 것과 같은 소이에
  따른 것임.

o 우리는 그러한 한반도 현실을 고려하여 이미 91. 11. 8. 비핵정책을 선언하였으며
  이를 바탕으로 북한과 함께 「한반도 비핵화 공동선언」을 채택하는 조치를
  취하게 된 것임.

- 3 -

0045

3. 남.북한은 지난 3월 19일 남북핵통제공동위의 발족과 함께 지난달 21일
   까지 모두 7차에 걸친 핵통제공동위를 열었으나, 상호핵사찰을 위한 규정
   마련에 합의를 못하는등 교착상태에 빠져 있읍니다.   상호핵사찰규정
   마련의 가장 큰 난점은 남쪽이 주장하는 특별사찰제도의 도입 문제일
   것입니다.   북쪽은 일반 군사시설에 대해서까지 무차별 사찰을 하겠다는
   것은 받아들일 수 없다고 고집하고 있기 때문입니다.   남북 핵협상의
   타개를 위해서 어떤 조치가 필요하다고 보십니까 ?

o 우리는 북한 핵문제의 해결을 위해서는 남.북한이 효과적인 상호사찰을 실시
  함으로써 북한의 핵개발에 대한 국내.외적인 의혹이 완전히 불식되어야 한다는
  입장에서 북한과의 핵협상에 임해왔음.   특히 우리는 상호사찰이 그 대상에
  있어 어떠한 성역도 존재해서는 않된다는 입장이며 민간.군사기지를 모두
  사찰대상으로 하는 포괄적 사찰과 특별사찰을 필수적으로 포함함으로써 효과적인
  사찰이 되어야만 비로서 남북이 비핵화 공동선언을 통해 합의한 한반도 비핵화
  검증이 가능하다고 생각함.

o 일반적으로 국제군축조약상 사찰제도는 '믿고싶다.   그러나 확인해 봐야 된다'
  (trust, but verify)는 정신이 기초를 이루고 있는바, 상대측이 의심하는
  군축의 대상에 대하여 불시적인 사찰을 허용하는 any time, any place 개념의
  특별사찰제도는 모든 핵군축조약의 필수 요소로 간주되고 있음.   북한이 지지
  의사를 표명해 온 화학무기금지협정 (CWC)상에도 특별사찰제도가 포함되어 있는
  만큼 우리는 북한이 진정 핵무기 개발 의사가 없다면 특별사찰에 굳이 반대할
  이유가 없다고 보고 있으며, 이것이 남북간 신뢰구축의 시발점이 될 수 있다고
  보고 있음.

- 4 -

0046

o 한편 「한반도 비핵화 공동선언」 제1항은 남.북한이 핵무기를 보유, 저장,
  배비 또는 사용하지 않을 것을 규정하고 있는 바, 이를 검증하기 위해서는
  핵무기가 저장, 배비, 사용되어 질 수 있는 장소, 즉 군사기지에 대한 사찰이
  필수적인 것임.   따라서 이는 비핵화 공동선언상의 법적 의무를 충실히 이행
  하는 것이며, 이것이 이루어지지 않는다면 반쪽 사찰밖에 될 수 없음.

o 현재 남북 핵협상은 상기 특별사찰제도와 군사기지 사찰에 대하여 북한이 계속
  반대하고 있어 어려움을 겪고 있으나, 그러한 사찰의 핵심적인 요소가 결여된
  사찰은 형식적인 사찰에 그치므로써 북한의 핵개발 의혹을 해소시키기는 커녕
  오히려 북한의 은닉된 핵무기 개발을 합법화시키는 구실로 이용될 수 밖에
  없을 것임.   그러나 북한이 현재 자신이 처해있는 경제적.외교적 난국을
  극복하고 국제사회에서 생존하기 위하여는 결국은 자신의 핵개발에 대한 국제
  사회의 의혹을 해소시키는 길 밖에 없을 것이며 이를 위해서는 특별사찰,
  민간 핵시설뿐만 아니라 군사기지 사찰이 포함된 효과적인 사찰규정에 합의
  하여 조속한 시일내에 남북상호사찰을 실시하는 것이 요구되고 있는 것임.

o 우리는 이러한 효과적인 사찰규정 채택을 위해 북측을 계속 설득해 나갈 것임.
  국제사회도 우리의 접근 방법을 각종 계기를 통해 전폭 지지하고 있음.

4. 북한의 핵개발 상태와 정도에 대한 견해가 상당히 엇갈려 있읍니다.   정부
   안에서도 평가가 제각각인 듯한 인상을 받습니다.   한스 블릭스 국제원자력
   기구 사무총장은 지난 6월 10일 북한 핵에 대한 임시사찰을 마치고 플루토늄
   분리 시설이 아직 미비하나, 방사화학실험실이 완공될 경우는 핵재처리시설로
   볼 수 있다는 견해를 제시하기도 했읍니다.   북한 핵개발의 실상에 대해서
   어느 정도의 정보를 가지고 있는지, 어떻게 봐야 하는지 말씀해 주십시오.

o 북한 핵개발 현황에 대해서는 미국이 85년부터 위성항공 촬영등을 통하여 영변
  핵시설 건설을 포착한 이래 그간 국내외적으로 북한의 핵개발에 대한 의혹이
  제기되어 왔으며 각종 자료를 분석한 결과 북한은 핵무기 개발을 추진중에
  있는 것으로 평가되어 왔음.

o 한편, 최근 IAEA 제1차 임시사찰 (5. 25~6. 5)과 제2차 임시사찰 (7. 11~21)을
  통하여 북한의 핵개발 현황이 일부 공개되었으나 아직도 북한에 대한 핵
  의혹은 가중되고 있는 실정임.   즉, 5 MW 원자로의 가동 실적, 플루토늄
  추출량, 시험재처리시설 (pilot reprocessing plant) 존재 여부등 의심되는
  부분이 많은 것으로 드러났으며, 비핵화 공동선언에 따라 보유하지 않기로
  약속한 재처리시설을 건설하고 있다는 사실도 밝혀 지는등 북한 핵개발
  실상에 대해 과거 우리가 갖고 있던 것보다 훨씬 많은 의혹과 문제점이 제기
  되고 있음.

o 북한의 핵개발 실상에 대하여는 금후 IAEA 정규 사찰등을 통해 좀더 분명해
  질 것으로 보이나 IAEA 사찰의 한계성을 감안할때 북한 핵개발 실상을 보다
  명백히 파악하기 위해서는 효과적인 남.북한 상호핵사찰이 조속히 실시되어야
  할 것임.

- 6 -

0048

5. 일본은 이른바 비핵3원칙을 국책으로 하고 있지만, 미국의 묵시적 양해아래 나름대로 핵개발을 계속해 현재로서 핵무장 문턱에 와 있는 것으로 평가되고 있읍니다.   또한 영국과 프랑스에서 재처리될 플루토늄을 수요량보다 훨씬 많게 반입할 것을 계획하고 있읍니다.   일본의 핵무장에 어떻게 대응해야 하는지, 남북이 공동으로 대처할 방안이 있는지에 관해 말씀바랍니다.

o 일본은 미국의 묵시적 양해아래 핵무기 개발을 해온 것이 아니라 핵에너지의 평화적 이용에 관한 신뢰를 계속 쌓아 왔다고 해야 할 것임.

o 일본은 핵에너지의 평화적 이용에 있어 연료의 해외 의존을 탈피하고 자립적인 핵에너지 확보를 위해 가장 효율적이며 첨단 기술로 알려진 고속증식로의 개발을 추진중에 있으며, 이의 연료로서 필요한 플루토늄을 2010년까지 총 85톤을 비축할 계획을 세우고 그중 30톤은 영국, 프랑스등에 위탁하여 재처리한 후 해상 수송 도입 예정이며, 55톤은 국내 재처리공장을 통하여 생산할 예정임.

o 이와 관련, 지리적 인접국인 아국으로서는 유해 물질인 플루토늄의 운반과 관련하여 안전의 차원에서 관심과 우려를 갖는 것은 정당한 일이라 하겠지만 일본의 핵무장 가능성에 대하여 객관적 증거없이 막연하게 문제를 제기하는 것은 바람직하지 않음.
  - 첫째, 일본은 과거 피폭 경험으로 인하여 일반 국민 감정상 핵무기에 대한 거부감이 어느 나라보다 강하다고 할 수 있으며, 미.일 안보 협력 관계 및 미국의 강력한 핵비확산 추진 정책등 주변 정세를 감안할때, 현재 및 가까운 장래에 핵무장을 추진할 가능성이 현재로서는 없다고 보므로, 우리측이 우려를 제기하는 것은 한.일 관계 발전에 바람직하지 않음.

- 7 -

- 특히, 일본이 비핵3원칙을 견지하면서 국내적으로 법적 장치를 통하여 자체적인 감시 체제를 계속 강화해 오고 있으며, IAEA의 철저한 사찰하에 원자력의 평화적 이용 정책을 추구해 온 점에서도(IAEA 사찰 평가 등급 : A급), 현 단계에서 핵무장 우려 문제를 제기하는 것은 객관적 설득력이 없음.

- 일본의 플루토늄 확보 계획을 핵무장 가능성과 직접적으로 연계시키는 것은 과학적 측면에서도 타당성을 결하고 있다고 보아야 할 것임.   핵무기 제조용 플루토늄(순도 95% 이상)과 일본이 해외에서 재처리 도입 예정인 고속증식로용 플루토늄(순도 60% 수준)은 동일한 것이 아니므로 핵무기로의 전용 가능성이 우려된다고 주장하는 것은 과장된 측면이 있음.

6. 우리의 핵 및 원자력정책은 지나치게 미국의 간섭을 받고 있으며, 주요
   사안에서는 핵주권이 상실됐다고 주장하는 사람도 있습니다. 현실 정치의
   세계에서 미국의 영향력을 어떻게 소화해야 할지 하는 문제가 있는 것
   같습니다. 이 문제에 대한 견해를 밝혀 주시고 통일후를 포함한 우리의
   장래 핵정책의 모습은 어떠해야 하는지 말씀해 주십시오.

o 핵문제에 대한 시각은 기본적으로 핵에너지의 이중성에 대한 올바른 인식으로
  부터 출발해야 한다고 생각함. 즉, 핵에너지는 평화적으로 이용되어 인류의
  복지를 향상시킬 수 있는 중요한 자원이 될 수 있는 반면 인류를 파멸로 몰고
  갈 수 있는 대량살상무기의 원료로도 쓰일 수 있음.

o 따라서 일국의 핵정책은 세계적인 핵정책과의 조화속에서 추진되어야 할
  뿐만 아니라 핵에너지의 평화적 이용 분야에서도 외국으로부터의 기술 협력이
  불가피한 경우에는 더더군다나 국제적인 신뢰 획득이 일국의 핵정책 추진에
  가장 중요한 요소라 하지 않을 수 없음.

o 특히 우리의 경우는 핵정책이 우리의 평화 통일 정책과의 조화 위에서 추진
  되어야 하는 부담도 있는 바, 현재 북한이 핵무기 개발 계획을 추진하고
  있는 상황하에서는 이를 저지하기 위해서는 그만큼 우리의 핵정책은 핵에너지의
  평화적 이용에 대한 투명도가 더욱 강하게 요구되는 제약을 갖게 되는 것임.

o 따라서 우리의 핵정책은 남.북한 분단 상황에서 오는 안보 정책적 측면이 강할
  수 밖에 없고 특히 북한의 핵무기 개발을 저지하기 위한 정책 판단과 핵에너지의
  이용 확대에 필요한 정책 판단을 균형적으로 고려하여 우리가 주도적으로
  추진하고 있는 것임. 현재 북한 핵문제 해결을 위하여 한.미간에 긴밀한

- 9 -

0051

협의가 있지만, 이는 어디까지나 한반도에서의 평화 유지와 안전 보장 차원
에서의 협의이며, 미국의 압력에 의해 핵정책을 추진하고 있다는 말은 어불
성설임.

o 향후 북한 핵문제가 완전히 해결되고 통일의 여건이 보다 성숙하게 될 경우
  우리의 핵정책은 국가 안보 목적 달성과 핵에너지의 평화적 이용 수요등 상황
  변화를 감안하여 조정 추진될 수 있을 것임.

- 10 -

0052

공   란

공 란

공   란

공   란

공 란

공 란

공 란

공   란

공   란

공　　　　란

공   란

공   란

공   란

공   란

공   란

主要外信隨時報告

外務部 情報狀況室
受信日時 92. 9. 2 13:10

연합 H1-282 S01 정치(682)

北韓 : 美의 對北 敵對視정책 시정 촉구

　　(서울=聯合) 북한은 2일 미국과의 관계개선 의향을 표시하면서 미국의 對北적대시 정책 수정을 촉구했다.

　　내외통신에 따르면 북한은 이날 당 기관지 노동신문에 <냉전시대의 유물 미국의 낡은 對조선정책> 제목의 논설을 통해 "미국이 조선의 분열에 직접적 책임이 있는 나라이며 우리나라 통일문제 해결이 미국의 對조선정책과 밀접히 연관돼 있기 때문에 우리는 朝.美관계를 개선하기 위하여 꾸준히 노력하여 왔다"고 밝히고 "미국이 조선문제에 직접적인 책임이 있는 만큼 조선반도의 평화를 보장하고 통일을 실현하는 데서 마땅히 긍정적 역할을 해야 한다"고 강조했다.

　　이 신문은 이어 한반도문제 해결의 선차적인 과제는 한반도의 긴장상태를 완화하고 공고한 평화를 보장하는 것이라고 지적하면서 이를 위해 △남북 사이의 화해와 신뢰를 도모하고 △朝.美 사이에 평화협정을 체결하며 △駐韓美軍 및 核무기를 철수시켜야 한다고 주장했다.

　　이 신문은 또 미국의 對北정책은 "힘의 입장에 서서 조선문제를 해결하는 시대착오적인 사고방식에 기초하고 있다"고 비난하면서 냉전체제의 중식과 국제정세의 변화 등을 들어 對北적대시 정책을 시정해야 한다고 역설했다.

　　노동신문은 미국의 對北적대시 정책의 시정이 "조선반도의 평화를 보장하며 미국 인민의 이익과 염원에도 부합된다"면서 "미국이 진심으로 자기 능력을 자기 자신이 자유로이 선택하고 결정할 모든 민족의 권리를 존중한다면 조선문제에 직접적 책임이 있는 당사자로서 마땅히 우리나라의 통일을 지지하고 조선반도의 평화를 보장하는 길로 나와야 한다"고 강조했다.(끝)

0068

韓中수교이후 예상되는 시각

전종일구 적성이용 구제조치 추진

北, 경제難-외교고립 … 개방선회 불가피

유혜충화-人權-南北대화 일단 거론 안해

美-北韓 관계개선

<조선일보>   92. 9. 7

공   란

2. 북한 핵문제 국제기구 (회의) 공식문서 배포문제,
   7-8월

0071

관리
번호 92-624

외 무 부

원 본

종 별 :

번 호 : AVW-1091

일 시 : 92 0707 1800

수 신 : 장 관(국기, 아일, 미이, 구일) 사본:주유엔, 미국, 일본, 영국, 독일,

발 신 : 주 오스트리아 대사   제네바대사-중계필

제 목 : 핵관계 대북한 외교 압력

1. 지난 6 월 IAEA 이사회시 때마침 발표된 미국.러시아 정상회담후 한반도핵비확산에 관한 공동성명을 미.러 양측에 요청하여 이사회 공식문서로 배포토록 한바 있음.

2. 북한 핵개발 관련 국제적 압력을 계속 가중하는 방안및 9 월 IAEA 이사회 대책의 일환으로 최근 발표된 일련의 관련 성명이나 발표문(EC 의 북한관계 성명, 미.일 정상회담후 기자회견시 북한관계 부분, G-7 정상회담 공동성명중 북한관계 부분등)을 뉴욕, 제네바, 비엔나등의 관련 국제기구(회의)의 공식문서로 배포 되도록 관계 당사국에 요청하는 문제를 검토, 시행해 줄것을 건의함. 끝.

(대사 이시영-국장)

예 고:92.12.31 일반.

국기국 안기부	장관 중계	차관	1차보	아주국	미주국	구주국	분석관	정와대

PAGE 1

92.07.08   04:48

외신 2과 통제관 EC

0072

발 신 전 보

분류번호	보존기간

번 · 호 : WAV-1059   920708 1100 WG   종별 :

WUS -3186 WJA -2999
(사본 WAU 0579일, 번역, 카나다, 러시아
WRF 2105   대사)

수 · 신 : 주 오스트리아   대사. /총영사

발 · 신 : 장 관 (국기)   .

제 · 목 : 뮌헨 G-7 서미트

92.7.7. 발표된 표제회의 결과 의장성명중 한국관계 내용(11개항중 5항)은
다음과 같으니 참고바람.

(KOREA)

WE WELCOME THE PROGRESS ACHIEVED IN THE DIALOGUE BETWEEN NORTH AND

SOUTH KOREA. IT GIVES US REASON TO HOPE FOR A FURTHER REDUCTION OF

TENSION.

WE ARE CONCERNED ABOUT NORTH KOREA'S SUSPECTED NUCLEAR WEAPONS

PROGRAMME. THE IAEA SAFEGUARDS AGREEMENT MUST BE FULLY IMPLEMENTED

AND AN EFFECTIVE BILATERAL INSPECTION REGIME MUST BE PUT INTO PRACTICE.

(국제기구국장   김 재 섭)

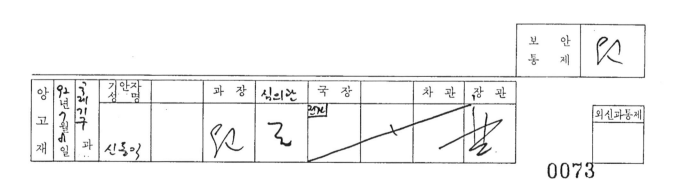

앙 고 재	92 년 7 월 8 일	국제 기구 과	기안자 성명 신동익		과 장	심의관	국 장		차 관	장 관	보 안 통 제	
											외신과통제	

0073

분류번호	보존기간

발 신 전 보

번   호 : WUS-3201   920708 1933 FY   종별 : 지급

수   신 : 주   미 (안호영서기관) 대사 총영자

발   신 : 장   관 (미이 유재현)

제   목 : 업 연

1. 지난 미.일 정상회담후 양국정상은 공동 기자회견을 통해 북한 핵문제에 대해 언급한 것으로 언론에 보도되고 있는 바 (단 언론내용이 일정치 않음) 관련 문안 (영문) 가능한 입수, 지급 송부하여 주시기 바랍니다.

2. 동 자료는 여타 정상회담 (미.러간, G-7 서미트등) 시 발표된 공동 선언문과 함께 IAEA, UN, 군축위등 관련 국제기구를 통해 전 회원국에 배포코저 할 예정입니다.

3. 건승 기원합니다.

- 끝 -

예 고 : 독후 파기

	보 안 통 제	

앙고재	년월일	기안자 성명		과 장	국 장		차 관	장 관	

외신과통제

0074

공   란

공   란

92— 8 : 16:45   :# 1

주 미 대 사 관

SW(F) : 4538   년월일 : 92.7.8 시간 : 17:30

신 : 장 관 (메: 유 자겐에)   보 안
신 : 주 미 대 사   통 제   4
목 : 일미 정상회담 공동 발표문 (첨부) (출처 : TNS)

DEPARTURE STATEMENTS BY PRESIDENT GEORGE BUSH AND PRIME MINISTER KIICHI
MIYAZAWA FOLLOWING THEIR MEETING AT THE WHITE HOUSE

PRESIDENT BUSH: Mr. Prime Minister, to you and to the other
members of the Japanese delegation, it is a real pleasure to have
you back here at the White House. We've had a very successful
discussion inside, one that reaffirms the importance of the strong
relationship between our two nations. We discussed, of course, our
global partnership. We reviewed the prospects for the meeting that
we're both attending, next week's G-7 summit in Munich.

First on our agenda was our mutual commitment to global peace
and prosperity, and I'm encouraged by what the Prime Minister told
me about Japan's plans to stimulate economic growth. I had a chance
to fill him in ours. Both of us confirmed our desire for a strong
and lasting recovery. And we also discussed the Uruguay Round and
the necessity of redoubling our efforts to increase global
prosperity. This will directly benefit both the people of the
United States and Japan, and we both want to see a successful
conclusion of that round.

I also told the Prime Minister that I welcome the passage of
Japan's Peace Cooperation Bill. That'll allow Japan to participate
actively in building a lasting peace in Cambodia and in other world
trouble spots. And we agreed to cooperate on other regional threats
and problems from nuclear and missile proliferation concerns in
North Korea to the resolution of the POW/MIA issue with Vietnam.

We talked about how at Munich we can assist in assuring the
safety of nuclear power in the former Soviet Union. We reaffirmed
full United States support for Japan's position on the northern
territories.

0077

(40000 - 4 - 1)   외신 1과
    4538   종   제

북한 핵문제, 1992. 전13권 (V.9 8월) 229

PRIME MINISTER MI____AWA: Thank you very much, Mr. President,
for your very kind remarks; and also thank you for giving me this
lower podium. (Laughter.)

This is my official visit to the United States as Prime
Minister, first visit, really. I'm delighted to have this
opportunity to speak directly to the American people, for whom I
have profound respect.

Today I am also very pleased that as an ally and a friend, I
have had very frank and productive talks with President Bush.

We'll be continuing our talks in Camp David later today. But before
going there, let me give you my thoughts on the following four
salient issues.

First, the President and I reviewed our respective relationship
with Russia and other new independent states of the former Soviet
Union. We agreed that it's critically important that the
international community should work together to help their
transition to democracy and a market economy.

I am immensely grateful for the President's firm support of
Japan's position on the Northern Territory issue. President Bush
made clear such support in his talk with President Yeltsin the other
day. It was a helpful and thoughtful step to let Mr. Yeltsin
understand the global implications of this territorial problem.

Secondly, the President and I talked about some of the
important issues in the dynamic region of Asia and the Pacific,
including the situations in the Korean Peninsula and in Cambodia.
We reaffirmed our determination to work together to enhance peace
and prosperity in this region. We both recognize that the American
military presence and Japanese host nation support together
contribute greatly to the stability of this region at this time of
change.

The third point is that the President and I are pleased to see
the global partnership forged both in the political and economic
dimensions. Politically, it has come to have a truly global
extension ranging from Asia to Russia and East and Central Europe.
In the economic area, such global partnership includes cooperation
in bringing the Uruguay Round to an early and successful conclusion,
prevention of protectionism, promotion of international structure
adjustments, environmental protection, including forest conservation
and development assistance.

In this connection, in the area of macroeconomic policy, the
President and I shared a common view that it is essential for the
moment to make sustained recovery of our two economies more certain,
taking account of our Joint Statement on the strategy for world
growth issued in January this year.

In this regard, I -- in this regard, explained to the President
the efforts made up to now by Japan for ensuring sustained growth of
the Japanese economy, and expressed my determination that in case
these measures do not bring sufficient effect, I'll examine the
situation and undertake every possible means, including necessary
substantial additional fiscal measures, keeping in mind the
objectives set out in the new five-year economic plan of my

0078

THE WHITE HOUSE

Office of the Press Secretary

For Immediate Release   July 1, 1992

PRESS BRIEFING
BY
SENIOR DIRECTOR FOR ASIAN AFFAIRS DOUGLAS PAAL

The Briefing Room

5:07 P.M. EDT

        MR. CLARKE: Good afternoon. I'd like to introduce Doug
Paal, who is Senior Director at the NSC for Asian Affairs, and he's
going to give us a readout on the Miyazawa visit.

        Q   On the record?

        MR. CLARKE: On the record.

        Q   But not for sound and camera. (Laughter.)

        MR. PAAL: I complained about the makeup problem. I'm
sorry about the weather out there; I don't know how long you had to
stand out -- it's miserable.

        The President and Prime Minister Miyazawa met for almost
15 minutes in the Oval Office, and you know more about what happened
in that than I do. Then they proceeded to the Cabinet Room where the
parties met in a plenary meeting, 45 minutes before the departure
statements which you've heard. They touched on the Uruguay Round,
the state of U.S.-Japan relations and reviewed the international
scene.

        They will be going on now to Camp David for further
conversations, but no agenda with Japanese is ever done in 45
minutes; they have a lot of issues and a lot of those will be taken
up in the time remaining between the two leaders this afternoon and
evening.

        With that brief introduction I'd be happy to take your
questions.

        Q   Could you explain to us a little bit more what the
Prime Minister meant when he said that he told the President -- he
expressed his determination -- in case present Japanese growth
measures don't bring sufficient effect, he said he'll examine the
situation and then undertake every possible means, including
necessary fiscal measures. That seems to be quite an iffy
conditional thing. Is that the way you understood it, or do you see
him as being more forthcoming?

        MR. PAAL: I can't speak to what the Prime Minister's
intentions are, any words he utters, but I'll give you my
conclusions, my interpretation of what he had to say. And that is
because of Japanese constitutional procedures, it's not possible for
him to specify at this time definite levels and the like. But he
left a very strong impression in the meeting that Japan will be
prepared to take additional measures to stimulate growth later in the
year.

4538 - 4 - 3
MORE   0079

MR. PAAL: The U.S. Japan Business Council and the Department of Commerce together are trying to promote, through support from the U.S. government and through the business council, an export vision to make people aware of the opportunities and to put a little more energy and resources into exports.

Q   Did they agree any precondition for Japan-North Korea normalization regarding North Korean nuclear -- South-North mutual inspection as a precondition for normalization?

MR. PAAL: There is an identity of views on the issue of North Korea, Democratic People's Republic of Korea, and the President and Prime Minister both agreed that a mutual North-South inspection is a necessary supplement to the IAEA inspection regime in order to satisfy concerns before either side would proceed toward normalization.

Q   Gorbachev will be in Tokyo in September. Will they talked about the Kure Islands, Sakhalins?

MR. PAAL: Yes, there was a good discussion on the Northern Territories that the President again, as you saw on the statement, in the meeting he voiced strong support for Japan's position on the four islands that are at the southern end of the Kure Isles which rightly belong to Japan. And the Prime Minister expressed appreciation for that strong support.

Q   Is he getting them back?

MR. PAAL: Well, that's not something I can answer.

Q   Will the President raise that again with Yeltsin in Munich? Or is the G-7 going to raise that --

MR. PAAL: He just finished raising it here. I think he raises it every time, but I don't know that it's -- well, I'm quite confident it's going to be discussed at Munich, but whether in the meeting with Yeltsin I can't be sure.

Q   I mean, beyond the strong support -- strong support is words -- what about pushing Yeltsin in some way or go between --

MR. PAAL: It's premature for me to answer that question and we're carrying on discussions with the Japanese as to what is the best methods by which to induce the Russians to return the islands.

Q   Wasn't there a study about Japanese participation in the G-7 nuclear safety fund that's going to be discussed in Munich, particularly, I guess, whether they'll contribute regardless of the settlement of the Northern Territories or not?

MR. PAAL: The Japanese, I believe, are taking a very forward-leaning approach to these specific humanitarian and nuclear safety issues. The President mentioned it at the outset of the meeting as something he wanted to discuss, but they didn't get back on to that issue later in the conversation up to the time they left.

Q   Did you know at this point whether they would be contributing in order of $100 million regardless of whether --

MR. PAAL: Did I hear $100 trillion? (Laughter.)

Q   No -- regardless of whether -- military are the prepared to pay in for this program regardless of the Northern Territories?

MR. PAAL: I'm not in the position to say at this point. It was not discussed in this meeting beyond that.

4538 - MORE 4 - 4   0080

분류번호	보존기간

발 신 전 보

번 호 : WAV-1076 외 별지참조   종별 : _____

수 신 : 주 수신처 참조   대사.[종영자]

발 신 : 장 관 (미이)

제 목 : 북한 핵문제

1. 북한 핵문제의 해결을 위해서는 IAEA에 의한 국제 사찰과 함께 신뢰성 있고
   효과적인 남북상호사찰이 조속 실시되어야 한다는 것이 우리정부의 기본입장
   이며 이러한 입장은 그간 IAEA 이사국들을 포함 국제사회의 주요국가들로
   부터의 절대적 지지를 받아왔음.

2. 최근 미.러 정상회담 선언문(6. 17자), EC 및 회원국 선언문(6. 29자) 및
   G-7 뮌헨 서미트 의장 성명(7. 7자)등 주요국가 양자 및 다자간 정상회담
   선언문들을 통해 북한의 NPT 조약상 의무의 완전한 이행을 촉구하고
   「한반도의 비핵화에 관한 공동선언」에 따른 남.북한간 상호사찰의 중요성을
   강조하고 있는 것은 우리정부의 기본 입장과 완전히 일치하는 것으로 그간
   우리의 지속적인 외교 노력이 반영된 것으로 평가됨.

3. 남북간 상호핵사찰규정 마련을 위한 협상 과정에서 북한이 그간 소극적
   이고 비타협적인 태도를 보여 왔음을 감안할때 북한의 긍정적 태도 변화를
   유도하기 위해서는 북한 핵문제에 대한 지금까지의 국제적 관심을 계속 유지
   하는 가운데 북한에 대한 국제적 외교 압력을 계속 시행하여 나가는 것이
   긴요하다고 생각함.

예고문"계속기 재분류(19__)

직위   신명   보안통제

국제기구국장 :

앙	12	기	성 안 자 명		과 장	심의관	국 장	차 협 보	차 관	장 관		외신과통제
고	년											
재	월	2										
	일	과										

0081

4. 본부는 상기와 같이 핵심 우방국들간의 양자 또는 다자 정상회담등을 통해
    발표된 북한 핵문제 관련 성명문 내용(원문 별첨 FAX 송부)이 국제기구의
    공식문서(IAEA 및 군축위원회 공식문서와 유엔총회.안보리 공동문서)에
    수록되어 전 회원국들에 회람되는 경우 북한 핵문제 해결을 위한 국제적
    공조 체제를 유지하는데 기여할 것으로 판단하고 있는 바, 귀지 소재 국제
    기구 사무국 및 관련국 대표부와 긴밀히 협의, 동 성명문 내용이 귀 주재
    국제기구의 공식문서로 배포되도록 조치하기 바람.

5. 지난 6월 미.러 정상회담후에 발표된 한반도 핵비확산에 관한 공동성명이
    우리측(주오지리 대표부)과 오지리주재 미.러 양측 관계관과의 협의 결과
    IAEA 이사회의 공식 문서로서(단, IAEA 주재 미.러 대표부의 요청에 의한
    회람임을 명시) 6. 19. 전 회원국에 배포된바 있음을 참고 바람.

    첨부 : 상기 관련 Text (FAX 송부)   끝.

(차관 노창희)

수신처 : 주오지리, 유엔, 제네바대사 (사본:주미, 일, 러, 독, 불, 이, 영,
         카, 아일랜드, 덴마크, 희랍, 스페인, 폴투갈, 벨기에, 화란 대사
         , 주북경대표)

0082

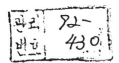

WAV-1076   920710 1023 WG

WUN -1681   WGV -1045   WUS -3229   WJA -3035   WRF -2124

WGE -0958   WFR -1440   WIT -0690   WUK -1196   WCN -0728

WID -0137   WDE -0238   WGR -0208   WSP -0452   WPO -0258

WBB -0324   WHO -0166   WCP -1554

0083

최근 주요 정상회담시 북한 핵문제 관련 발표 내용

1. **미. 러 정상회담시 공동선언 (6. 17자)**

    (JOINT STATEMENT ON KOREAN NUCLEAR NON-PROLIFERATION)

    Russia and the United States, supporting the efforts by the inter-
    national community to counter the proliferation of nuclear weapons, note
    the positive changes in strengthening the nuclear non-proliferation regime
    in Korea.   They applaud the North-South Joint Declaration on the De-
    nuclearization of the Korean Peninsula of December 31, 1991, and call
    for the full implementation of this agreement, which will make an
    essential contribution to strengthening regional peace and security
    and to reconciliation and stability on the Korean Peninsula.
    The sides welcome DPRK ratification of the safeguards agreement
    with the IAEA and encourage further cooperation with the Agency in
    placing its nuclear facilities under appropriate safeguards.   Full
    compliance by the DPRK with its obligations under the NPT and the Joint
    Declaration, including IAEA safeguards as well as credible and effective
    bilateral nuclear inspections, will make possible the full resolution of
    international concerns over the nuclear problem on the Korean Peninsula.

2. **EC와 회원국 선언 (6. 29자)**

    (STATEMENT ON NORTH KOREA)

    The Community and its member States recall their statement of 31
    January 1992, and welcome the positive steps undertaken so far by the
    Government of the Democratic People's Republic of Korea towards full

0084

implementation of the Safeguards Agreement with the International

Atomic Energy Agency (IAEA), namely the ratification of the Agreement

and the nuclear inspections now being carried out.

The Community and its member States hope that the IAEA inspections will

proceed satisfactorily and will create international confidence as well

as contribute to peace and stability in the Asia-Pacific region.

Furthermore, the Community and its member States underline the importance

they attach to early and full implementation of bilateral nuclear

inspections agreed to in the framework of the Joint Declaration on the

Denuclearization of the Korean Peninsula on 31 December 1991.

The Community and its member States also urge the Government of the

Democratic People's Republic of Korea to abide by Missile Technology

Control Regime Guidelines for sensitive missile-relevant transfers and

to cease missile sales.

3. 뮌헨 서미트 의장 성명 (7. 7자)

(CHAIRMAN'S STATEMENT)

We welcome the progress achieved in the dialogue between North and

South Korea. It gives us reason to hope for a further reduction of

tension.

We are concerned about North Korea's suspected nuclear weapons prog-

ramme. The IAEA Safeguards Agreement must be fully implemented and

an effective bilateral inspection regime must be put into practice.

0085

관리 번호 92 -958

외 무 부

종 별 : 지 급

번 호 : UNW-1921

일 시 : 92 0714 2000

수 신 : 장 관 (미이, 연일, 정특, 기정) 사본 : 주 미 대사 (직송필)

발 신 : 주 유엔 대사

제 목 : 북한 핵문제

대 : WUN-1681

1. 금 7.14 윤 참사관은 미국 대표부 MANSO 아주 담당관 대리와 접촉, 미. 러 정상회담 공동선언문 및 G-7 의장 성명중 북한 핵문제 관련부분을 유엔문서 (특히 안보리 문서)로 배포코자 하는데 대한 아측의 입장을 대호 취지에 따라 설명하고 미측의 협조를 요청하였음

2. 윤 참사관은 특히 미. 소등 안보리 상임 이사국들에 의한 유엔 문서배포가 남북한간 상호 핵사찰 문제에 대한 유엔 회원국들의 관심을 환기시키므로써 북한에 대해 상호 사찰 조기이행을 촉구하는 사전 경고적 (FOREWARNING) 효과도 갖게 될 것이며, 미국으로서도 4.24 자 PICKERING 대사의 주요 유엔 회원국앞 서한에서 강조한 사항을 재확인 (FOLLOW-UP)할수 있는 계기가 될수 있을 것이라고 말함. 또한 유엔문서로 배포키로 할경우 해당국들이 공동으로 (미. 소 공동, G-7 의장국이 참가국을 대신하여 또는 공동으로) 제출하는 것이 바람직할 것이라는 의견을 제시함

3. MANSO 담당관은 아측의 요청을 국무부에 지급 보고, 회신있는대로 아측과 재협의하겠다고 말함

4. 당관으로서는 미측의 공식반응을 먼저 접수한후, 러시아 및 여타 G-7 참가국 대표부들과 추가 협의코자함

(대사 유종하-차관)

예고 : 92.12.31 일반

미주국   장관   차관   1차보   국기국   외정실   분석관   정와대   안기부

92.07.15   09:40
외신 2과   통제관 FS
0086

외 무 부

관리
번호 82-810

종　별 : 지급

번　호 : UNW-1924　　　　　　　　　일　시 : 92 0714 2000

수　신 : 장 관(미이,연일,정특,기정)사본:주미대사(직송필)

발　신 : 주 유엔 대사

제　목 : 북한 핵문제

　　연;UNW-1921

　　대:WUN-1681

1. 대호 EC 및 동 회원국들의 북한 핵문제에 관한 성명이 6.30 자 총회문서(A/47/301)로 금일 배포된바 동 문서를 별첨 FAX 송부함

2.EC 측은 상기 문서 배포 사실을 사전에 당관에 알려온바 있음

(대사 유종하-국장)

예고:92.12.31 일반

첨부:UNW(F)-0595

미주국	장관	차관	1차보	국기국	외정실	분석관	청와대	안기부

UNWMI-0598 20714 20:0~ #청부문

**UNITED
NATIONS**

General Assembly	Distr. GENERAL
	A/47/301 30 June 1992 ENGLISH ORIGINAL: ENGLISH/FRENCH

Forty-seventh session
Items 14 and 62 (b) of the
  preliminary list*

REPORT OF THE INTERNATIONAL ATOMIC ENERGY AGENCY

REVIEW AND IMPLEMENTATION OF THE CONCLUDING DOCUMENT OF THE
TWELFTH SPECIAL SESSION OF THE GENERAL ASSEMBLY: REGIONAL
CONFIDENCE-BUILDING MEASURES

<u>Letter dated 30 June 1992 from the Permanent Representative
of Portugal to the United Nations addressed to the
Secretary-General</u>

  I have the honour to transmit herewith the text, in English and French,
of a statement of the European Economic Community and its member States on
North Korea, issued at Lisbon and Brussels on 29 June 1992 (see annex).

  I should be grateful if you would have the text of the present letter and
its annex circulated as an official document of the General Assembly under
items 14 and 62 (b) of the preliminary list.

(<u>Signed</u>) Fernando REINO
Ambassador of Portugal
Permanent Representative to
the United Nations

---

  *   A/47/50

92-28731 3518b (E)   020792   050792

/...

695 -2-1

0088

ANNEX

Statement on North Korea, issued by the European Economic
Community on 29 June 1992

The European Economic Community and its member States recall their
statement of 31 January 1992, and welcome the positive steps undertaken so far
by the Government of the Democratic People's Republic of Korea towards full
implementation of the safeguards agreement with the International Atomic
Energy Agency (IAEA), namely, the ratification of the agreement and the
nuclear inspections now being carried out.

The European Economic Community and its member States hope that the IAEA
inspections will proceed satisfactorily and will create international
confidence, as well as contribute to peace and stability in the Asia-Pacific
region. Furthermore, the European Economic Community and its member States
underline the importance they attach to early and full implementation of
bilateral nuclear inspections agreed to in the framework of the Joint
Declaration on the Denuclearization of the Korean Peninsula on
31 December 1991.

The European Economic Community and its member States also urge the
Government of the Democratic People's Republic of Korea to abide by the
missile technology control regime guideline for sensitive missile-relevant
transfers and to cease missile sales.

0089

관리 92
번호 -451

외 무 부

원 본

종 별 : 지 급

번 호 : GVW-1395

일 시 : 92 0715 0900

수 신 : 장 관(미이,정안,연일,국기)

발 신 : 주 제네바 대사   사본:주미,유엔,영,독,러시아,오지리대사(중계필)

제 목 : 북한 핵 문제 CD 문서 배포

대: WGV-1045

1. 대호 미.러 정상회담 공동선언문과 EC 와 회원국 선언문, 뮌헨 서미트 의장 성명을 CD 문서로 배포키 위하여 관련국 대표부와 교섭중인바, 현재까지 진전 상황을 중간 보고함.

가. 미.러 정상회담 공동선언

O 당관 위성락 서기관이 당지 미군축 대표부(BRACKEN 차석)와 러시아 군축 대표부(RUBENKO 참사관 및 CHTCHERBAK 참사관)와 접촉한바, 미측은 좋은 아이디어라고 하면서 러시아측에 이견이 없으면 추진할 의향을 비추었으며, (MR. BRACKEN 은 아측 제의를 7.13 일부터 대통령이 발표한 폴루토늄 생산 금지 결정과 관련시켜 고려하고 있으며, 아측 제의를 계기로 미.러 정상회담시 여타 STATEMENT 의 CD 문서 배포도 아울러 검토중임을 시사하였음) 한편 러시아측은 일단 긍정적(POSITIVE) 입장을 표명하면서, 상부와 협의하여 결과를 알려 주겠다고 하였음.

O 당관은 러시아측의 추진의사가 정해지면 미.러간에 세부절차 상황을 직접 협의토록 교섭해 나갈 예정인바, 미.러 양측 공히 7.20 재개되는 CD 3 회기를 염두에 두고 검토하는 상황임.

나. EC 및 회원국 선언문 및 뮌헨 서미트 의장 성명

O 영국 대표부의 KENYON 참사관 및 독일 대표부 MULLER 참사관과 각각 접촉한바, 양인 모두 본부에 청훈하여 결과를 알려주겠다고 함.

O 동 접촉시 영국, 독일 공히 여타 회원국과의 의견 조정도 필요한 것으로 감축되었으며, 뮌헨 서미트 성명의 경우, 한반도 관련 사항이 별도로 작성된 것이 아니므로 대호 문안만을 CD 문서 배포를 요청할수 있을지 기술적인 애로점도 예상되었는바, 아측은 우선 한반도 관련 사항의 별도 배포를 추진하고, 불연시 동

미주국	장관	차관	1차보	국기국	국기국	외정실	분석관	정와대
안기부	중계							

PAGE 1

의장 성명중 군축 관련사항 전체의 배포를 차선택으로 추진해보고자 함.

2. 상기 관련 대부분의 관련 대표부측이 본국협의 내지, 회원국과의 협의 의사를 피력하고 있으므로, 본부에서 해당국의 본국정부에 대하여도 동일한 교섭을 전개하는 문제를 검토하여 주시기 바람. 끝.

(대사 박수길-국장)

예고 92.12.31. 까지

2. 北韓 核問題 관련 EC聲明, 유엔 總會文書로 配布

7/16 신 71

ㅇ 7.14 유엔事務局은 지난 6.29 EC 및 會員國들이 發表한 바
있는 對北韓 聲明(南北相互核查察 早期實施의 重要性 強調,
北韓의 미사일 販賣中斷 促求)을 EC側 요청에 따라 유엔
總會文書로 會員國에 配布하여 北韓에 대한 國際的 輿論을
喚起시킴.

  - 한편, 우리側은 美.러 頂上會談 共同宣言 및 G-7 頂上會議
    議長聲明中 北韓 核問題 관련 部分도 유엔安保理 및 軍縮
    會議文書로 配布키 위해 美國등 關聯國과 協議中임.

                              (駐유엔 및 제네바大使 報告)

0092

관리
번호 82-465

외 무 부

종   별 :

번   호 : AVW-1169   일   시 : 92 0721 1800

수   신 : 장 관(미이,국기,구일) 사본:주영,주독,주미,주일대사-중계필

발   신 : 주 오스트리아 대사

제   목 : 북한 핵문제 관련 IAEA 문서 배포

대:WAV-1076

연:AVW-1091

1. 대호 관련 그간 당지 영국대표부(EC 의장국) 및 독일대표부(G-7 의장국)와 교섭 결과를 아래 중간 보고함.

가. EC 의 6.29 자 북한 관계 성명 관련 영국측은 종래 자국의 관행상 IAEA에의 공식문서 배포 요청 사례가 극히 드물었으며, 이미 7.7 자로 동 성명을 당지 각국 상주대표부에 회람 공한으로 배포하였으므로 IAEA 문서로 회람할 필요가 있는지 의문시 된다는 일단 소극적 반응을 보였는바, 아측은 대북한 압력 지속의 필요성뿐 아니라 IAEA 에 직접 관련된 내용을 담고 있는 동 성명을 IAEA 이사회 공식문서 (GOV/INF)로서 배포하는 것은 당연하며 또한 IAEA 기록으로 남기는의미가 있음을 강조, EC 의장국으로서 영국측이 특별히 협조하여 줄것을 거듭 요청하였음.

나. 이에 영국측은 아측의 특별한 요청이므로 본국정부에 청훈하고 여타 EC회원국과도 협의하겠다고 하였음.

다. G-7 정상회담 의장 성명 관련 독일측은 일단 긍정적 반응을 보이면서 본국정부 및 G-7 회원국과의 사전협의를 필요로 함으로 동 협의를 거친후 결과를알려 주기로 하였음.

라. IAEA 사무국으로서는 관계 당사국들의 공식 요청이 있으면 문서 배포에문제가 없다는 입장임.

2. 상기 감안 본건 교섭을 EC 의장국인 영국및 G-7 의장국인 독일의본국정부에 대해 주한및 현지 주재대사관을 통해서도 시행할것과 아울러 EC 회원국및 G-7 관계국 본국정부에 대하여도 교섭해 줄것을 건의함. 끝.

(대사 이시영-국장)

대고문에 의거 재분류(19   92.12.31
라임

미주국	장관	차관	1차보	구주국	국기국	외정실	분석관	청와대
종리실	안기부	중계						

PAGE 1

예 고: 92.12.31 까지.

0094

분류번호	보존기간

발 신 전 보

번   호 : WUS-3394 외 별지참조   종별 : _____

수   신 : 주 수신처 참조   대사. 총영사

발   신 : 장 관 (미이)

제   목 : 북한 핵문제

연 : WUS-3229, WJA-3035, WRF-2124, WGE-0958, WUK-1196, WFR-1440,
WIT-0696, WCN-0728, WID-0137, WDE-0238, WGR-0208, WSP-0452,
WPO-0258, WBB-0324, WHO-0166, (WAV-1076, WUN-1681, WGV-1014,
WCP-1554)

연호 주요국 양자 또는 다자간 정상회담시 합의된 북한 핵문제에 관한 선언문을 유엔, IAEA, 군축위원회등 주요 국제기구 공식문서로 배포하는 문제와 관련, 동 국제기구 주재 관계국 대표부측은 우리측의협조 요청에 대해 본국과의 협의 내지는 관계 회원국과의 협의가 필요하다는 1차적 반응을 보이고 있는 바, 귀주재국 관계관에 대해서도 연호 우리측 입장 및 취지를 설명하고 협조를 요청하기 바람.   끝.

(미주국장 정태익)

수신처 : 주미, 일, 러, 독, 영, 불, 이, 카, 아일랜드, 덴마크, 희랍, 스페인, 폴투갈, 벨기에, 화란대사 (사본 : 주오지리, 유엔, 제네바대사, 주북경대표)

데고문에 의거 재분류(19 92.12.31)
직위   성명   동제

양고재	기안자성명		과장 성의건	국장	차관	장관	외신과통제
북미과				전결			

0095

WUS-3394   920722 1118 WG

WJA -3191   WRF -2252   WGE -1009   WUK -1261   WFR -1519

WIT -0734   WCN -0773   WID -0145   WDE -0251   WGR -0223

WSP -0485   WPO -0267   WBB -0340   WHO -0178   WAV -1125

WUN -1768   WGV -1092   WCP -1649

0096

외 무 부

<table>
<tr><td>관리
번호</td><td>92
- 468</td></tr>
</table>

종 별 :

번 호 : HOW-0202　　　　　　　　일　시 : 92 0722 1600

수 신 : 장관(미이,구일,연일)

발 신 : 주 화란 대사

제 목 : 북한 핵문제

　　대: WHO-0166, 0178

　　1. 당관 금참사관은 92.7.22(수) 주재국 외무부 K.A.NEDERLOF 핵무기 통제 및 군축 담당 과장을 방문, 대호건과 관련한 우리측 입장, 취지를 설명하고 이에대한 협조를 요청하였음.

　　2. 이에 대해 동 과장은 우리측 입장에 지지를 표하면서 대호 국제기구 또는 성명문 관련국의 요청이 있을 경우 적극 협조하겠다고 언급하였음.

　　3. 또한 동 과장은 대호 목적을 위한 효과면을 고려할때 오는 9 월 IAEA 총회 및 유엔총회를 이용 결의문 채택을 추진하는 것도 바람직할 것이라는 개인적 견해를 표명하였음을 참고로 덧붙임.

　　(대사-국장)

　　예고:92.12.31. 까지

미주국　　구주국　　국기국

PAGE 1

관리 9₂
번호 -46₇

원 본

외 무 부

종 별 : 지 급

번 호 : GVW-1442   일 시 : 92 0722 1830

수 신 : 장관(미이,정안,연일,국기) 사본:주미,주유엔,주영,주독,주러시아,주오

발 신 : 주 제네바 대사   지리 대사-중계필

제 목 : 북한 핵문제 CD 문서 배포

대: WGV-1092

연: GVW-1395

대호 북한 핵문제 관련 선언문의 CD 배포 관련 연호 이후 진전상황을 아래 추보함.

1. 미.러 정상회담 공동선언

0 러시아측이 동건에 긍정적 입장을 표명함에 따라 미측으로 하여금 러시아측과 직접 접촉, 세부사항은 협의토록 요청하였으며, 미측은 금 7.22 중 러시아측과 접촉 예정임.

0 다만 러시아의 BATSANOV 대사는 한반도 관련 사항만 분리하여 배포하는데문제가 없을 것인지를 미측과 협의해 보겠다는 입장인바, 미측은 전체 STATEMENT의 CD 문서 배포도 좋다는 입장이므로, 아측으로서는 상황을 보아 대처하되, 가급적 한반도 문제가 별도 배포되도록 추진코자 함

0 당관은 러시아측과 협의시 근래 아국 외무장관 방러와 엘칠 대통령 방한 예정등을 계기로 강화되고 있는 한, 러간 주요 국제문제에 대한 협조 차원에서 본건을 다루어 줄것을 요청하고 있음.

2. EC 및 회원국 선언문

0 영국 대표부의 KENYON 참사관은 본국 및 비엔나, 뉴욕 주재 공관과 협의한 결과임을 전제하고 다음 이유로 CD 문서 배포가 불요하다는 것이 영국측 입장임을 알리고 양해를 구하여 왔음(동인은 비엔나 및 뉴욕에서도 영국입장은 동일한 것으로 안다고 하였음)

  - EC 의 선언문은 발표당시 언론등을 통하여 충분히 RELEASE 되었음.

  - 특히 본건과 가장 직접적인 관련이 있고 배포에 적절한 대상기구는 IAEA 인바, 이미 비엔나 소재 IAEA 회원국 대표부에 서한을 통하여 선언문을 배포한바있음.

미주국	장관	차관	1차보	국기국	국기국	외정실	분석관	청와대
안기부	중계							0098

PAGE 1   92.07.23   04:17
                                    외신 2과 통제관 FM

3. 뮌헨 서미트 의장 성명

O 독일 대표부 MULLER 참사관은 다음 애로를 들어 소극적 입장을 설명 하여옴.

- 뮌헨 서미트가 기본적으로 경제정상회담 성격이 강하므로, 동 성명을 CD 에 배포함이 적절한지 검토하여야 함. (배포전례가 없는 것으로 안다고 함)

- 한반도 관련 부분이 분리 배포하기 어렵게 되어 있고, 한반도 문제 배포시, 보다 중요하고 CD 와 관련성이 큰 유고의 국제기구 참가자격 문제 부분을 여하히 할 것인지가 논란이 됨.

O 상기 설명시 독일측은 한반도 핵문제에 관한 아측의 관심을 충분히 이해한다고 하면서, 아측이 아측 목적에 따라 뮌헨 서미트 성명을 자유로이 활용하는데 아무런 문제가 없음을 부연하였는바, 아측은 북한 핵문제 해결을 위한 국제적협력 필요성을 재강조하고, 미.러 정상회담 성명이 CD 에 배포될 경우, 독일이 긍정적으로 재검토하여 줄것을 요청해 두었음.

O 여사한 독일측 태도의 이면에는 독일이 CD 내 화학무기 협약 협상의 의장국인 관계로 최종단계에 와있는 동 협상과 관련 조금이라도 대립적인 행동을 주도하지 않으려는 WAGNER 군축 대사의 배려가 있은것으로 관측됨.

O 대호 본에서의 교섭과 병행하여 계속 독일 대표부와 접촉 위계임.

(대사 박수길-국장)

예고 92.12.31. 까지

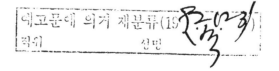

공　　란

공 란

관리
번호 82 -473

외 무 부

종 별 :

번 호 : GEW-1460   일 시 : 92 0723 1200

수 신 : 장관(미이,국기,구일) 사본:주 AV, GV 대사(직송필)

발 신 : 주 독대사

제 목 : 북한 핵문제관련 IAEA 문서배포

대: WGE-1008,1009

대호관련 안공사는 7.22. 외무부 IAEA 및 핵문제 담당 NOCKER 과장(FLEISCHER 담당관 배석)을 면담, 북한 핵문제에 관한 상세한 설명에 이어 대호 G-7 정상회담 의장성명중 북한 핵관련 내용을 IAEA 공식문서로 배포하기 위한 주재국 정부의 적극적인 협조를 요청한바, 동과장의 반응을 다음 보고함

1. 주오지리 IAEA 독일대표로부터 아직 이에관한 보고를 받은바 없으나, 북한 핵문제에 관한 한국정부의 입장과 대호관련문서의 공식배포에 관한 취지를 충분히 이해함

2. G-7 정상회담 의장성명(북한 핵관계 포함)은 이미 공표된바 있어, 내용상으로는 문제가 없으나, 다만 기술적인 문제로 의장성명중 일부만을 발췌하여 공식문서로 배포하는데 따르는 검토가 있어야 하고, 아울러 여타 G-7 국가와의 협의도 필요한 것으로 봄.

3. 또한 G-7 의장성명은 이미 언론등을 통하여 널리 홍보된바 있어 추가적으로 또다시 공식문서로서 배포할 필요성이 있는지에 대하여도 검토가 필요하나, 가능한 방안을 적극검토코저 함. 끝

(대사-국장)

예고: 92.12.31.까지

예고문에 의거 재분류(1992(23).)

미주국   장관   차관   1차보   구주국   국기국   외정실   분석관   정와대
안기부

S₁

관리 번호	92 ─ 1000

외 무 부

종 별 :

번 호 : GEW-1461   일 시 : 92 0723 1530

수 신 : 장관(미의),정북,구일)

발 신 : 주 독 대사

제 목 : EC 의 대북한 선언문 북한 반응

　　당관 안공사가 7.23. 외무부 SOMMER 동아국장으로부터 입수한바에 의하면, 7.22. 주폴부갈 북한대사는 북한 핵관련 6.29. 자 EC 명의의 대북한 선언문에 대하여 하기 내용의 문서(문서형식은 미상)를 폴류갈 외무성에 정식으로 제출하겠다 함.

"THE GOVERNMENT OF THE DEMOCRATIC PEOPLE'S REUPUBLIC OF KOREA CANNOT AGREE WITH THE LINES EXPRESSED IN THE MENTIONED STATEMENT OF 29 JUNE 1992 SINCE THE OFFICIAL NAME OF THIS REPUBLIC IS NOT CLEARLY STATED AND AN UNILATERAL IMPOSITION HAS BEEN FORCED ON US.

IF THE EUROPEAN COMMUNITY PROCEEDS WITH A PARTIAL AND FAVOURITE POLICY TOWARDS SOUTH KOREA IT WILL NO DOUBT CONTRIBUTE TO THE WORSENING OF THE SITUATION IN THE KOREA PENINSULA.

FURTHERMORE THIS ATTITUDE IS NOT IN ACCORDANCE WITH THE COMMUNITY PEACEFUL POLICY AND WILL INCREASE THE DISTRUST ON THE IMPARTIALITY OF ITS MEMBER STATES."끝

　　(대사-국장)

　　예고:92.12.31. 일반

미주국	차관	1차보	구주국	외정실	분석관	청와대	안기부

외 무 부

종 별 :

번 호 : UNW-2005

일 시 : 92 0723 2030

수 신 : 장관 (북미2과 이호진 과장)

발 신 : 주 유엔 대사 (윤병세)

제 목 : 업연(북한 핵문제 유엔문서 배포)

연: UNW-1921, 1924

1. 연호, 미국대표부 측으로 부터의 공식 회신이 명일 또는 내주초 있을것으로 예상되는바, 회신 접수 즉시 공전 보고 드리겠음.

2. 소제가 7.21. 미측 담당관과 접촉시 동인은 비공식임을 전제로 그간 국무부 관계국과 협의결과 본건 추진에 큰문제가 없는것으로 보인다고 언급한바 있으나, 주미대사 보고 (USW-3658) 를 감안해 볼때 지역국 (한국과)과 국제기구국간에 이견이 있는것으로 보여짐.

3. 본건 관련 연호 이후 주미대사관과도 계속 긴밀히 협조하고 있는바, 당관 공전보고시 당관 의견을 아울러 제시해 올리고자함. 끝

독후파기

미주국

관리 P2
번호 -1004

외 무 부

종 별 : 지급

번 호 : JAW-4171   일 시 : 92 0724 1106

수 신 : 장 관 (아일, 아동, 미이, 정특) 사본 : 주 필리핀 대사

발 신 : 주 일 대사 (일정)

제 목 : PMC (일 수석대표 연설중 한반도관계 부분)

　　　금 7.24 (금) 오전 일 외무성측은 가끼자와 일 외상대리가 PMC 에서 행할 연설중 한반도관계 부분을 아래와 같이 통보하여 왔음.

　　　한반도의 긴장완화를 도모하는 것은 금일의 아시아 태평양지역의 안전보장에 관계되는 가장 중요한 과제의 하나임. 이를 위해서는 남. 북한간의 대화가 주축이며, 이러한 대화를 통해 화해에의 길이 열리기를 기대해마지 않음. 또한 동시에 이러한 대화를 주변제국이 협력하여 지원해 나가는 것도 중요함.

　　　현재 북한에 의한 핵무기개발 가능성에 관해 심각한 우려가 있어, 이지역의커다란 불안정 요인이 되고 있음. 북한에 의한 IAEA 의 사찰수락은 약간의 진전을 의미하고 있으나, 유감스럽게도 남. 북한 상호사찰의 실시는 아직도 불부명한 상황임. 이러한 사찰들을 통해 북한의 핵무기개발에 대한 의혹이 완전히 불식되도록 아시아. 태평양제국을 비롯하여 국제사회가 협력해서 북한에 대한 영향력을 행사해 나가지 않으면 않됨. 일본도 일북 국교정상화 교섭에서 동 문제의 해결이 없이는 북한과의 국교정상화는 곤란하다는 입장에서 이목적 (북한의 핵문제 해결을 의미한다 함)의 달성을 위해 노력할 결의임. 끝

　　　(대사 오재희-국장)

　　　예고 : 92.12.31. 일반문에 의거 일반문서로 재분류됨

아주국　　장관　　　차관　　　1차보　　　아주국　　미주국　　외정실　　　분석관　　　청와대
안기부　　중계

PAGE 1

공 란

공   란

관리 번호	92 -478

원 본

외 무 부

종 별 :

번 호 : RFW-2994

일 시 : 92 0727 1650

수 신 : 장 관 (미이, 동구일, 사본 : 주 제네바 대사)

발 신 : 주 러 대사

제 목 : 북한 핵 문제

대 : WRF-2252

1. 대호 관련 당관 이원영 공사는 7.23 (목) 및 7.24 (금) 각각 주재국 외무성 마요르스키 과학기술 협력국장 및 소콜로프 군축및 군사기술 통제총국장 (전 주한 대사)을 면담하고 북한 핵 문제에 관한 미. 러 정상간 공동선언문등을 CD 및 안보리의 공식문서로 배포코자하는 아측입장 및 취지를 설명하고 협조를 요청하였음.

2. 이에 동인들은 아직 주제네바 대표부등 현지공관으로부터 보고가 없으나 미. 러 정상간 공동성명을 상기 국제기구 공식문서로 배포하는데 별다른 문제가 없을 것이라는 반응을 보였음. 끝

(대사 홍순영-국장)

예고 : 92.12.31 까지

예고문에 의거 재분류(10)

직위   성명

미주국	장관	차관	1차보	구주국	분석관	청와대	안기부	중계

PAGE 1

長 官 報 告 事 項

報 告 畢

1992. 7. 27.
北 美 2 課 (62)

題 目 : 남북상호사찰 촉구 성명문 국제기구 공식문서 배포함여 및 결과 等

> 북한 핵문제 해결을 위한 외교 노력의 결과 주요 우방국간 양자 또는 다자
> 정상회담시 발표된 남북상호사찰 촉구 성명문을 관련국제기구의 공식문서로
> 배포토록 추진해 왔는 바, 동 추진의 중간 평가 및 향후 조치 계획을 아래
> 보고드립니다.

1. 추진 개요

  ○ 남북상호사찰 촉구 성명문

    - 북한에 대해 IAEA 사찰의 충실한 이행과 아울러 신뢰성 있고 효과적인
      (credible and effective) 남북상호사찰 실시를 촉구하는 내용

      . 6. 17 미. 러 정상회담 공동성명 (Joint Statement)

      . 6. 29 EC 및 회원국 성명 (Statement)

      . 7. 7 G -7 뮌헨 정상회담 의장 성명 (Chairman's Statement)

  ○ 추진대상 국제기구

    - UN 총회 및 안보리 공동 문서

    - IAEA 이사회 공식 문서

    - 제네바 군축회의 (CD) 공식 문서

  ○ 추진 목적

    - 철저한 남북상호사찰 실시가 북한의 핵의혹 해소에 필수적이라는 우리의
      기본입장에 대한 국제적 공조체제를 재확인

    - 이를 통해 북한에 대한 국제적 압력을 계속 강화시켜 나감

- 1 -

0109

2. 추진 중간 평가

가. IAEA 이사회 문서

  ○ 미.러 정상회담 공동 성명 : 6. 19자 이사회 문서로 기 배포

  ○ EC 및 회원국 성명 : 영국이 EC 의장자격으로 동 성명문을 IAEA 회원국
     상주대표부에 기 배포하여 남북상호사찰의 중요성을 알리는 등 소기의
     목적을 달성하였으므로, IAEA 공식문서로의 추가 배포는 불요한 것으로 판단

  ○ G-7 정상회담 의장 성명 : 독일 외무성은 G-7 의장 성명 중 일부만
     발췌.배포하는 기술적 문제점과 이미 언론을 통해 홍보된 내용을
     추가적으로 배포할 필요가 있는지 여부에 대한 검토가 필요하다는 등
     소극적 입장 표명

나. UN 총회 및 안보리 공동문서

  ○ EC 및 회원국 성명 : 6. 30 UN 총회 문서로 기 배포

  ○ 미.러 정상회담 공동성명 및 G-7 의장 성명 : 우선 미측 의견 타진중인 바,
     최종 입장 미 접수

    - Kartmarn한국과장은 현 단계에서 북한 핵문제를 UN 차원에서 제기하는
      것은 시기 상조라는 반응 표시

      (단, 미 국무부 지역국과 국제기국간 다소 이견이 있는 것으로 보임)

다. 제네바 군축회의(CD) 공식 문서

  ○ 미.러 정상회담 공동성명 : 러시아측이 긍정적 입장을 표명함에 따라,
     미.러간 세부사항 협의 중

  ○ EC 및 회원국 성명 : 영국 대표부는 동 성명문이 이미 IAEA 회원국에
     배포되었음을 이유로, CD 차원의 공식문서 배포는 불요하다는 입장을 표명

  ○ G-7 정상회담 의장 성명 : 독일 대표부는 G-7 서미트가 기본적으로 경제
     정상회담이라는점과 한반도 관련 부분의 발췌.배포가 기술적으로 어렵다는
     점등을 들어 일단 소극적 입장을 보임

- 2 -

0110

3. 검토 의견 및 관련 조치

　가. 검토의견

　　ｏ IAEA 차원에서는 이미 소기의 목적 달성한 것으로 판단

　　　- 6. 19 미.러 정상회담 성명문이 IAEA 이사회 공식문서로 배포되었고,
　　　　EC 성명도 간접적이기는 하나 영국 대표부 서한을 통해 문안이 회원국에
　　　　배포됨

　　　- 따라서, G-7 의장성명의 IAEA 공식문서 배포는 적극적으로 추진하지 않고
　　　　G-7 의장국이었던 독일의 최종 입장을 따르도록 함

　　ｏ 제네바 CD에서의 공식문서 배포

　　　- 미.러 정상회담 성명의 경우는 미.러간 접촉 결과를 수용

　　　- EC 성명 및 G-7 의장성명은 CD가 핵비확산 문제와 직접적 연관이 없다는
　　　　점과 해당국들의 소극적 반응을 고려 더이상 추진하지 아니함

　　ｏ UN에서의 공식문서 배포는 미측을 설득하여 적극 추진
　　　(EC 성명은 6. 30자로 기 배포)

　　　- 북한 핵문제 관련 구체적인 UN 조치 필요시에 대비, 우선 남북상호
　　　　사찰의 중요성에 대해 UN 안보리 및 총회차원에서 주의를 환기시키는 것은
　　　　바람직

　나. 관련 조치

　　ｏ 미측 입장 접수 후 아측 입장 확정

　　ｏ 우리측 최종 입장 확정 후 해당 국제기구 대표부 및 EC, G-7 주재 공관에
　　　관련 지침시달

4. 언론 대책

　　ｏ 조치결과 확정시까지는 대외 보안 유지, UN 공식문서 배포 결정시에는
　　　적극 홍보

- 끝 -

예　고 : 92. 12. 31. 일반

- 3 -

0111

관리 92
번호 -102

외 무 부

종 별 : 지 급

번 호 : POW-0379

일 시 : 92 0729 1200

수 신 : 장관(민이,정북,구일,구이,기정)

발 신 : 주 폽부갈 대사

제 목 : 북한핵 문제(자료응신 92-72)

대:POW-0351
대:WPO-0258,0267

1. 당관 김참사관은 7.28(화) 외무성 DR.FERNANDES 아주국장 대리를 오찬, 면담하고 북한대사관 동정등을 탐문한바 결과 아래 보고함(MATOS 아주국장은 마닐라 출장중)

. 가. 동 담당관은 연호, EC 의 북한관계 선언문 관련, 주재국 외무성은 지난 7 월 초순 당지 북한대사관으로 부터 하기와 같은 -COMPLAINT- 공한을 접하였으며, 그후 7.8-9 EPC 아주국장 회의시 구두합의에 따라 동 공한(영어 번역문)을당지 주재 UN 회원국 공관에 지난주 CIRCULATE 하였다고 밝힘.

THE EMBASSY OF THE DEMOCRATIC PEOPLE'S REPUBLIC OF KOREA PRESENTS ITS COMPLIMENTS TO THE MINISTRY OF FOREIGN AFFAIRS OF THE PORTUGUESE REPUBLIC AND HAS THE HONOUR TO INFORM THE FOLLOWING CONCERNING THE EC STATEMENT ON THIS COUNTRY:

THE GOVERNMENT OF THE DEMOCRATIC PEOPLE'S REPUBLIC OF KOREA CANNOT AGREE WITH THE LINES EXPRESSED IN THE MENTIONED STATEMENT OF 29 JUNE 1992 SINCE THE OFFICIAL NAME OF THIS REPUBLIC IS NOT CLEARLY STATED AND AN UNILATERAL IMPOSITION HAS BEEN FORCED ON US.

IF THE EUROPEAN COMMUNITY PROCEEDS WITH A PARTIAL AND FAVOURITE POLICYTOWARDS WOUTH KOREA IT WILL NO DOUBT CONTRIBUTE TO THE WORSENING OF THE SITUATION IN THE KOREAN PENINSULA. FURTHERMORE THIS ATTITUDE IS NOT IN ACCORDANCE WITH THE COMMUNITY PEACEFUL POLICY AND WILL INCREASE THE DISTRUST ON THE IMPARTIALITY OF ITS MEMBER STATES.

미주국 안기부	장관	차관	1차보	구주국	구주국	외정실	분석관	청와대

92.07.29   20:53

* 원본수령부서 승인없이 복사 금지

외신 2과 통제관 FR
0112

THE EMBASSY OF THE DEMOCRATIC PEOPLE'S REPUBLIC OF KOREA AVAILS ITSELFOF THIS OPPORTUNITY TO RENEW TO THE MINISTRY OF FOREIGN AFFAIRS OF THE PORTUGUESE REPUBLIC THE ASSURANCES OF ITS HIGHEST CONSIDERATION.

나. 동인은 또한 PINHEIRO 주재국 외상이 앞으로 EC 집행위원으로 자리를 옮길 가능성이 있으며 그후임 외상으로는 DRAO BARROSO 현 외무.협령 담당국무상이 유력시 된다고 발언함.

2. 김참사관은 이자리에서 대호 북한 핵 문제에 관한 우리측 입장을 설명하고 주재국의 협조를 요청함.

(대사 조광제-국장)

예고:92.12.31 일반

관리 92
번호 -488

외 무 부

종 별 : 지 급

번 호 : CNW-0857

일 시 : 92 0729 1820

수 신 : 장 관(미이)

발 신 : 주 캐나다 대사

제 목 : 북한 핵문제

대:WCN-0728,0773

1. 당관 백참사관이 7.29. 주재국 외무부 원자력과 P. BARTON 부과장 및 북아과 TERRY WOOD 한국담당관을 각각 면담, 대호 북한 핵문제에 관 선언문이 유엔, IAEA, 군측위원회등의 공식 문서로 배포될수 있도록 협조를 요청하였음.(대호 발표 내용 동시에 전달)

2. 이에 대해 동인들은 북한의 핵문제 해결을 위해서는 효과적인 남. 북 상호 사찰이 실시되어야 한다는 입장임을 강조한후, 대호 성명문이 주요 국제 기구의 공식문서로 배포되는 것을 지지 한다고 언급하였음.

(대사 박건우-국장)

예고: 92.12.31. 까지

예고문에 의거 재분류(　　　)
심의　　　성명

미주국　　　　　　　　　분석관

발 신 전 보

번   호 : WUS-3522   외 별지참조   종별 : _____

수   신 : 주   수신처 참조 대사. 총영사

발   신 : 장 관 (미이)

제   목 : 북한 핵문제 관련 국제기구 문서 배포

연 : WUS-3394, WJA-3191, WRF-2252, WGE-1009, WUK-1261, WFR-1519,

WIT-0734, WCN-0773, WID-0145, WDE-0251, WGR-0223, WSP-0485,

WPO-0267, WBB-0340, WHO-0178, WAV-1125, WUN-1768, WGV-1092,

WCP-1649

1. 연호, 남북상호사찰을 촉구하는 성명문 (미.러 정상회담 공동성명, EC 성명,
G-7 의장성명)을 UN, IAEA, CD 등 국제기구의 공식문서로 배포하는 문제에
대해 그간 관련국들과 협의해 온 바, 일부 국가의 경우 이미 언론 및
해당국가의 회람을 통해 홍보된 내용을 국제기구 문서로 별도 배포하는
것의 효과 여부, 전체 성명문 중 한반도 부분만을 발췌. 배포하는 기술적
문제점 등을 들어 다소 소극적 반응을 보이고 있음.

2. 이에 따라 본부로서는 현단계의 성과 이상으로 동 건을 무리하게
추진하지 않는 것이 좋겠다는 판단을 하고있으니, 귀주재국 및 관계국
접촉시 이러한 본부판단을 감안 본건을 적절히 종결시켜 나가기 바람. 끝. 마무리 짓기 바람.

예 고 : 92. 12. 31. 일반.   (장 관)

수신처 : 주미, 일, 러, 독, 영, 불, 이, 카, 아일랜드, 덴마크, 희랍, 스페인,
폴투갈, 벨기에, 화란, 오지리, 유엔, 제네바대사 (사본:주북경대표)

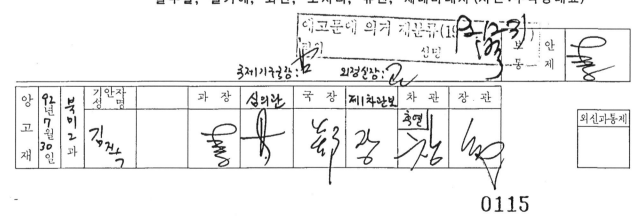

92
-1024

WUS-3522   920730 1644 WG

WJA -3288   WRF -2354   WGE -1065   WUK -1325   WFR -1572

WIT -0768   WCN -0796   WID -0148   WDE -0264   WGR -0229

WSP -0501   WPO -0272   WBB -0352   WHO -0188   WAV -1164

WUN -1845   WGV -1137   WCP -1742

0116

원 본

외 무 부

종 별 :

번 호 : GEW-1488   일 시 : 92 0730 1630

수 신 : 장관(민이,국기,구일)

발 신 : 주 독 대사

제 목 : 북한 핵관련 IAEA 문서배포

연:GEW-1460

연호 관련, 7.30. 외무부 NOCKER 과장은 안공사에게(전부관 참사관 동석), 다음요지의 설명과 함께 아측의 이해를 구한바, 아래 보고함

가. 연호 아측요청에 관하여는, 주재국 외무부 고위층에서도 적극 검토한바있으며, 독일정부로서는 북한 핵문제에 관한 한국정부의 우려와, 이문제의 포괄적 해결이 지역긴장완화및 세계적 핵 비확산 문제에 미치는 중요성에 관하여 전적으로 동감하고 있음

나.G-7 정상회담 의장성명은 이미 언론을 통해 널리 홍보된바 있고, 독일 정부 BULLETIN 에도 공표된바 있으므로, 동 내용은 자유로이 활용될수 있음.

다. 그러나 IAEA 가 동 성명의 일부만을 발췌하여 배포하는 문제에 관하여는 여타 G-7 국가들과도 협의한바, 형식및 절차면에서 적절치 못하다는 의견임.

라. 따라서 독일정부로서 내용이 아닌 기술적인 사유로 인하여 IAEA 측에 문서배포를 요청하기가 어려운 입장임을 이해해 주기바라며, 전기한 입장을 7.29. 주 비엔나 IAEA 대표부에도 통보하였음. 끝

(대사-국장)

예고:92.12.31. 까지

대고문에 의기 재분류(19   )
직위   성명

미주국   장관   차관   1차보   구주국   국기국   외정실   분석관   청와대
안기부

관리 92
번호 -48P

외 무 부

종 별 :

번 호 : BBW-0564   일 시 : 92 0730 1800

수 신 : 장관(미심)

발 신 : 주 벨기에 대사

제 목 : 북한 핵문제

대:WBB-0340

1. 당관 이동진 공사는 금 30 일 오후 주재국 외무부 핵문제 담당국장 M.HOULLEZ 와 면담, 대호 아측 입장을 설명하고 협조를 요청함.

2. 동 국장은 6.29. 자 EC 회원국 선언이 이미 IAEA 사무총장에게 전달된 것으로 알고있다고 하면서, 동 선언이 IAEA 등 국제기구의 각 회원국에게 공식 회람되기 위해서는 EC 의장국이 정식 요청하는 절차가 필요한바, 본건이 EC 회원국간에 거론되는 경우 벨기에로서 한국측 견해가 반영되도록 최대한 노력하겠다고, 비엔나 주재 벨측 대표에게 같은 취지를 봉달하겠다고 말함.

3. 또한 동 국장은 G-7 서미트 성명의 경우도 의장국이 각 국제기구에 공식회람을 요청하는 절차가 필요할 것이라는 사견을 피력함. 끝.

(대사 김이명-국장)

예고:92.12.31. 까지

대고문대 의거 재분류(19   우 23 .)
직위   성명

미주국   장관   차관   1차보   국기국   분석관   청와대   안기부

외 무 부

종 별 :

번 호 : AVW-1198　　　　　　　　　일 시 : 92 0730 1730

수 신 : 장 관(국기,미이,동남아)

발 신 : 주 오스트리아 대사

제 목 : 북한핵문제 (ASEAN 확대 외무장관회의 기자회견)

　　금번 ASEAN 확대 외무장관 회의시 북한 핵문제 논의 결과와 관련한 7.26 ASEAN 의장(필리핀 외상)의 마닐라 기자회견 전문 TEXT 를 송부하여 주시기바람. 당지 각국대표부및 사무국 접촉에 활용코저함. 끝.

　　(대사 이시영-국장)

국기국　　아주국　　미주국

OUTLINE OF OPENING REMARKS FOR
JOINT PRESS CONFERENCE OF 25TH AMM/PMC

FOLLOWING ARE BRIEF SUMMARIES OF THE MAIN TOPICS:

TRENDS IN REGIONAL SECURITY

- THERE WAS GENERAL RECOGNITION OF THE
VALUE OF DIALOGUES ON REGIONAL SECURITY. BECAUSE
A SITUATION OF UNCERTAINTY AND FLUX HAD DEVELOPED
IN OUR REGION AND THE WORLD FOLLOWING THE END OF
THE COLD WAR AND THE CHANGED GEOPOLITICAL
ENVIRONMENT.

CAMBODIA

-. THERE WAS GENERAL AGREEMENT THAT WHILE THE PEACE
PROCESS HAD SLOWED BECAUSE OF KHMER ROUGE
OBDURACY, IT WAS NECESSARY TO GET THE KHMER ROUGE
BACK INTO THE PROCESS IF A COMPREHENSIVE PEACE WAS
TO BE ACHIEVED. IT WAS FELT THAT THE KHMER
ROUGE'S COMPLAINTS SHOULD AT LEAST BE LOOKED INTO
TO FIND OUT IF THERE WERE VALID GROUNDS FOR ANY OF
THEM, AND WHAT COULD BE DONE TO ADDRESS THOSE
COMPLAINTS. BUT IT WAS FIRMLY UNDERSTOOD THAT
NONE OF THE CAMBODIAN PARTIES SHOULD BE PERMITTED
TO DERAIL THE PEACE PROCESS AND THAT THE PARIS
ACCORDS WERE NOT SUBJECT TO RENEGOTIATION OR
REINTERPRETATION.

INDOCHINESE REFUGEES

INTERNATIONAL ATTENTION SHOULD BE FOCUSSED ON THE
NEED TO ACCELERATE THE RESETTLEMENT OF REFUGEES
AND THE REPATRIATION OF NON-REFUGEES. EC SUPPORT
IN THE MATTER OF REINTEGRATION IN VIETNAM OF
REPATRIATES WAS APPRECIATED AND HOPE WAS EXPRESSED
THAT OTHER POTENTIAL CONTRIBUTORS COULD PROVIDE
ADDITIONAL SUPPORT FOR THE REINTEGRATION PROCESS,
INCLUDING THE COSTS OF REPATRIATING THE NON-
REFUGEES HOME FROM THE COUNTRIES OF FIRST ASYLUM
OR TEMPORARY REFUGE.

0120

SOUTH CHINA SEA AND OTHER PROBLEM AREAS

ASEAN'S INITIATIVE IN ISSUING ITS DECLARATION ON
THE SOUTH CHINA SEA AT THE 25TH AMM WAS HAILED BY
ALL THE DIALOGUE PARTNERS, AS WERE THE COOPERATIVE
ATTITUDES SHOWN BY CHINA AND VIETNAM WHEN THEY
ANNOUNCED THEIR SUPPORT FOR THE DECLARATION.

THERE WAS CONTINUED CONCERN OVER THE SITUATION ON
THE KOREAN PENINSULA, PARTICULARLY WITH RESPECT TO
THE ISSUE OF NUCLEAR INSPECTION. THE HOPE WAS
EXPRESSED THAT NORTH KOREA WOULD AGREE TO A REGIME
OF RECIPROCAL NORTH-SOUTH INSPECTION FEATURING THE
SO-CALLED "CHALLENGE INSPECTION" FORMULA.

URUGUAY ROUND AND THE G-7 SUMMIT IN MUNICH

THERE WAS GENERAL DISAPPOINTMENT THAT THE G-7
SUMMIT IN MUNICH FAILED TO ACHIEVE PROGRESS ON THE
URUGUAY ROUND. IT WAS CLEAR THAT THE MAIN
CONTENTIOUS ISSUE WAS THE MATTER OF TRADE IN
AGRICULTURE AND THAT THE PRINCIPAL PROTAGONISTS
WERE STILL THE UNITED STATES AND THE EUROPEAN
COMMUNITY. THERE WAS A REQUEST THAT ASEAN OPEN UP
ITS OWN MARKETS MORE ON SERVICES.

REGIONAL ECONOMIC TRENDS AND DEVELOPMENTS

IT WAS COMMONLY RECOGNIZED THAT THERE WAS NOTHING
INTRINSICALLY WRONG IN THE FORMATION OF REGIONAL
ECONOMIC GROUPINGS SUCH AS THE SINGLE EUROPEAN
MARKET (SEM), THE NORTH AMERICAN FREE TRADE AREA
(NAFTA), OR THE ASEAN FREE TRADE AREA (AFTA),
PROVIDED THAT THEY WERE GATT-COMPATIBLE AND DID
NOT DEVELOP INTO CLOSED, PROTECTIONIST BLOCS.

ENVIRONMENT

WHILE IT WAS COMMONLY RECOGNIZED THAT
ENVIRONMENTAL ISSUES HAD NOW ASSUMED MORE CRITICAL
IMPORTANCE FOR THE WORLD'S POPULATIONS THAN THEY
DID BEFORE, ASEAN TOOK THE VIEW THAT SUCH
QUESTIONS SHOULD NOT BE DIRECTLY LINKED TO ISSUES
OF ECONOMIC AND DEVELOPMENT COOPERATION. THE
FOCUS ON ENVIRONMENTAL PRESERVATION SHOULD BE ONE
OF BALANCE; FOR EXAMPLE, ADDRESSING THE NEED TO
PRESERVE FORESTS SHOULD APPLY TO FORESTS
EVERYWHERE, AND NOT MERELY TO TROPICAL FORESTS.

0121

DRUG ABUSE AND ILLICIT TRAFFICKING

THE CONTINUING MENACE OF DRUG ABUSE AND ILLICIT TRAFFICKING WAS RECOGNIZED AND THERE WAS DETERMINATION THAT THE FIGHT AGAINST THESE CRIMINAL AND HARMFUL ACTIVITIES MUST BE PURSUED WITHOUT LET-UP.

0122

22

관리 92
번호 -491

외 무 부

종 별 :

번 호 : AVW-1199   일 시 : 92 0730 1730

수 신 : 장 관(미인,국기,구일)

발 신 : 주 오스트리아 대사

제 목 : 북한 핵문제 관련 IAEA 문서 배포

연: AVW-1169,1186

연호 G-7 정상회담 의장 성명 관련 당지 독일 대표부는 본국 정부에 청훈한결과를 아래 요지 알려왔기 보고함.

1. 한국측의 요청을 외무성내 고위 레벨까지 신중 검토하였는바, 동 의장 성명이 광범한 국제 문제들을 다룬 다량의 분량이며 극히 일부분에 지나지 않는 북한 관계 부분때문에 전체 성명을 IAEA 문서로 배포하는 것이 적절할 것인가에 의문점이 제기되었고 또한 북한관계 부분만을 발췌(CUT UP)하여 배포하는 경우 의장 성명 전체와의 CONTEXT 상 문제점도 있어 배포치 않는것이 좋겠다는 결론이었음.

2. 독일의 입장은 북한 핵문제와 관련 한국측의 입장을 적극 지지하며 금번요청의 근본 취지는 충분히 이해하고 있으나 금번 결정이 여사한 기술적인 문제점을 고려한 것임을 이해하여 주기바람. 끝.

(대사 이시영-국장)

예고:92.12.31 까지.

대교문에 의거 재분류(1992.12.31.)

미주국   장관   차관   1차보   구주국   국기국   외정실   분석관   정와대
안기부

PAGE 1   92.07.31   04:14
                                                         외신 2과 통제관 EC
                                                         0123

발 신 전 보

	분류번호	보존기간

번 · 호 :   WAV-1171   920731 1834 FY   종별 : 지급

수 신 : 주 수신처 참조   대사. 총영사

발 신 : 장 관 (국기)

제 목 : 북한 핵문제(ASEAN 확대 외무장관회담 공동기자회견)

    WUS -3546   WJA -3307
    WUK -1329   WCN -0800
    WAU -0656

    7.26 마닐라에서 개최된 표제회견시 ASEAN 의장(필리핀 의장)의 북한 핵문제 관련 요약 발표내용을 아래 통보하니 참고바람.

- 아   래 -

THERE WAS CONTINUED CONCERN OVER THE SITUATION ON THE KOREAN
PENINSULA, PARTICULARLY WITH RESPECT TO THE ISSUE OF NUCLEAR
INSPECTION. THE HOPE WAS EXPRESSED THAT NORTH KOREA WOULD
AGREE TO A REGIME OF RECIPROCAL NORTH-SOUTH INSPECTION
FEATURING THE SO-CALLED "CHALLENGE INSPECTION" FORMULA.

(국제기구국장   김 재 섭)

수신처 : 주오스트리아, 주미, 주일, 주영, 주카나다, 주호주대사

	보 안	통 제	

앙고재	92년 3제기월구31일과	기안자성명 이소라		과 장	심의관	국 장 전길	차 관	장 관	외신과통제

0124

OUTLINE OF OPENING REMARKS FOR
JOINT PRESS CONFERENCE OF 25TH AMM/PMC

FOLLOWING ARE BRIEF SUMMARIES OF THE MAIN TOPICS:

TRENDS IN REGIONAL SECURITY

- THERE WAS GENERAL RECOGNITION OF THE VALUE OF DIALOGUES ON REGIONAL SECURITY. BECAUSE A SITUATION OF UNCERTAINTY AND FLUX HAD DEVELOPED IN OUR REGION AND THE WORLD FOLLOWING THE END OF THE COLD WAR AND THE CHANGED GEOPOLITICAL ENVIRONMENT.

CAMBODIA

- THERE WAS GENERAL AGREEMENT THAT WHILE THE PEACE PROCESS HAD SLOWED BECAUSE OF KHMER ROUGE OBDURACY, IT WAS NECESSARY TO GET THE KHMER ROUGE BACK INTO THE PROCESS IF A COMPREHENSIVE PEACE WAS TO BE ACHIEVED. IT WAS FELT THAT THE KHMER ROUGE'S COMPLAINTS SHOULD AT LEAST BE LOOKED INTO TO FIND OUT IF THERE WERE VALID GROUNDS FOR ANY OF THEM, AND WHAT COULD BE DONE TO ADDRESS THOSE COMPLAINTS. BUT IT WAS FIRMLY UNDERSTOOD THAT NONE OF THE CAMBODIAN PARTIES SHOULD BE PERMITTED TO DERAIL THE PEACE PROCESS AND THAT THE PARIS ACCORDS WERE NOT SUBJECT TO RENEGOTIATION OR REINTERPRETATION.

INDOCHINESE REFUGEES

INTERNATIONAL ATTENTION SHOULD BE FOCUSSED ON THE NEED TO ACCELERATE THE RESETTLEMENT OF REFUGEES AND THE REPATRIATION OF NON-REFUGEES. EC SUPPORT IN THE MATTER OF REINTEGRATION IN VIETNAM OF REPATRIATES WAS APPRECIATED AND HOPE WAS EXPRESSED THAT OTHER POTENTIAL CONTRIBUTORS COULD PROVIDE ADDITIONAL SUPPORT FOR THE REINTEGRATION PROCESS, INCLUDING THE COSTS OF REPATRIATING THE NON-REFUGEES HOME FROM THE COUNTRIES OF FIRST ASYLUM OR TEMPORARY REFUGE.

0125

SOUTH CHINA SEA AND OTHER PROBLEM AREAS

ASEAN'S INITIATIVE IN ISSUING ITS DECLARATION ON
THE SOUTH CHINA SEA AT THE 25TH AMM WAS HAILED BY
ALL THE DIALOGUE PARTNERS, AS WERE THE COOPERATIVE
ATTITUDES SHOWN BY CHINA AND VIETNAM WHEN THEY
ANNOUNCED THEIR SUPPORT FOR THE DECLARATION.

THERE WAS CONTINUED CONCERN OVER THE SITUATION ON
THE KOREAN PENINSULA, PARTICULARLY WITH RESPECT TO
THE ISSUE OF NUCLEAR INSPECTION. THE HOPE WAS
EXPRESSED THAT NORTH KOREA WOULD AGREE TO A REGIME
OF RECIPROCAL NORTH-SOUTH INSPECTION FEATURING THE
SO-CALLED "CHALLENGE INSPECTION" FORMULA.

URUGUAY ROUND AND THE G-7 SUMMIT IN MUNICH

THERE WAS GENERAL DISAPPOINTMENT THAT THE G-7
SUMMIT IN MUNICH FAILED TO ACHIEVE PROGRESS ON THE
URUGUAY ROUND. IT WAS CLEAR THAT THE MAIN
CONTENTIOUS ISSUE WAS THE MATTER OF TRADE IN
AGRICULTURE AND THAT THE PRINCIPAL PROTAGONISTS
WERE STILL THE UNITED STATES AND THE EUROPEAN
COMMUNITY. THERE WAS A REQUEST THAT ASEAN OPEN UP
ITS OWN MARKETS MORE ON SERVICES.

REGIONAL ECONOMIC TRENDS AND DEVELOPMENTS

IT WAS COMMONLY RECOGNIZED THAT THERE WAS NOTHING
INTRINSICALLY WRONG IN THE FORMATION OF REGIONAL
ECONOMIC GROUPINGS SUCH AS THE SINGLE EUROPEAN
MARKET (SEM), THE NORTH AMERICAN FREE TRADE AREA
(NAFTA), OR THE ASEAN FREE TRADE AREA (AFTA),
PROVIDED THAT THEY WERE GATT-COMPATIBLE AND DID
NOT DEVELOP INTO CLOSED, PROTECTIONIST BLOCS.

ENVIRONMENT

WHILE IT WAS COMMONLY RECOGNIZED THAT
ENVIRONMENTAL ISSUES HAD NOW ASSUMED MORE CRITICAL
IMPORTANCE FOR THE WORLD'S POPULATIONS THAN THEY
DID BEFORE, ASEAN TOOK THE VIEW THAT SUCH
QUESTIONS SHOULD NOT BE DIRECTLY LINKED TO ISSUES
OF ECONOMIC AND DEVELOPMENT COOPERATION. THE
FOCUS ON ENVIRONMENTAL PRESERVATION SHOULD BE ONE
OF BALANCE; FOR EXAMPLE, ADDRESSING THE NEED TO
PRESERVE FORESTS SHOULD APPLY TO FORESTS
EVERYWHERE, AND NOT MERELY TO TROPICAL FORESTS.

0126

DRUG ABUSE AND ILLICIT TRAFFICKING

    THE CONTINUING MENACE OF DRUG ABUSE AND ILLICIT
TRAFFICKING WAS RECOGNIZED AND THERE WAS
DETERMINATION THAT THE FIGHT AGAINST THESE
CRIMINAL AND HARMFUL ACTIVITIES MUST BE PURSUED
WITHOUT LET-UP.

0127

외 무 부

원 본

관리번호 92-537

종 별 :

번 호 : GVW-1610

일 시 : 92 0821 1900

수 신 : 장관(미이,정안,연일,국기) 사본:주미,주유엔,주 러시아,주 오지리대사

발 신 : 주 제네바 대사대리   -중계필

제 목 : 북한핵문제 CD 문서 배포

연 : GVW-1442, 1395

대 : WGV-1442, 1395

1. 연호 미.러 정상회담 공동선언 한반도 핵관련 사항이 CD 공식 문서 (CD/1162)로 배포되었음. (동 문서 FAX 송부)

2. 상기 문서는 미국 및 러시아대표부 대사가 각각 CD 의장에게 배포를 요청하는 서한에 첨부되어 배포하는 형태로 되어 있으며 동 정상회담시 나온 여타 군사관련 공동선언과 함께 배포됨.

3. 동 CD/1162 는 영어본으로서 미국 LEDOGAR 군축 대사가 배포 요청하는 형식인바, BATSANOV 대사가 배포 요청한 로어본은 현재 사무국에서 인쇄중으로 수일내 CD/1166 으로 배포될 예정임. (CD/1162 상에 동 배포 예정 사실이 공지되어 있음)

4. 한편 당지 러시아대표부측은 상기 문건 배포가 지연된 점과 관련, 모스크바로부터 로어정본을 입수하는데 시간이 걸렸다고 당관에 설명하여 왔음.

(차석대사 김삼훈 - 국장)

첨부: GVW(F)-507

예고 92.12.31. 까지 <일반에 분류 됨>

미주국 안기부	장관 중계	차관	1차보	국기국	국기국	외정실	분석관	청와대

주 제 네 바 대 표 부

번호 : GVW(F) - *0507*   년월일 : *2Ø 8 21*   시간 : *1Ø*

수신 : 장   관 (미이, 령안, 연빈, 횡기)

발신 : 주제네바대사

제목 : CD 문서 배포

총 4   매(표지포함)

	안		재
브틈			

	신	관	
외통		재	

CONFERENCE ON DISARMAMENT

CD/1162
12 August 1992

Original: ENGLISH

LETTER DATED 3 AUGUST 1992 FROM THE REPRESENTATIVE OF THE
UNITED STATES OF AMERICA ADDRESSED TO THE PRESIDENT OF THE
CONFERENCE ON DISARMAMENT TRANSMITTING DOCUMENTS RELATING
TO ARMS CONTROL AND DISARMAMENT ISSUES AGREED ON DURING
THE SUMMIT MEETING HELD BY PRESIDENTS BUSH AND YELTSIN IN
WASHINGTON, D.C. IN JUNE 1992*

I have the honour to forward to you the attached documents relating to
arms control and disarmament issues agreed on during the Summit Meeting held
by Presidents Bush and Yeltsin in Washington, D.C. in June 1992:

- A Charter for American-Russian Partnership and Friendship;

- Joint Understanding (on further reductions in strategic offensive
  arms);

- Joint Statement on Chemical Weapons;

- Joint Russia-United States Statement on Korean Nuclear
  Non-proliferation;

- Joint Statement on a Global Protection System;

- Joint Russian-American Declaration on Defence Conversion;

- Agreement on the Safe and Secure Transportation, Storage and
  Destruction of Weapons and the Prevention of Weapons Proliferation;

- Agreement Concerning the Safe and Secure Transportation and Storage of
  Nuclear Weapons through the Provision of Emergency Response Equipment
  and Related Training;

---

    * The official Russian texts of the above-mentioned documents are to be
found in CD/1166.

GE.92-62608/4785B (E)

0130

CD/1162
page 2

- Agreement Concerning the Safe and Secure Transportation and Storage of Nuclear Weapons through the Provision of Armoured Blankets; and

- Agreement Concerning the Safe and Secure Transportation and Storage of Nuclear Weapons Material through the Provision of Fissile Material Containers.

     Could you please take the appropriate steps to register these documents as official documents of the Conference on Disarmament, and to have them distributed to all member delegations and non-member States participating in the work of the Conference. It is my understanding that Ambassador Batsanov, Head of the Russian Delegation to the Conference on Disarmament, would plan to submit to you the Russian language version of these documents.

                              (Signed)   Stephen J. Ledogar
                                         Representative of the
                                         United States of America
                                         to the Conference on Disarmament

0131

507-4-2

CD/1162
page 13

17 June 1992

JOINT RUSSIA-UNITED STATES STATEMENT
ON KOREAN NUCLEAR NON-PROLIFERATION

Russia and the United States, supporting the efforts by the international community to counter the proliferation of nuclear weapons, note the positive changes in strengthening the nuclear non-proliferation regime in Korea. They applaud the North-South Joint Declaration on the Denuclearization of the Korean Peninsula of 31 December 1991, and call for the full implementation of this agreement, which will make an essential contribution to strengthening regional peace and security and to reconciliation and stability on the Korean Peninsula. The sides welcome the Democratic People's Republic of Korea ratification of the safeguards agreement with the IAEA and encourage further cooperation with the agency in placing its nuclear facilities under appropriate safeguards. Full compliance by the Democratic People's Republic of Korea with its obligations under the non-proliferation Treaty and the Joint Declaration, including IAEA safeguards as well as credible and effective bilateral nuclear inspections, will make possible the full resolution of international concerns over the nuclear problem on the Korean Peninsula.

0132

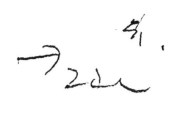

주 제 네 바 대 표 부

20, Route de Pre-Bois, POB 566 / (022) 791-0111 / (022) 791-0525(FAX)
□□

문서번호 :제네(정) 20298-*473*

시행일자 : 92. 8. 21.

수신 : 외무부장관

참조 : 미주국장,
　　　외교정책기획실장

선결			지시		
접수	외잔		결재	대　사	
	번호			차석대사	
처리자			공	참사관	
담당자			람	서기관	

제목 : 북한핵문제 CD 문서 배포

47919

　　　연　:

　　　미.러 정상회담시 공동선언중 한반도 핵문제 관련 사항이 CD 공식문서로

배포된바, 동 문건을 별첨 송부합니다.

　　　첨부 : CD/1162 각 1부.　끝.

92 8. 21

　　　　　　주　제　네　바　대

　　　　　　　　　　　　　　　　　　　0133

정 리 보 존 문 서 목 록					
기록물종류	일반공문서철	등록번호	32701	등록일자	2009-02-26
분류번호	726.61	국가코드		보존기간	영구
명 칭	북한 핵문제, 1992. 전13권				
생 산 과	북미1과/북미2과	생산년도	1992~1992	담당그룹	
권 차 명	V.10 9월				
내용목차	1. 9월 2. 한.미국.일본 협의. New York, 9.23 ★ 북한 핵관련 대책, 한.미국간 협의, 미국의 사찰과정 참여 요구 등				

0001

1. 9월

0002

공   란

공　　란

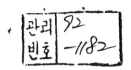

長 官 報 告 事 項

報 告 畢

1992. 9. 2.
北 美 2 課 (73)

題 目 : 북한 핵문제 관련 한.미 고위실무협의 개최 검토등

James A. Pierce 주한미대사관 1등서기관은 금 9. 2(수) 당부 북미2과장을
방문, 북한 핵문제 현황 평가 및 향후 공동 대처 방안 협의를 위한 한.미 고위
실무협의 개최 문제, 미.러간 고농축 우라늄구매협정 및 미군함의 인천항 입항
협조 등에 대하여 협의하였는바, 요지 아래 보고드립니다.

---

1. Pierce 서기관 언급 요지

  가. 북한 핵문제 관련 한.미 고위실무협의

    ∘ 주한미대사관측은 지난 2월 한.미간 고위실무협의가 개최된 이후 상당한
      시일이 경과하였으며 그간 많은 상황 변화도 있었음을 고려하여, 현
      단계에서의 북한 핵문제를 평가해 보고 향후 공동 대처 방안을 협의하기
      위한 양국간 고위실무협의 개최가 필요하다는 입장임은 잘 알고 있을
      것임.

    ∘ 다만 동 협의의 개최 시기와 관련, 얼마전 미측이 9월말경을 제시한바
      있으나 양국간 외교 일정을 고려하여 SCM 이후에 개최하는 것이 좋겠으며
      장소는 어디라도 관계 없다고 생각함.

나. 미.러간 고농축우라늄(HEU) 구매협정 체결 예정

　　ㅇ 미국은 폐기된 핵무기로부터 추출되는 고농축 우라늄 약 500톤을 러시아로
　　　 부터 구매하는 협정을 체결할 예정임을 참고로 한국측에 알림.

　　ㅇ 동 고농축 우라늄은 미국으로 이전되어 저농축 우라늄(LEU)으로 전환되어
　　　 상업용 원자로의 원료로 쓰일 것임.

다. 미군함 인천항 입항 예정

　　ㅇ 미군함 USS CURTS가 인천 상륙을 기념하기 위하여 9. 15. 인천항에 입항
　　　 예정인바, 부두 선정등 입항에 필요한 적절한 조치를 요망함.

　　ㅇ 한국측이 SOFA협정에 따라 필요한 조치를 취할 것이나, 이러한 요청이
　　　 선례를 구성하는 것은 아님을 첨언함.

2. 아측 언급 요지

　　ㅇ 한.미 고위실무협의와 관련, 아측도 한.중 수교등 그간의 상황 변화를 감안
　　　 하여 미측과 고위실무 레벨 협의를 갖는 것이 필요하다고 생각하고 있는바,
　　　 개인 생각으로는 9월중 대통령 해외 순방등 외교 일정을 고려 SCM 이후
　　　 10월중에 갖는 것이 괜찮을 것으로 생각하나 상부에 보고후 우리측 견해를
　　　 알려 주겠음.

　　ㅇ 미.러간 고농축 우라늄 구매협정 체결 관련 사실을 알려 준 것을 참고로
　　　 하겠으며, 미군함 인천항 입항 관련 필요한 조치는 제반 관련 규정에 따라
　　　 국방부 및 해운항만청과 협의 하겠음.

3. 관련 조치 사항

　　ㅇ 국방부 및 해운항만청에 미군함의 인천항 입항 관계 통보 및 적의 조치 요청

4. 언론 대책 : 보안 유지.

첨부 : 상기 non-paper 2매.　끝.

예고 : 1993. 6. 30.　일반　　　사본접수차 : 독후 파기　　검토필 (1992. 12. 31.)
　　　　　에 의거 일반문서로 재분류됨

　　　배포처 : 장관, 차관　제1차관보

0006

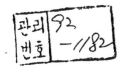

2

長 官 報 告 事 項

報 告 畢

1992. 9. 2.
北 美 2 課 (73)

題 目 : 북한 핵문제 관련 한.미 고위실무협의 개최 검토등

James A. Pierce 주한미대사관 1등서기관은 금 9. 2(수) 당부 북미2과장을
방문, 북한 핵문제 현황 평가 및 향후 공동 대처 방안 협의를 위한 한.미 고위
실무협의 개최 문제, 미.러간 고농축 우라늄구매협정 및 미군함의 인천항 입항
협조 등에 대하여 협의하였는바, 요지 아래 보고드립니다.

1. Pierce 서기관 언급 요지

    가. 북한 핵문제 관련 한.미 고위실무협의

    ㅇ 주한미대사관측은 지난 2월 한.미간 고위실무협의가 개최된 이후 상당한
      시일이 경과하였으며 그간 많은 상황 변화도 있었음을 고려하여, 현
      단계에서의 북한 핵문제를 평가해 보고 향후 공동 대처 방안을 협의하기
      위한 양국간 고위실무협의 개최가 필요하다는 입장임은 잘 알고 있을
      것임.

    ㅇ 다만 동 협의의 개최 시기와 관련, 얼마전 미측이 9월말경을 제시한바
      있으나 양국간 외교 일정을 고려하여 SCM 이후에 개최하는 것이 좋겠으며
      장소는 어디라도 관계 없다고 생각함.

- 1 -

0007

나. 미.러간 고농축우라늄(HEU) 구매협정 체결 예정

　　o 미국은 폐기된 핵무기로부터 추출되는 고농축 우라늄 약 500톤을 러시아로
　　　부터 구매하는 협정을 체결할 예정임을 참고로 한국측에 알림.

　　o 동 고농축 우라늄은 미국으로 이전되어 저농축 우라늄(LEU)으로 전환되어
　　　상업용 원자로의 원료로 쓰일 것임.

다. 미군함 인천항 입항 예정

　　o 미군함 USS CURTS가 인천 상륙을 기념하기 위하여 9. 15. 인천항에 입항
　　　예정인바, 부두 선정등 입항에 필요한 적절한 조치를 요망함.

　　o 한국측이 SOFA협정에 따라 필요한 조치를 취할 것이나, 이러한 요청이
　　　선례를 구성하는 것은 아님을 첨언함.

2. 아측 언급 요지

　　o 한.미 고위실무협의와 관련, 아측도 한.중 수교등 그간의 상황 변화를 감안
　　　하여 미측과 고위실무 레벨 협의를 갖는 것이 필요하다고 생각하고 있는바,
　　　개인 생각으로는 9월중 대통령 해외 순방등 외교 일정을 고려 SCM 이후
　　　10월중에 갖는 것이 괜찮을 것으로 생각하나 상부에 보고후 우리측 견해를
　　　알려 주겠음.

　　o 미.러간 고농축 우라늄 구매협정 체결 관련 사실을 알려 준 것을 참고로
　　　하겠으며, 미군함 인천항 입항 관련 필요한 조치는 제반 관련 규정에 따라
　　　국방부 및 해운항만청과 협의 하겠음.

3. 관련 조치 사항

　　o 국방부 및 해운항만청에 미군함의 인천항 입항 관계 통보 및 적의 조치 요청

　　o 북한 핵문제에 관한 미 러시일본협의로　언즈 레벨에서나
　　　헬리콥 의비 하노늣일까?
4. 언론 대책 : 보안 유지.
　　　　　　　　　　　　　- 외교안보수석 스도스 미는국방
　　　　　　　　　　　　　　따라 외교로 보는다양 2

첨부 : 상기 non-paper 2매.　　끝.

예고 : 1993. 6. 30. 예고문에
　　　 의거 일반문서로 재분류됨　　　검토필 (1092. 12. 3)인

　　　 배포처 : 강관, 차관, 제1차관보

　　　 사본접수처 : 독후 파기

0008

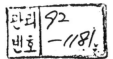

CONFIDENTIAL

BRIEFING THE ALLIES ON
HIGHLY ENRICHED URANIUM (HEU) DISPOSITION AGREEMENT

-- SINCE THE LAST MEETING OF THE NATO AD HOC GROUP JUNE 12, THE U.S. HAS MADE SUBSTANTIAL PROGRESS IN ITS DISCUSSIONS WITH RUSSIA ON THE DISPOSITION OF HIGHLY ENRICHED URANIUM (HEU).

-- GENERAL BURNS AND THE U.S. SSD DELEGATION ARE CURRENTLY IN MOSCOW DISCUSSING THIS AND OTHER SSD ISSUES.

-- THESE DISCUSSIONS HAVE BEEN A PART OF OUR ONGOING CONSULTATIONS WITH THE RUSSIANS ON THE VERY IMPORTANT SUBJECT OF THE SAFETY, SECURITY. AND DISMANTLEMENT OF NUCLEAR WEAPONS.

-- WE ARE HOPEFUL THAT A BILATERAL AGREEMENT WILL BE CONCLUDED ON THE DISPOSITION OF HEU WITH THE RUSSIANS BY THE END OF THIS WEEK'S SSD MEETINGS IN MOSCOW.

-- THE HEU AGREEMENT WOULD BE THE RESULT OF EXTENSIVE CONSULTATIONS WITH THE RUSSIANS ON THE DISPOSITION OF EXCESS HEU DRAWN FROM NUCLEAR WEAPONS.

-- THIS AGREEMENT WOULD PROMOTE THE PEACEFUL USE OF HEU RESULTING FROM THE DISMANTLEMENT OF NUCLEAR WEAPONS IN RUSSIA.

-- WE BELIEVE THIS AGREEMENT WITH THE RUSSIANS ACCOMPLISHES WHAT ALL OF US WANT -- THE PERMANENT CONVERSION OF NUCLEAR WEAPONS MATERIAL FROM RUSSIA INTO A FORM THAT POSES NO THREAT.

-- IN PROVIDING ASSISTANCE DESIGNED TO ACCELERATE DISMANTLEMENT OF NUCLEAR WEAPONS, IN THE SAFEST AND MOST SECURE WAY, WE HOPE TO KEEP THE RUSSIANS ON THE FASTEST TRACK POSSIBLE TOWARD FULFILLING THE GOAL OF DESTROYING THESE WEAPONS.

-- THE AGREEMENT AS DRAFTED IS VERY GENERAL, AND CONTAINS NO DETAILS OF A FINANCIAL NATURE; ALL SUCH DETAILS ARE TO BE NEGOTIATED IN A SUBSEQUENT CONTRACT.

-- IT DOES, HOWEVER, SPECIFY THAT THE BLENDING OPERATIONS WILL BE CARRIED OUT UNDER ARRANGEMENTS THAT WILL FURTHER THE OBJECTIVES OF THE TREATY ON THE NON-PROLIFERATION OF NUCLEAR WEAPONS, AND THAT THE PARTIES WILL BE OBLIGATED TO COMPLY WITH ALL APPLICABLE NON-PROLIFERATION, MATERIAL ACCOUNTING AND CONTROL, PHYSICAL PROTECTION AND SECURITY, AND ENVIRONMENTAL REQUIREMENTS.

CONFIDENTIAL

0009

-- THE AGREEMENT WOULD PROVIDE FOR THE ULTIMATE CONVERSION TO LEU OF HEU RESULTING FROM THE DISMANTLEMENT OF NUCLEAR WEAPONS IN RUSSIA -- ESTIMATED AT 500 METRIC TONS. IT ALSO PROVIDES FOR THE PURCHASE BY THE U.S. OF HEU FOR BLENDING, OR ALREADY BLENDED URANIUM IN THE FORM OF LEU.

-- THE AGREEMENT WOULD PROVIDE FOR THE PARTICIPATION OF THE U.S. PRIVATE SECTOR IN THE COMMERCIALIZATION OF THE HEU, BUT ANY SUCH ROLE IS NOT ADDRESSED IN DETAIL; THAT ISSUE IS LEFT TO SUBSEQUENT NEGOTIATION.

-- THE AGREEMENT DOES NOT EXPLICITLY PROVIDE FOR OR RULE OUT THE CONCLUSION OF OTHER AGREEMENTS BETWEEN THE RUSSIAN FEDERATION AND OTHER GOVERNMENTS OR COMPANIES.

-- IN LIGHT OF THE EXISTING GLUT IN THE ENRICHED URANIUM MARKET, WE EXPECT THAT THE LEU WILL BE RELEASED INTO THE COMMERCIAL MARKET SLOWLY OVER A LONG PERIOD OF TIME.

-- WE INTEND TO PROVIDE ALLIES WITH A DETAILED DESCRIPTION OF THE HEU AGREEMENT ONCE IT IS CONCLUDED, AND WE WILL, OF COURSE, CONTINUE TO KEEP YOU INFORMED OF OUR PROGRESS IN ALL SSD ISSUES.

CONFIDENTIAL

0010

U.S.S. CURTS Inchon Port Visit

     The U.S.S. CURTS (FFG 38) will arrive at the port of
Inchon on September 15, 1992 to represent the U.S. during
the anniversary celebration of the Inchon landing. The
Embassy requests that high priority be placed on providing
an appropriate pierside berth for the 445-foot-long ship.
The ship has requested to go pierside at berth 34 on wharf
#3, but berths 33 or 35 are also acceptable. The U.S.S.
CURTS will depart on September 18.

     The U.S. Navy has not made a port call to Inchon in
over two years primarily due to complications in trying to
guarantee a berth on wharf 3. We understand the harbor
master may be concerned over lost revenues from the
temporary docking. However, we note that the ship is
coming to Inchon expressly to participate in the
anniversary celebration. Accordingly, we would like to
ask for the assistance of the Foreign Ministry in
arranging with appropriate offices for approving the
berthing of the U.S.S. CURTS at Inchon.

0011

공　　　　　란

공　　　　란

北韓 核問題 關聯 寄稿文

1992. 9. 5.

外 務 部

> 核專門家「레오나드 스펙터」美 카네기財團 研究員은「外交政策」
> (Foreign Policy)誌 最新號(가을)에 發表한 '悔改하는 核開發國家'
> 題下 寄稿文에서 北韓等 一部 國家들의 核開發을 沮止하기 위하여는
> 不時, 强制査察이 必須的임을 强調하였는바, 同 寄稿文의 要旨等을
> 아래 報告드립니다.

1. 寄稿文 要旨

  가. 現行 國際的 核非擴散體制(NPT-IAEA) 의 脆弱性

    o 北韓, 南阿共等과 같이 상당 기간 IAEA 査察을 回避,
      비밀리에 核開發을 추진한 國家들의 경우, 査察對象으로
      모든 核關聯施設, 物質이 申告되었다는 保障이 없음.

    o 現 IAEA 核安全協定은 核物質 및 施設에 대해서만 査察을
      實施토록 하고 核武器 關聯 部品(起爆裝置等)에 대한
      統制를 規定하고 있지 않으므로 어느 國家도 核武器 模型
      生産이 可能함.

    o 또한 核非擴散條約(NPT)은 核武器製造用(weapons-grade)
      플루토늄 및 우라늄의 保有를 禁止하고 있지 않은바, 이
      경우 核武器 關聯 部品들을 旣製造한 國家들은 단시일내
      核武器를 生産할 수 있음.

0014

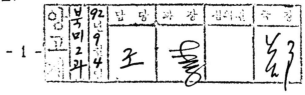

- 1 -

北韓 核問題 關聯 寄稿文

1992. 9. 5.

外 務 部

核專門家 「레오나드 스펙터」 美 카네기財團 硏究員은 「外交政策」
(Foreign Policy)誌 最新號(가을)에 發表한 "悔改하는 核開發國家"
題下 寄稿文에서 北韓等 一部 國家들의 核開發을 沮止하기 위하여는
不時. 强制査察이 必須的임을 强調하였는바, 同 寄稿文의 要旨等을
아래 報告드립니다.

1. 寄稿文 要旨

가. 現行 國際的 核非擴散體制(NPT-IAEA) 의 脆弱性

o 北韓, 南阿共等과 같이 상당 기간 IAEA 査察을 回避,
비밀리에 核開發을 추진한 國家들의 경우, 査察對象으로
모든 核關聯施設. 物質이 申告되었다는 保障이 없음.

o 現 IAEA 核安全協定은 核物質 및 施設에 대해서만 査察을
實施토록 하고 核武器 關聯 部品(起爆裝置等)에 대한
統制를 規定하고 있지 않으므로 어느 國家도 核武器 模型
生産이 可能함.

o 또한 核非擴散條約(NPT)은 核武器製造用(weapons-grade)
플루토늄 및 우라늄의 保有를 禁止하고 있지 않은바, 이
경우 核武器 關聯 部品들을 旣製造한 國家들은 단시일내
核武器를 生産할 수 있음.

- 1 -   0015

나. 北韓 核問題 言及 事項

   o 北韓은 정권의 欺瞞性等을 勘案할때, IAEA 規定을 迂廻
     하여 核物質을 隱匿했을 可能性이 濃厚함.

   o 北韓이 開發中인 노동1호 미사일(사정거리 1,000km)은
     在來式彈頭 裝着을 위한 것으로는 그 開發 費用이 過度한
     바, 이는 北韓이 核武器를 開發中임을 暗示함.

다. 結論(核開發 沮止를 위한 措置 提案)

   o 核非擴散條約(NPT)이 核武器 關聯 部品의 開發, 製造 및
     實驗을 禁止할 수 있도록 擴大 適用되어야 함.

   o 現 IAEA 特別查察은 查察 實施를 위한 政治的 協商,
     擧證責任 및 查察이 실제로 실시되기까지의 時間的 遲延
     등으로 그 效果를 기대키 어려운바, 不時, 强制的인 查察이
     이루어져야 함.

     - 이러한 관점에서 현재 北韓에 대하여 要求되고 있는 查察
       規定은 하나의 標本(standard)이 되어야 함.

   o 北韓等 核開發 疑心國家들에 대해서는 각각 일정한 횟수의
     不時, 無條件, 强制查察이 實施되도록 유엔 安保理 決議案이
     採擇될 수 있을 것임.

     - 이라크에 대한 强制查察 實施 근거인 유엔 安保理 決議
       제687호를 援用

2. 評 價

o 상기 寄稿文은 現行 國際的 核非擴散體制가 안고 있는
   문제점들을 정확하게 指摘하고 있는바, 이러한 不完全한
   體制가 北韓等 一部 國家들의 隱匿된 核開發 推進에 利用
   당할 수 있다는 점을 警戒하고 있음.

o 이러한 核非擴散體制의 脆弱性을 解消하기 위하여 不時,
   强制査察의 實施가 重要하다는 점을 强調하였는바, 이는
   현재 北韓에 대하여 要求되고 있는 우리측 査察規定의
   正當性을 立證한 것임.

o 또한 核開發 疑心國家들에 대한 不時.强制査察 實施를 위한
   유엔 安保理 決議案 採擇 提案은 北韓 核問題의 궁극적인
   解決과 關聯하여 示唆하는 바가 큼.

- 끝 -

- 3 -

0017

공　　　　란

공   란

공　　　　란

공   란

공　　　　　란

공   란

공　　　란

공   란

공 란

공   란

전직기지관리자 증언

"전략핵잠수함 40여차례 들어왔다"

진해 해군기지내 미군 기술지원관실 번역·연락관으로 재직한 곽자문씨(48)가
진해 ㅅ부두에 핵잠수함 기항시설 건설이 비밀리에 추진될 때부터 핵무기탑재
잠수함이 일상적으로 드나들게 될 때까지 역사의 현장을 생생하게 증언하고
나섰다. 한국에 핵무기가 들어오거나 통과하였다는 사실은 여러 차례 주장
되었으나 직접 담당자의 증언을 통해 확고한 사실로 밝혀지게 된 것은
이번이 처음으로 그만큼 곽자문씨의 증언은 소중한 것이다.

곽자문(전 해군 경영군무관)

진해에 들어온 전략핵무기탑재 핵잠수함

얼마 전 텔레비전 대담 프로그램에 국방대학원에
있는 어떤 교수분이 나와 한반도의 핵문제에 대해 얘
기하면서 자기는 한국에 핵무기가 배치되어 있다는
말을 들어본 적이 없다고 하였다. 그러나 사실을 고의로
은폐하려는 것이 아니라면 이는 그 분의 무지의 표현에
다름 아니다. 내가 알고 있기로는 그 분의 이야기는
사실과 전혀 다르기 때문이다. 사실에 대한 왜곡이나
무지가 현실에 대한 합리적 판단에 도움을 주는 경우는

거의 없다고 생각한다.

나는 73년 6월부터 84년 7월까지 경남 진해 해군기
지에서 해군 경영군무관(사무관급, 군무원 번호 8012
90)으로 근무하면서 미군 핵잠수함이 진해기지에 드
나드는 것을 수없이 목격했다. 나 자신이 핵잠수함의
접안용 완충장치인 캐멀(CAMEL) 제작과 잠수함의 간
단한 수리 업무를 책임지고 있었으며 직접 핵잠수함
안에 들어가 내부를 구경하고 핵무기가 장전돼 있는
것도 확인하였다.

내가 핵잠수함과 인연을 맺게 된 것은 영어를 좀 할
수 있었던 덕분으로, 진해 해군기지에 있는 미군들과
같이 일을 하게 된 데서 연유한다. 진해에는 미군기지는

0028

78

없어도 미 군사고문단(Joint US Military Assistant Group, 86년에 없어졌음)과 1백50명 규모의 미 해군부대(Naval Activity)가 있었다. 나는 이 네이벌 액티비티가 한국 해군에 대한 기술지원을 위해 진해 해군기지 수리창에 둔 기술지원관실에서 번역관 겸 연락관으로 일하면서 한미 양군간에 실무적 문제들을 처리하는 역할을 하고 있었다. 진해에는 매년 정례적으로 미 해군 태평양함대 실적평가단이 찾아왔는데 그들의 여가시간에 그들을 이승만 별장과 해군사관학교로 안내하고 이순신 장군의 활약상을 소개한 영어판 책자를 선물하는 일도 내 몫이었다.

그러던 중 몽고메리(Robert C. Montgomery)라는 소

령이 부임해왔는데 그는 진해 해군기지에 미 태평양함대 소속 핵잠수함들이 정박할 수 있는 시설을 준비하고 제반 여건을 마련해두는 임무를 수행하였다. 나는 그의 통역을 맡아 그와 단짝으로 모든 업무를 처리하였기 때문에, 그리고 보안상 사정으로 진해 해군기지의 한국군상교들도 일의 자세한 내막은 알 수 없었기 때문에 나만큼 당시의 사정을 자세히 파악하고 있었던 한국인은 극히 드물었다.

대통령에게도 전략핵잠수함 기항 계획 숨기고

핵잠수함 기항시설의 건설은 79년 봄부터 시작되었다. 우선 잠수함 기지 설치를 위한 부지확보가 문제였

0029

는다' 대통령에게 알릴 겸하여 핵잠수함 기항에 따른 지원장비로 7백50kw 용량의 발전기 2대 설치에 필요한 2백 평 규모의 부지가 필요하니 지정한 장소를 조차토록 바란다는 내용을 몽고메리 소령이 기안하였다. 당시 진해기지에는 핵추진 공격용 잠수함(SSN)과 함께 전략핵무기인 탄도미사일탑재 핵추진 잠수함(SSBN)도 들어올 계획이었으나 보안을 위해 이 보고서에서 전략핵잠수함은 은폐하고 핵추진 공격용 잠수함만 기재하였다(이러한 영토 사용권의 이양은 한미행정협정 제12조 2항 "합중국은 대한민국 전역과 그 영해에 선박 및 항공기의 운항보조 시설을 설치, 건립 및 유지할 권한을 가진다"는 조항에 의해 언제든지 그리고 대한민국 어느 곳에서든지 가능하다. <u>또 한미상호방위조약이나 한미행정협정 어디에도 미군이 공항·항구 등을 이용할 때 전략핵무기를 기항시키거나 반입하는 것을 은폐해서는 안된다는 조항은 없다. 84년부터는 핵추진 공격용 잠수함에도 전술핵무기가 탑재되기 시작하였다 편집자</u>). 또 조차시기도 처음 기안할 때는 '84년까지'로 되어 있었으나 후에 '잠정적으로(temporarily)'로 바뀌었다는 것을 통보받았다(곽자문씨의 뒤를 이어 동일한 역할을 맡고 있는 배원수씨에 의하면 진해 핵잠수함기지는 현재까지도 활발히 운영되고 있으며 최근 시설을 보수하여 앞으로도 장기적으로 운영할 태세를 갖추고 있다고 한다—편집자, 다음 기사 참조). 이 공문은 비밀유지를 위해 주한미군 사령관이 직접 휴대하고 당시 박 대통령에게 전달한 것으로 알고 있다.

얼마 후 발전기 등 핵잠수함 기항시설을 설치할 부지가 결정되자 곧 한국 해군이 기초공사를 맡아 완성하였다. 필요한 자재는 미군이 공급하고 인력과 장비 지원은 주로 한국 해군에서 협조하였다.

우리나라에는 잠수함이 없었고 당연히 잠수함 기항시설도 없었기에 미군 핵잠수함 기항을 위해서는 새로운 시설이 필요했다. 먼저 캐멀(CAMEL)이라는 잠수함 접안용 완충장치가 홍콩에서 도착했는데 이는 잠수함이 부두에 접안할 때 부두 벽면에 잠수함 측면이 다치지 않도록 더글러스 퍼(Douglas Fur)라는 특수목재로 제작한 것이다. 이것은 잠수함의 양측면을 보호하도록 한 쌍으로 되어 있었는데 이 캐멀 세트의 유지·관리·보수는 내 책임이었다. 이 때문에 나는 미군 핵잠수함이 들어올 때 항상 사전에 통고를 받을 수 있었고

캐멀 세트를 미리 손질해놓고는 했다.

이 캐멀 세트는 어느 해인가의 태풍으로 크게 부서져 우리 기술진이 후에 다시 대대적으로 수리 보완하였다. 캐멀 세트의 유지 관리는 당시 해군 시설창 기술과장이었으며 지금은 해군본부 시설감으로 있는 ㄱ준장(당시 중령)이 총책임을 맡았다. 이 시설의 관리는 한국 해군이 맡아 해주었지만 미 해군을 위해 이용되는 시설이었기에 수리비용 등은 미군에게 청구하였다.

핵잠수함의 기항을 위해서는 또 발전기가 필요한데 이는 핵잠수함이 항해중에는 원자로에서 모든 동력을 얻지만 항구에 들어와서는 원자로를 끄고 발전기를 통해 동력을 얻기 때문이다. 이 발전기는 뮤즈 제너레이터(MUSE GEN., Multiple Use Support Equipment Generator)라고 하는데 자체 무게가 무려 44톤이나 나가 미 해군이 이를 수송해왔을 때 부산에 있는 미 육군의 1백 톤짜리 해상크레인까지 동원하여 비로소 양륙할 수 있었다.

핵잠수함 내부를 구경하다

모든 준비가 완료된 것은 79년 가을이었다. 그때부터 미 해군 태평양함대 산하 제7잠수함전대(Submarine Group Squadron 7th) 소속의 핵잠수함들이 진해 ㅅ부두에 출입하기 시작하였다.

나는 79년 7월 11일 진해 ㅅ부두에 들어온 탄도미사일탑재 핵추진 잠수함(SSBN)을 견학할 기회를 갖게 되었다. 내가 처음 그 내부를 볼 수 있었던 핵잠수함은 토머스 제퍼슨(Thomas Jefferson, SSBN−618)이라는 이름을 갖고 있었고 하와이 진주만이 모항이었으며 그 전진기지는 괌과 진해 두 곳이었다. 함장은 그리슨(Bernard W. Greeson) 중령이었다. 당시 많은 한국 해군 장교들이 핵잠수함에 대한 호기심을 가지고 있어서 대거 함내 견학을 신청하였으나 관련부대의 부대장이나 참모, 기타 직접 관련된 요원들만 함내로 안내되곤 하였다.

해치(hatch)라는 동그란 구멍을 통해 함내로 들어가는데 해치 바로 아래는 사다리가 있어 그것을 타고 내려가도록 되어 있었다. 입구에서 가장 가까운 거리에 있는 것이 잠망경이 있는 운항실이었다. 프리즘으로 처리된 잠망경에는 눈금과 각도가 표시되어 있었고 잠망경을 통해서 피사물체의 거리와 방향과 크기를 알

0030

수 있다고 하였다.

본래 이 운항실은 3층으로 구성되어 있다고 했다. 제일 위층은 함정의 운항과 항해 그리고 어뢰발사통제실로 되어 있었다. 왼쪽으로부터 들어가기 시작하여 미사일 격납고를 보니 각 미사일 격납기둥(Tube) 바깥에 커다란 쇠통이 채워져 있었다. 여기다가 자물쇠는 왜 채워놨느냐고 물으니 보안장치라고 하였다. 적어도 세 사람 즉 함장과 보안장교와 담당장교가 있어야 열쇠가 맞고 열 수 있다는 것이었다. 쇠통뭉치는 꼭 잔뜩 부른 두꺼비의 배를 연상케 하는 투박한 모양새였다.

이 격납고 안에 든 것이 바로 잠수함발사 탄도미사일(SLBM, Submarine Launched Ballistic Missile)이라는 것이었다. 당시로서는 폴라리스(Polaris, SLBM A3)라는 형을 탑재하고 있으나 점차 포세이돈(Poseidon SLBM C3)이라는 다탄두 각개목표 재돌입미사일(MIRV, Multiple Independently Targeted Reentry Vehicle)로 대체되고 있다는 설명이 있었다. 이 다탄두 각개목표 재돌입미사일(MIRV)에는 7~8개의 핵탄두가 장전되어 있는데 통상 1백20킬로톤에서 1메가톤급까지 있다고 하였다.

일본 나가사키에 떨어진 원자폭탄 '패트 맨(Fat Man)'이 약 20킬로톤이었으니 이 핵무기는 가장 작은 하나만 계산해도 그 6배의 위력을 갖고 있는 셈이었다. 게다가 하나의 미사일에 장전된 7~8개의 핵탄두가 한번 발사에 7~8개의 상이한 목표를 각개로 쫓아가 파괴해낸다고 하니 이 핵잠수함이 갖고 있는 핵무기의 전체 파괴력은 줄잡아 약 1백30개 도시를 초토화시킬 수 있을 정도라는 계산이 나왔다. 이 한 척의 핵잠수함이 웬만한 나라 전체를 파괴할 수 있는 것이었다.

이 가공할 핵무기는 일단 발사하면 대기권 밖에까지 날아갔다가 다시 돌입하여 목표물을 찾아가는데 마지막 목표 접근시에는 추진장치가 분리되고 어떠한 전파의 방해도 막아낼 수 있는 장치가 작동하여 결코 목표추적에 실패하는 일이 없다는 설명이었다.

폴라리스도 사정거리가 4천km나 되어 우리나라 연해에서 쏘아도 소련 본토에까지 날아갈 정도인 데다가 정확도도 매우 우수하여 목표물에서 수백 미터 이상 벗어나는 경우가 없다는 것이었다. 당시 개발된 트라이던트(Trident SLBM C4)는 이보다도 정확도가 더 높아 7천4백km의 거리를 날아가서는 반경 4백80m의

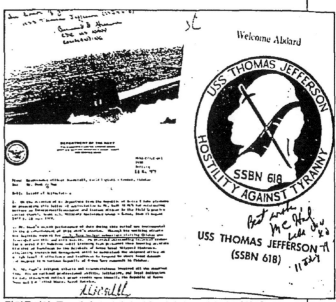

곽자문씨가 몽고메리 소령에게 받은 감사장. 핵잠수함 견학 후 기념으로 받은 사진과 안내자료.

오차한도 내에서 목표물을 명중한다고 하였다(현재는 폴라리스의 대체가 완료되어 트라이던트와 포세이돈이 탄도미사일탑재 핵추진 잠수함의 핵무기로 탑재되어 있다. 62년에 진수된 토머스 제퍼슨은 노후되고 소음문제도 있어 82년에 탄도미사일을 제거하였고 지금은 퇴역하였다─편집자).

핵오염 조사 위해 미군 방사능제거팀 오기도

미사일 격납고를 지나자 핵추진 잠수함의 동력원인 원자로가 있었고 그 입구에 출입금지 표시가 되어 있었으며 줄이 쳐져 있었다. 그 옆에는 승무원들의 침실이 있었는데 많은 사병들이 자고 있었다. 대낮에 웬 사람들이 이렇게 많이 자느냐고 물으니 그들은 수중에서 근 50일간 연속으로 햇빛과 상관없이 활동해서 따로 밤낮이 정해져 있는 것이 아니라 그리니치 표준시(Greenwich Mean Time)에 의해서 생활하기 때문이라고 하였다.

식당은 불과 3~4평 정도의 크기였는데 여기서 1백30명에 달하는 승무원들의 식사를 다 처리한다고 하였다. 그릇 밑바닥에는 고무 같은 물질로 처리가 되어 있어서 그냥 놓아도 소리가 거의 나지 않았다. 이는 잠수함의 위치가 노출되어 공격당하지 않도록 하는 소음방지장치의 일환이라고 하였는데 잠수함의 모든 바닥도 다 고무처리가 되어 있었다. 핵잠수함은 대륙간탄도미사일을 앞설 수 있는 선제성이 생명이며 이를 위해 자체 은폐성이 고도로 중시된다. 그래서 추진장

0031

치로부터 나오는 소음은 물론 사소한 소음도 극소화하기 위해 많은 신경을 쓰게 되는 것이다.

어뢰발사실은 모든 게 반자동식으로 되어 있었으며 상당한 재래식 어뢰도 보유하고 있었다. 이 어뢰로 어떠한 함정과의 일 대 일 대결에서도 재래식 공격용잠수함 정도의 공격력은 갖추고 있다고 하였다.

이 잠수함의 가장 중요한 기능은 뭐니 뭐니 해도 핵탄두를 장착한 탄도미사일의 발사니 만큼 항해중에 정확한 위치를 파악하는 것을 특히 중시하고 있었다. 미사일 발사에 있어서 가장 중요한 입력자료가 정확한 현위치이며 만일 이것이 틀리면 미사일이 목표물을 명중시킬 수 없다는 것이었다.

그 후에도 나는 여러 차례 탄도미사일탑재 핵추진 잠수함(SSBN)의 내부를 구경할 기회가 있었다. 당시 진해 ㅅ부두를 드나들었던 탄도미사일탑재 핵추진잠수함은 토머스 제퍼슨 이외에도 에던 앨런(Ethan Allen, SSBN 608), 페트릭 헨리(Petric Henry, SSBN 599), 존 마셜(John Marshall) 등이 있었으며 이들이 79년부터 82년까지 연 1~3회씩 정박하였다 나가곤 하였다(이들은 모두 82년을 전후하여 핵탄두가 장착된 탄도미사일을 제거하였고 현재 에던 앨런을 제외하고는 퇴역하였다—편집자). 이 가운데 에던 앨런의 고장난 물펌프를 내 책임 아래 수리해주기도 하였다. 그 이외에 핵추진 공격용 잠수함은 탄도미사일탑재 핵추진 잠수함보다 훨씬 자주 ㅅ부두를 드나들었고 재래식 잠수함도 가끔 ㅅ부두를 찾아오곤 했다.

핵잠수함이 들어오기 시작한 지 2년 만에 진해 ㅅ부두 인근에 오염현상이 나타난다는 소리가 있어 일본 요코스카 항에 있던 방사능제거팀이 와서 방사능오염치를 조사해가기도 하였다. 원래 항만으로부터 50마일 이내에서는 어떤 선박을 막론하고 선박에서 사용한 물을 배출하지 못하게 되어 있는데 그것도 핵잠수함이 물을 배출한 사고가 있었기에 그 사후조사차 방사능제거팀이 왔던 것이다. 그들의 조사 결과, 원인은 정확히 알 수 없었지만 등이 굽은 기형 물고기 두 마리가 발견되고 오염치가 규제치 이상으로 나타난 경우가 있었다.

일본의 핵잠수함 기항 반대운동으로 진해 선택

당시 미국은 주로 대소 견제용으로 진해에 탄도미사일탑재 핵추진 잠수함을 배치했던 것으로 보인다. 당시 나와 대화할 기회가 있었던 미군장교들은 핵추진 잠수함의 진해 배치가 80년 1월 1일 미·중 국교정상화와 관련이 있으며 중국과 협력하여 소련을 봉쇄하는 대전략의 일환으로 추진되는 것으로 이야기하였다. 즉 소련 극동함대가 대한해협을 통과하여 남지나해로 들어가 중국의 남방을 위협하는 것을 저지하기 위한 것이라는 설명이었다.

또한 미군 핵잠수함이 진해에 들어오게 된 것은 일본에서 핵잠수함 기항 반대운동이 격렬하게 벌어졌던 사정과도 관련이 깊은 것으로 알려졌다. 일본의 항구들을 마음대로 이용할 수 없으니까 진해로 왔던 것이다.

원래 탄도미사일탑재 핵추진 잠수함은 핵탄두가 장착된 탄도미사일을 이용하여 핵전쟁에서 선제성과 보복성을 보장하기 위한 것이 그 주용도이다. 즉 핵전쟁에서 어느 한쪽이 먼저 대륙간탄도미사일(ICBM, Intercontinental Ballistic Missile)을 발사할 경우 다른 쪽이 이를 발견하더라도 어차피 상대방을 선제할 수 없어 선제공격측이 절대적으로 유리하다.

그러나 대양을 이용하여 상대측 지역에 가까이 접근할 수 있는 핵잠수함을 활용하면 거리상의 이점으로 인하여 상대측이 먼저 대륙간탄도미사일을 발사하더라도 뒤늦게 발사한 잠수함발사 탄도미사일이 오히려 먼저 상대측의 핵기지나 주요시설을 타격할 수 있게 되는 것이다. 통상 대륙간탄도미사일(ICBM)의 목표도 달시간이 30분 정도인 데 비해 잠수함발사 탄도미사일(SLBM)은 10~15분 정도밖에 걸리지 않는다고 한다. 핵미사일 발사장치를 상대측에 최대한 접근시켜 시간·거리상의 이점을 극대화하면서 동시에 가장 효과적으로 자신을 은폐할 수 있는 방법으로는 핵추진 잠수함이 최적인 것이다. 또한 핵추진 잠수함을 이용하면 선제공격에 의해 이쪽의 대륙간탄도미사일 발사체계가 파괴된다 해도 잠수함발사 탄도미사일로 보복공격을 할 수 있는 이점이 있는 것이다.

나의 진해 해군기지 군무원 생활은 84년 7월로 끝이 났다. 이제 와서 새삼스레 이러한 이야기들을 털어놓는 것은 다만 진실을 그대로 알리고 싶은 마음에서이다.

아무쪼록 나의 증언이 지나간 우리 역사를 보다 깊이 알고 내일의 전진의 발판으로 될 수 있는 소중한 자료가 되었으면 더 이상 바랄 바 없겠다.■ 0032

현직 기지관리자 인터뷰

"지금도 미 핵잠수함 들어온다"

진해 소모도에는 지금도 미해군 태평양함대 소속 핵잠수함들이
들어오고 있다. 이 잠수함들은 필요하면 언제든지 핵무기를 탑재할 수 있는
준핵병기로 엄밀한 감시와 통제를 요함에도 불구하고 이제껏 그 출입사실조차
일반에 알려지지 않고 있다. 미 핵잠수함들의 진해 소모도기지 출입실태에 대해
현직 핵잠수함기지 관리담당연락관인 배원수씨(48)로부터 증언을 들어보았다.

조유식(본지 기자)

현직 핵잠수함기지 관리담당연락관의 증언

　우리나라 남해안의 군항 진해에 지금도 미군핵잠수함이 들어오고 있다. 84년까지 진해 해군기지 수리창에서 연락관으로 근무했던 곽자문씨의 증언에 의해 처음으로 밝혀진 바에 의하면 79~82년 사이에 전략핵무기를 탑재한 미군핵잠수함이 약 40여 차례에 걸쳐

진해 해군기지에 기항한 바 있다(앞의 기사 참조). 뿐만 아니라 기자는 곽자문씨의 증언에 대한 확인취재 과정에서 지금도 여전히 진해 해군기지 일부가 미해군의 전략핵잠수함 및 전술핵잠수함의 전진기지로 이용되고 있음을 확인하게 되었다.

　기자가 진해에서 확인한 바에 의하면 진해 동쪽 해안에 위치하여 교량으로 육지와 이어진 소모도(小毛島, 곽자문씨의 투고에서는 ㅅ부두로 처리되었다)에 미군 핵잠수함기지가 있다는 것은 진해에서는 "알 만한 사

0033

람은 다 아는 이야기"였다. 소모도 근방에서 바다낚시를 여러 차례 해본 ㅈ아무개씨는 "소모도 근방에서 배를 타고 낚시를 하다보면 가끔 동력을 끄고 예인선에 끌려들어오는 미군 잠수함들을 목격한다. 소모도에 미군핵잠수함이 출입하고 있다는 것은 알 만한 사람이면 다 아는 얘기다. 소모도 근처 바다는 핵잠수함 때문에 오염되었다는 얘기가 있어 그 근방에서 낚은 생선은 아예 먹지 않고 버리는 경우가 많다"고 말하였다.

특히 84년 7월 곽자문씨가 군무원 생활을 그만둔 직후부터 바로 곽자문씨가 담당했던 역할을 이어받아 지금까지 연락관으로 일해오고 있는 배원수씨는 지금도 진해 소모도에 핵잠수함 기항시설이 보수·개선되고 있으며 미해군의 핵잠수함들이 계속 들어오고 있다는 증언을 해주었다. <u>작년 말 남북간의 합의로 비핵화선언이 발효되었지만 핵무기의 육상배치만 금지할 뿐 공중통과나 해상기항은 막지 못하는 허점을 이용하여 미군이 남한에 핵무기를 탑재하거나 탑재할 수 있는 잠수함을 기항시키지 않겠는가 하는 우려가 있었는데</u> 이러한 우려가 배원수씨의 증언으로 현실로 드러난 것이다.

—현재 진해 해군기지에서 어떠한 역할을 맡고 있나.

"진해의 핵잠수함기지 관리담당 연락관이다. 핵잠수함이 기항하기 전에 캐멀 세트(CAMEL SET)를 미리 정비 보수한다든가 그 외 핵잠수함 기항 지원시설의 관리문제를 미군측과 협의하여 진행하고 있다."

—현재도 미군 핵잠수함들이 들어오고 있는가.

"들어온다. 특히 팀 스피리트 기간에는 수도 없이 들어오고 평소에도 자주 들어온다. 오늘도 기지에 들어가 캐멀 세트를 수리하고 지금 나오는 길인데 또 핵잠수함이 들어올 것 같다."

기자의 판단으로는 이러한 움직임은 8월 19일부터 30일까지 수행되는 한미 포커스 렌즈 군사훈련 및 9월 1일부터 5일까지 진행되는 한미연합 야외기동훈련과 관련된 것이 아닌가 생각된다.

—어떤 형의 핵잠수함이 들어오고 있는지 말할 수 있는가.

"현재 주로 들어오고 있는 것은 핵추진 공격용잠수함(SSN)이다. 1백9m짜리 로스앤젤레스급(Los Angeles Class)과 92m짜리 스터전급(Sturgeon Class) 핵추진 공격용잠수함 등이 들어온다. 내가 캐멀관리를 하는

동안 적게 잡아 수십 차례 들어왔다."

—마지막으로 핵잠수함이 들어온 것은 언제인가.

"지난 봄에 많이 들어왔다."

—한번 들어오면 보통 며칠간 기항하는가.

"사흘 내지 엿새 정도 머물다 간다."

—그 잠수함들에 핵무기가 탑재되어 있는가.

"핵무기 탑재가 가능하지만 실제 탑재하고 있는지는 극비사항이기 때문에 모르겠다."

—재래식잠수함도 들어오고 있는가.

"수년전까지는 가끔씩 들어왔는데 최근에는 별로 기억 나지 않는다."

진해입항 잠수함은 핵무기탑재잠수함

국제전략연구소(IISS)의 연감(The Military Ballance 1991~1992)에 의하면 미해군은 90년 5월부로 디젤엔진을 동력원으로 하는 재래식 잠수함은 전부 퇴역시켜 현재 미해군 보유 잠수함은 모두 핵추진잠수함이다.

국제전략연구소의 연감이나 제인 연감(Jane's Fighting Ships) 등에 의하면 여기서 배원수씨가 언급하고 있는 로스앤젤레스급 및 스터전급 핵잠수함은 핵을 동력원으로 하는 핵추진잠수함일 뿐 아니라 실제 핵무기를 장착하는 핵무기탑재잠수함이다.

국제전략연구소 연감(The military Ballance 1991~1992)에 의하면 미군은 1991년 현재 1백21척의 잠수함을 보유하고 있는데 이 가운데 34척은 곽자문씨가 언급하고 있는 잠수함발사탄도미사일탑재 핵추진잠수함(SSBN)으로 대륙간탄도미사일과 동일한 성격의 전략핵무기를 탑재하고 있다(앞의 기사 참조). 그리고 66척은 배원수씨가 얘기하는 로스앤젤레스급 및 스터전급 핵잠수함으로 공히 핵탄두장착 토마호크순항미사일(TLAM-N, Tomahawk Land Attack Cruise Missile-Nuclear)이라는 전술핵무기를 탑재할 수 있다. 핵추진 공격용잠수함(SSN)에는 여러 급의 잠수함이 있으며 그중에서 핵무기를 탑재하는 것은 로스앤젤레스급과 스터전급뿐인데 바로 그 잠수함 들이 진해에 들어오고 있는 것이다.

앞서의 국제전략연구소 연감에 의하면 미해군은 미소간의 전략핵무기감축협정으로 전략핵무기분야에서의 군비경쟁이 제한받게 되자 전술핵무기라는 이유로 미소전략핵무기감축협정(START)에서 제외된 핵탄두

0034

장착 토마호크순항미사일(TLAM-N) 생산에 박차를 가하여 91년 7월경까지 55척의 핵공격용 잠수함에 이 미사일을 탑재하였다. 66척의 로스앤젤레스급 및 스터전급 핵잠수함 중 55척에 핵무기를 탑재하였던 것이다. 따라서 바로 작년 여름까지 진해 소모도에 드나들었던 로스앤젤레스급 및 스터전급 핵추진잠수함들 중에는 핵무기를 실제 탑재한 잠수함이 다수 포함되어 있었을 것으로 보인다. 진해에 6척의 로스앤젤레스급 혹은 스터전급 핵잠수함이 들어왔다면 그 중 평균 5척꼴로 핵무기탑재잠수함이 포함되었다고 판단할 수 있는 것이다.

그러나 작년 9월 28일 부시 미국 대통령은 지상 및 해상 배치 전술핵무기의 일방적 감축안을 발표하면서 핵추진공격용잠수함에 탑재된 모든 전술핵미사일도 본토로 철수하겠다고 선언하였다. 이 선언은 언제까지 실시한다는 시한이 없어 이 시점에도 그 실현 여부는 알 수 없으나 빠르면 작년 10월 이후 진해에 출입한 미군 잠수함들에는 핵무기가 탑재되어 있지 않았을 가능성도 있다.

그러나 부시의 해상발사전술핵미사일의 철수 선언은 지극히 전술적인 조치였음에 주목할 필요가 있다. 핵무기의 '철수'는 '폐기'와는 전혀 다른 개념이다. 폐기된 핵무기는 영원히 다시 쓸 수 없지만 핵무기의 단순한 철수는 언제든지 다시 배치할 수 있다는 군사적

의도가 내포된 개념이다. 이러한 군사적 의도를 갖고 있기 때문에 미국은 러시아쪽이 해상발사전술핵무기의 완전 철폐를 주장함에도 불구하고 굳이 이를 거부하였고 심지어 금년 1월 29일 옐친이 일방적으로 해상발사 전술핵미사일 추가생산 중단을 선언했는데도 그 정도의 조치도 받아들이지 않고 일방적인 해상발사 전술핵미사일 생산을 계속하고 있다. 지난 6월 16일 부시와 옐친간에 합의된 핵무기 추가감축협상에서도 부시의 강력한 주장으로 해상발사전술핵미사일은 계속 생산이 가능한 것으로 인정되었다. 이는 필요하면 언제든지 전술핵미사일을 다시 꺼내 전세계를 누비고 있는 핵추진 공격용잠수함에 탑재하겠다는 의지의 표현인 것이다.

잠수함발사 전술핵미사일의 핵잠수함 탑재는 지극히 쉽고 여전히 핵잠수함들에 설치된 전술핵미사일 발사 장치가 유지되고 있는 점을 고려할 때 전술핵미사일의 탑재가 가능한 핵잠수함은 핵무기에 준하는 핵운반수단으로, 준핵병기로 봐야 한다. 미소전략무기감축협상에서 전략핵미사일만이 아니라 이를 탑재할 수 있는 핵잠수함까지 준핵병기로 간주하고 감축협상을 벌이듯 전술핵미사일 뿐만 아니라 이를 탑재할 수 있는 핵잠수함도 핵전쟁의 불씨를 안고 다니는 경계대상인 것이다.

또한 전략핵무기를 실은 탄도미사일탑재 핵추진잠

0035

핵잠수함
내부의 승무원식당.

수함(SSBN)도 앞으로 얼마든지 우리나라에 들어올 수 있다.

전략핵잠수함 언제든지 재입항 가능

－.탄도미사일탑재 핵추진잠수함(SSBN)은 더 이상 들어오지 않고 있나.

"내가 재직하고 있는 동안에는 88년 올림픽 때 한번 뿐인 것으로 기억하고 있다. 그때 항모 미드웨이가 오면서 같이 따라들어왔다."

－그때 직접 눈으로 확인할 수 있었나.

"당시에는 보안이 대폭 강화되어 새로 게이트(gate)를 두개 설치하고 일체 출입을 통제하여 그 근처에는 얼씬도 못하였다. 그러나 나는 캐멀 설치 책임자기 때문에 모를 수가 없고 지원시설 관리자 정도면 무슨 잠수함이 들어오고 나가는지는 다 알 수 있다."

주로 소련을 겨냥하여 있다고 볼 수 있는 탄도미사일탑재 핵추진잠수함(SSBN)의 진해 출입이 드물어진 것은 미소화해의 영향도 일정하게 작용했다고 볼 수 있을 것이고 최근의 미소 핵무기감축 추세에 영향받은 바도 있을 것이다. 그러나 진해 소모도를 미군핵잠수함기지로 계속 조차해주는 한 그들이 언제든 또다시 전략핵잠수함을 기항시키는 것을 막을 수 없으며 우리나라 인근해안이 그들의 전략핵무기발진기지로 이용될 가능성 또한 배제할 수 없는 것이다.

또한 국지전에 유용하게 사용될 수 있는 핵추진 공격용잠수함이 여전히 진해에 출입하고 있는 사실은 이 잠수함들이 단지 소련을 겨냥해서가 아니라 유사시 한반도에 대한 전술핵공격을 목표로 활동하고 있음을 충분히 짐작케 해준다. 핵무기의 공포로부터 벗어나 평화를 보장해보자고 남북간에 비핵화선언을 했지만 한반도는 여전히 일상적으로 핵무기의 사정권 안에 남아 있는 것이다.

진해에 출입하는 로스앤젤레스급 및 스터전급 핵잠수함이 탑재할 수 있는 전술핵무기는 핵탄두장착 토마호크 순항미사일(TLAM－N)이다. 순항미사일이란 탄도를 그리며 날아가는 탄도미사일과 달리 함선이 바다를 순항하듯이 공중을 순항하는 미사일이라는 의미로 붙여진 이름이다. 핵탄두장착 토마호크순항미사일은 사정거리가 2천5백km, 오차가 80m이며 마하 0.7의 아음속으로 지표면의 굴곡을 따라 고도 15~1백m로 날아가 최종순간에는 텔레비전 카메라를 통해 목표물의 영상이 미리 입력된 디지털 영상과 일치하는지 확인한 후 목표물에 도달하게 되어 있다. 미사일 하나에는 2백 킬로톤의 핵탄두 하나가 장착되게 되어 있는데 이는 히로시마에 떨어진 핵폭탄의 20배, 나가사키에 떨어진 핵폭탄의 10배에 달하는 폭발력을 가지고 있다. 핵추진 공격용 잠수함 한 척은 12기 내지 27기의 핵미사일을 탑재할 수 있어 단 한 척의 잠수함에도 북한

0036

86

전역의 주요 도시를 초토화시킬 수 있는 핵무기가 탑재되어 있다. 이 핵무기는 미국의 입장에서 볼 때는 자기 영토의 안전과 무관한 전술핵무기일지 몰라도 우리에게는 그것이 평양에 떨어지더라도 한반도 전체에 그 영향이 미치게 되는 전략핵무기이다.

장기유지 전망되는 미핵잠수함기지

미군은 최근 소모도의 핵잠수함기항시설을 보수하면서 장기적으로 기지를 유지할 태세를 보이고 있다.

— 핵잠수함 기항 지원시설로 설치되었던 발전기는 여전히 가동중인가.

"여전히 가동중인데 시설이 낡아 87년에 배전반을 교체했고 작년에 2기 모두 새것으로 교체했다. 잠수함은 큰 것이 들어와도 발전기 하나만 돌리면 되는데 가끔 큰 배가 들어오면 7백 50kw짜리 두개를 병렬로 연결해 사용한다. 새 발전기를 갖다놓는 것 보니 어지간히 오래 앉아 있을 모양이다."

— 캐멀은 크기가 어느 정도 되나.

"한 쌍으로 구성되는데 한 개에 무게가 20톤이고 높이는 10m 정도 된다. 이것도 그간 사용하던 것은 외항으로 옮겼고 새로 고무로 된 것을 만들어서 다시 장비하였다."

— 직접 핵잠수함 내부를 구경한 적은 있는가.

"여기서는 그런 경험이 없다. 그러나 처음 이 업무를 맡고 나서 84년 11월 8일 하와이 진주만에 있는 잠수함부대 사령부에 견학을 가서 각종 급의 핵잠수함들을 두루 구경하고 그 안에도 들어가볼 수 있었다. 돌아오는 길에 곰에 있는 전진기지도 둘러봤다."

— 미군 잠수함들이 진해에 들어올 때는 예인선이 끌고 들어온다는데.

"그렇다. 마산에 있는 용마용역에서 배가 나와 소모도까지 예인해준다."

핵잠수함의 기항은 핵무기로부터의 안전이라는 문제뿐 아니라 핵물질에 의한 오염으로부터의 안전이라는 문제도 함께 제기한다.

— 소모도 근방 해역에서 핵잠수함으로 인한 오염이 있다는 이야기를 들어본 적이 있는가.

"있다."

— 일반 공장 폐수 등 다른 요인으로 인한 오염일 수도 있지 않은가.

"일반공업폐수 오염도 있고 핵잠수함으로 인한 오염도 있는 것으로 보고 있다."

— 전에 일본에서 미해군 방사능제거팀이 왔다갔다는 얘기는 들어본 적 있는가.

"있다. 그러나 미군은 아무래도 자기들에게 유리한 쪽으로 조사결과를 내놓지 않았나 싶다."

이제까지 미국은 남한에 핵무기 배치여부에 대해 긍정도 부정도 않는다는 NCND정책을 고수해왔다. 그리고 정부당국도 이러한 미국의 정책을 그대로 받아들여 남한에 핵이 있었는지 없었는지 모른다는 태도를 취해왔다. 그래서 현재 논란이 되고 있는 남북상호핵사찰문제에서도, 남한에 핵무기가 있었다고 인정한 적이 없는데 굳이 핵사찰을 하겠다면 대신 일반군사기지를 보여줄테니 북한도 동수의 군사기지를 보여주어야 한다는 논리를 전개해왔다. 그러나 정부내에서도 이것은 과거의 현실을 지나치게 부정하는 입장이고 또 북한이 전쟁에 져서 항복하거나 본격적인 군축협상이 벌어지는 것도 아닌데 군사기지를 보여줄 리 없으므로 비현실적이라는 주장이 제기되어 왔다.

남한에 핵무기가 존재한 것이 명백한 사실인만큼 무리한 주장은 피하고 보다 현실에 기반한 해결책을 모색하여 핵무기와 직접 관련된 시설만 사찰한다든가 하는 방식으로 남북상호핵사찰을 조속히 성사시켜야 하지 않겠는가. 현실을 굳이 부인하기보다 허심탄회하게 현실을 인정하고 대화하는 것이 한반도에 평화를 정착시키고 통일을 앞당기는 데 더 도움이 될 것이다.

일본을 비롯한 다른 나라에서는 핵잠수함의 기항 자체가 커다란 사회적 쟁점이 되고 격렬한 기항반대 운동이 벌어지기가 일쑤다. 심지어 조그만 배를 타고 나가 항구에 입항하고 있는 거대한 핵잠수함의 진로에 뛰어드는 모험도 불사한다. 그러나 우리는 이제껏 핵잠수함 기항반대는커녕 우리 영토의 일부가 미군 핵잠수함기지로 조차되고 있다는 사실도 몰랐고 그곳을 드나드는 핵잠수함에 핵무기가 탑재되어 있었다는 사실도 알 수 없었다. 북한 영변의 핵시설을 보자고 하기 이전에 우선 남한의 우리부터 핵전쟁의 불씨를 안고 다니는 핵잠수함이 들어오는지 나가는지 제대로 알고 핵무기탑재를 금지하든지 아예 핵잠수함의 출입을 금지하든지 응당한 조치를 취해야 하지 않겠는가.■

0037

북한 외교부 대변인, "진해""잠수함기지"

관련 담화 발표(9.10, 중방)

- 특수정책과 -

- 92.9월호 「말」誌 인용보도

- 조선 반핵평화위원회도 성명 발표(9.12)

o 79.4 완공이래 지금까지 미해군 핵잠수함
  의 전진기지로 이용

o 남측의 남북상호핵사찰 주장은 진해
  핵기지 은폐를 위한 방패에 불과

o 진해 핵잠수함기지 철폐, 핵잠수함 기항
  중지 요구

0038

'92 - 제 464 호

북한 , "말„지의 "진해 핵잠수함기지 게제„
관련   대남비난
- 외교부 대변인 담화 통해
                    ('92. 9.10, 06:20 ,중방)

조선민주주의인민공화국 외교부대변인은 미국과 남조선 당국자들이
미국핵잠수함기지를 남조선 진해에 두고 계속 이용하고 있는 것과 관련
해서 어제 이를 규탄하는 다음과 같은 담화를 발표했습니다.

'조선민주주의인민공화국 외교부대변인 담화 '

남조선 월간잡지 "말„ 1992년 9월호는 미국이 남조선 진해에 핵잠수함
기지를 건설하고 계속 이용하고 있다는 것을 폭로하였다. 진해에 있는
미국핵잠수함기지 관리담당연락관과 미군기술지원반실 이전 번역연락관
이 증언한데 의하면 1979년 4월에 완공된 이 기지에 1982년까지
40여차례나 미국핵잠수함이 들어왔을뿐 아니라 지금도 미해군의 전략
핵잠수함 및 전술핵잠수함이 전진기지로 계속 이용되고 있다고 한다.
진해 기지에 드나드는 로스안젤레스급 및 핵잠수함에는 12- 27기의
핵미사일을 적재할 수 있으며, 미사일 1기에는 200키로톤의 핵탄두를
장착하게 되어있다고 한다.

미국과 남조선 당국자들이 이처럼 미국핵잠수함기지를 남조선에 그대
로 두고 계속 이용하고 있는 것은 조선반도의 비핵화공동선언에 대한

- 1 -
0039

엄중한 유린행위이며 그들이 되뇌이는 남북상호핵사찰은 결국 남조선의 진해에 있는 미국핵잠수함기지와 같은 핵기지를 은폐하기 위한 방패에 불과하다는 것을 스스로 드러내 놓은 것이다. 이것은 미국대통령 부시의 "전술핵무기 철수선언,과 남조선 당국자의 "핵부재선언,의 진실성 여부에 대하여 의심을 품지않을 수 없게하고 있다. 더욱이 미국이 우리를 반대하는 도발적인 포커스렌즈합동군사연습을 벌인것과 때를 같이하여 패트리어트 요격미사일을 비롯한 현대적인 무장장비들을 남조선에 제공하려 하고 있는 것은 어떻게하나 남조선을 핵전초기지로 계속 틀어쥐려는 계획적인 책동으로 밖에 달리는 해석될 수 없다.

미국과 남조선 당국자들은 비핵화공동선언을 이행할 의사가 있다면 남조선 진해에 있는 미국의 핵잠수함기지를 철페하고 핵잠수함의 기항을 당장 중지하여야 하며, 우리에 대한 국제원자력기구의 사찰이 진행되고 있는 실정에서 남조선에 있는 미국 핵무기와 핵기지에 대하여서도 전면적인 사찰을 빨리 받아들일 용단을 내려야 할 것이다.

* 조선반핵평화위원회도 같은 내용의 성명 (9.12) 발표

- 2 -

0040

공   란

공   란

題 目 : 북한, 미 핵잠함의 남한기항 시설 인정 및 핵무기
        전면 철수 요구
                    92.09.12.23:01 (평양-KCNA)
  ~ 북한 반핵평화위원회가 9.12일 성명을 통해 ~

    1. 조선 반핵평화위원회는 9.12일 미국의 전략 및
전술 핵잠수함들이 남한의 진해 소재「소모」섬에 건설된 美
전략 핵잠수함기지를 드나들고 있는 것과 관련하여 성명을 발표
했다.

    2. 내 용

      O 지금까지 美핵무기가 남한애 반입되고 저장돠어
있다는 것은 공인된 사실로 되어 왔지만 그 담당자들의 입을
통해 직접 확인되기는 이번이 처음이다.

      O 미국과 남한당국자들은 북남합의서와 비핵화 공동
선인이 채택 발표된 이후애도 핵무기를 남한에 계속 끌어 들였
다는 것을 이재는 더 이상 부인할 수 있게 되었다.

      O 이리한 사실은 남한의 최고당국자가 지난해말
핵부재 선언을 하였고 미국대통령이 남한으로부터의 핵무기 철수
를 선언한 것이 거짓이고 기만이라는 것을 심중해주는 것이기도
히다.

      O 조선반핵평화위원회는 남한을 침략적인 핵기지로
만들고 있는 미국과 남한 당국자들의 핵동을 북남합의서와
비핵화공동선언애 대한 난폭한 도전행위로, 명남못합 배신행위로
낙인하면서 새로운 핵전쟁 도발을 추구하는 미국과 남한 당국자

0043

들의 범죄적 흉계를 엄중히 단죄, 규탄한다.

O 미국과 남한당국지들이 우리의 핵문제를 걸고 반공 화국 소동에 그토록 열을 올리면서 우리의 북남동시핵사찰, 전면 핵사찰 방안을 그보록 집요하게 반대한 것은 바로 진해 핵잠수 함기지와 같은 것이 드러나고 지들의 핵전쟁 준비책동이 폭로되 는 것이 두려웠기 때문이다.

O 남한에 미군의 핵저장고가 있다는 것이 밝혀진데 이어 이번에 또다시 진해의 소모섬에 핵잠수함들이 드나들고 있다는 것이 밝혀진 이상 미국과 남한 당국은 핵전쟁을 일으키 려 하고 있으며 북남합의서와 비핵화공동선언을 이행하려 하지 않는다는 것을 더이상 감출수 없게 되었다.

O 미국과 남한 당국은 이제라도 남한에 핵잠수함이 기항했다는 것과 지들의 범죄적인 핵전쟁 준비책동에 대해 시인 더고 핵무기와 핵기지들을 전면철수해야 하며 우리에 대한 핵사 찰 문제를 걸고 들면서 감행하는 온갖 비방중상과 반공화국 소동을 당장 걷어 치워야 한다.

O 남한당국자들은 민족적 양심이 조금이라도 있다면 조국강토를 외세의 핵기지, 핵전쟁 마당으로 내어 맡기는 반민족 행위를 그만두어야 하며 거래의 요구대로 남한에서 미군과 핵무 기들을 접수시키고 비핵화 공동선언을 성실히 이행해 나가야 한다. 끝.

重要 狀況 報告書

報告日時 : 92.09.13.21:30

出   處 :   (북경방송)

題   目 : 유엔 주재 북한대사, 진해 핵잡수함기지 폐쇄 요구

　　　　1. 유엔 주재 북한대사 허종은 남조선의 진해 핵잡수함
기지를 닫아버리고 합동군사연습을 그만둘 것을 남조선과 미국에
강력히 요구했음.

　　　　2. 대사는 남조선에 패트리어브 미사일을 피는 문제를
다시 고려하는 동시에 남조선에 있는 미국 군사기지를 닫아버릴
것을 미국 정부에 요구했음.

　　　　3. 대사는 조선정부는 북남 쌍방의 핵시설에 대한 호상
시찰을 될수록 빨리 실시할 준비와 그런 용의를 가지고 있다고
하면서 모든 의심스러운 핵시설과 핵기지는 응당 검사를 받아야
한다고 했음.

　　　　4. 그는 남조선과 미국은 핵시설에 대한 사찰을 질질
끈다고 조선을 비난하고 있는데 실재상 그들이 핵잡수함기지를
요구하고 있는 것은 조선 북남 사이의 호상 사찰에서 최대의
장애로 되고 있다고 했음.   끝.

0045

重要 狀況 報告書

報告日時 : 92.09.14.08:12

出   處 :   (중앙/평양방송)

題   目 : 조선평화옹호 전국민족위원회, 진해 핵잠수함기지
　　　　　　철폐 촉구 성명 발표

　　1. 조선평화옹호 전국민족위원회에서는 미국과 남조선
당국자들이 남조선을 침략적인 핵기지로 만들고 새로운 핵전쟁
도발을 추구하고 있는 것과 관련해 9.13 성명을 발표했음.

　　2. 성명 요지

　　　　() 조선반도를 비핵지대로 만드는데 대한 온 민족의
염원에 역행해 진해의 핵잠수함 기지에 핵무기를 적재한 함선들을
끌어들이면서 핵전쟁 도발을 획책하는 미국과 남조선 당국자들의
천추에 용납못할 범죄행위를 규탄 함.
　　　　() 미국과 남조선 당국자들은 냉전시대의 낡은 사고
방식을 버리고 남조선에 있는 핵기지를 철폐해야 하며, 핵무기를
지체없이 끌어내가야 함.
　　　　() 모든나라 정당, 단체들이 남조선에 핵잠수함을
끌어들이고 있는 미국과 남조선 당국의 책동을 반대하여 정의의
목소리를 높이며, 조선반도의 비핵 평화지대를 위한 우리인민의
정의의 투쟁에 굳은 연대성을 보내줄 것을 호소함.
　　　　() 미국과 남조선 당국자들은 새로운 핵전쟁 소동에
매달린다면 그로부터 초래되는 모든 후과에 대해 전적인 책임을
지게되리라는 것을 명심해야 할 것임.   끝.

0046

국방부 반박성명

○ 국방부는 14일 북한외교부 대변인이 조선중앙방송을 통해 발표한
  "진해에 미 핵잠수함 기지 건설 및 이용"과 관련한 담화를
  반박하는 성명을 발표하였다

○ 국방부 ○○○대변인은 이날 성명을 통해 「북한은 지난 10일
  외교부 대변인 발표담화에서 미국이 핵잠수함기지를 진해의
  시모도에 건설하고 이를 계속 이용하고 있다고 비난하면서
  진해 핵잠수함 기지의 철폐 및 남한의 미핵무기, 핵기지에 대한
  전면적인 사찰을 즉각 수용할 것을 촉구했다」고 밝혔다

○ ○○○대변인은 북한의 이같은 주장을 일축하면서 대한민국
  영토내에는 하나의 핵탄두도 존재하지 않으며, 어떠한 형태의
  핵잠수함 기지도 없다고 확인하였다

○ 이와 아울러 북한이 그들의 성명에서 밝힌 바와 같이 진정으로
  한반도 비핵화 정책을 이행하고 상호 투명성을 제고하기 위해,
  남.북한 상호사찰을 제의한 것이라면 이는 핵통제공동위원회
  에서 밝힌 우리 측의 기존입장과 합치하므로 이를 환영한다고
  밝혔다

0047

국방부,북한의 진해핵기지 관련 담화 반박

(서울=聯合) 국방부는 14일 북한 외교부 대변인이 조선중앙방송을 통해 발표한 '진해에 미 핵잠수함 기지 건설 및 이용'과 관련한 담화를 반박하는 성명을 발표했다.

국방부 尹昌老대변인은 이날 성명을 통해 "북한은 지난 10일 외교부 대변인 발표담화에서 미국이 핵잠수함기지를 진해의 소모도에 건설하고 이를 계속 이용하고 있다고 비난하면서 진해 핵잠수함기지의 철폐 및 남한의 미핵무기,핵기지에 대한 전면적인 사찰을 즉각 수용할 것을 촉구했다"고 밝혔다.

尹대변인은 북한의 이같은 주장에 대해 "대한민국 영토내에는 하나의 핵탄두도 존재하지 않으며 어떠한 형태의 핵잠수함 기지도 없다"고 반박했다.

尹대변인은 또 "북한이 진정으로 한반도 비핵화 정책을 이행하고 상호 투명성을 제고하기 위해 남북한 상호사찰을 제의한 것이라면 이는 우리측의 기존 입장과 합치하므로 이를 환영한다"고 밝혔다.(끝)

(YONHAP) 920914 1603 KST

0048

외 무 부

종 별 :

번 호 : USW-4530 　　　　　　　　　　일 시 : 92 0915 1720

수 신 : 장 관 (미이 이호진 과장)

발 신 : 주 미 대사 (임성준 참사관)

제 목 : 업연

　　1. 군무원의 발언을 기초로 진해에 미국 핵잠함이 기항한다고 보도하였다는 "말"지
9 월호 해당 기사를 FAX 송부바랍니다.

　　2. 건승 기원.끝.

미주국

공　　　란

공 란

외　무　부

종　별 :

번　호 : USW-4553　　　　　　　　　　　일　시 : 92 0915 2059

수　신 : 장관 (미일, 미이)

발　신 : 주 미 대사

제　목 : 국무부 한국과장 한.미 관계 연설

1. CHARLES KARTMAN 국무부 한국과장은 금 9.15. 당지 의회도서관의 TUESDAY LUNCH GROUP 에 초청 연사로 참석, "한. 미 양국 대통령 선거가 한. 미 관계에 미치는 영향" 제하의 발표를 통해 북한 핵문제, 아국의 민주발전, 북방정책, 최근 한. 미 관계 동향등에 관한 의견을 피력하였음. (당관 관계관 참석)

2. KARTMAN 과장은 북한 핵문제에 관한 그간의 경위를 상세 설명하고, 북한이 핵무기 개발을 추진하고 있다는 것은 의심의 여지가 없으나 (ABSOLUTELY NO QUESTION ABOUT IT) 외교적 용어로 직설적 표현을 삼가고 있을 뿐이라고 말함.

3. KARTMAN 과장은 아국 민주화와 관련, 5 공화국 말기의 혼란속에서 당시 노 대통령 후보가 6.29. 선언을 통하여 민주개혁 의지를 천명한 이후로 한국은 6 공화국을 통하여 힘든 여건속에서도 민주화를 이루어 왔으며, 이제 금년 12 월 다시금 민주선거를 통하여 새 대통령을 선출할 시점에 서 있다고 하면서 이는 한국의 위대한 성공담 (A GREAT SUCCESS STORY OF KOREA)이라고 평가함.

4. 동 과장은 한국은 한. 소 수교에 이어 최근 한. 중수교를 통해 북방정책을 완결하였으며, 이제는 한국을 제외하고 동북아 정세를 논의할 수 없을 만큼 중요한 ACTOR 가 되었다고 말하고, 한. 미 양자관계에 대하여서는 양국관계가 점차 확대되고 성숙되어 가고 있으나, 냉전종식에 따른 전반적인 미국방예산 감축 추세가 전체 국방예산의 일부분에 지나지 않는 주한미군 주둔규모에도 영향을 미치고 있다고 하면서, 미국은 결코 북한에 대해 잘못된 신호를 보내는 오류를 되풀이해서는 안 될 것이라고 강조함.

5. 또한, 동 과장은 남북한 통일 전망에 관하여 자신의 사견임을 전제로 북한이 유엔가입등에서 보듯이 점차 2 개의 한국을 인정하는 현실적 자세로 전환해가는 움직임을 보이고 있고, 남한도 독일통일을 교훈삼아 통일 비용등의 문제를 염두에

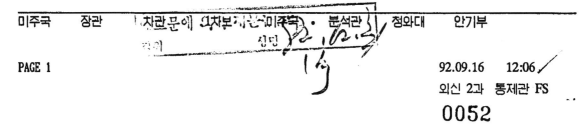

미주국　　장관　　차관문에　2차보　미주국　·　분석관　　청와대　　안기부

PAGE 1　　　　　　　　　　　　　　　　　　　　　　92.09.16　　12:06

두고 신중히 통일문제를 다루고 있는 것으로 보이므로 통일의 과정은 생각보다 느리고 힘든 것 (REMAIN AS SLOW AND DIFFICULT PROCESS)이 될 것으로 본다고 전망함.

6. 이어 진행된 토론에서 KARTMAN 과장은 주요 질문사항에 대해 아래 요지로 답하였음.

가. 북한 핵문제와 남북한 경협을 연계시키고 있는 한국정부 입장에 대한 평가

- 5 공화국은 정통성의 부재로 말미암아 일관된 대북정책을 펴지 못한 면이있으나, 6 공화국은 이러한 정통성의 문제를 불식하였기 때문에 국내 정치 상황에 구애됨이 없이 자신감을 가지고 대북정책을 추진해 오고 있음.

- 대북 경협을 계속 추진하여야 한다는데 대하여는 한국내 합의가 이루어져 있다고 보나, 최근 한국 경제인들 사이에서 보이는 대북한 경협에 대한 열망(ENTHUSIASM)과 실제로 시행되는 한국정부의 대북정책은 구별되어야 함. 한국정부는 기업인들의 대북한 경협모색 차원에서의 조사단 (EXPLORATORY BUSINESS) 방북등은 허용하고 있으나, 핵문제 해결 이전의 실질경협은 불허하고 있는 바, 이는 현명한 정책(SMART STRATEGY)이라고 생각함.

나. 최근 지방관리의 선거개입 사례등에 비추어 차기 한국 대통령 선거의 공정성 여부 전망

- 동 관계 공무원이 선거에 개입, 여권후보를 위한 선거운동을 하였음에도 불구하고 야권후보가 당선되었다면, 이는 관권개입이 전혀 효과가 없었다는 것을 반증하는 것으로 볼 수 있을 것임. 99%가 공정한 선거였다면, 이는 평가되어야할 것으로 봄.(PRETTY GOOD)

- 금년 12 월의 한국 대통령 선거는 공정한 선거가 될 것임을 확신하며, 어느 대통령 후보가 당선이 되든 그가 대통령직에 취임하게 될 것임.

다. 남북한 쌀교역의 갓트 위반 여부

- (매우 복잡한 문제임을 전제로) 한국산 쌀은 정부보조를 받고 있으므로 이를 북한에 수출하는 것은 갓트 규정에 위배될 가능성 (POTENTIAL VIOLATION)이 있어 미국은 한국에 대해 대북한 쌀교역 문제에 대해 갓트의 예외적 허가를 받도록 권고하고 있음.

- 한국은 동 교역이 민족내부 거래라는 입장을 취하고 있으나, 남북한이 상호 실체를 인정하고 있는 현실과 맞지 않는 측면이 있다고 봄. 그러나, 미국은 이 문제를 양국간 중요문제로 보고 있지 않음.(NOT A CORE ISSUE)

PAGE 2

0053

라. 한. 중수교가 미.북한 관계 및 동북아 안보에 미치는 영향

- 북한이 도움을 필요로 하는 상황에 처해 있다는 점은 인정하나 (NOT UNSYMPATHETIC), 북한이 고립에서 벗어나기 위해서는 핵문제를 먼저 해결하여야 함. 미국은 금년초 미.북한 고위급 접촉을 통해 미.북한 관계 개선을 위한 전제조건을 북측에 명확히 전달한 바 있으며, 남북한 상호사찰 실현등 동 전제조건의 충족 여부는 북한에 달려 있음.

- 한반도의 안정이 동북아 안보를 위해 차지하는 중요성은 막대하며 이에 대해서는 한반도 주변국들도 같은 인식 (SIMILAR PERCEPTION)을 갖고 있으며, 이를 위해 남북관계 진전을 측면지원하고 있으나, 주변 강국들이 한반도 문제의 해결책을 남북한에 강요(IMPOSE)할 수는 없는 것임.

마. 기타

- (주한미군의 감축 문제에 대한 한국민의 시각에 대해) 미국의 대한 안보 공약이 약화되는 것이 아닌가하는 우려의 시각이 있을 수 있다고 보나, 기본적으로 한. 미 안보협력은 건실한 관계를 유지하고 있음.

- (북한의 미사일 수출 문제가 미.북한관계 개선에 장애가 되는지의 여부에 대해) 장애가 되고 있는 것은 분명하나, 북한의 미사일 수출은 순전히 경제적 동기에서 출발한 것이라고 보므로 북한이 개방을 통해 국제경제에의 참여폭이 커지게 되면 해결될 수도 있는 문제라고 생각함. 끝.

(대사 현홍주 - 국장)

예고 : 92.12.31. 일반

PAGE 3

0054

발 신 전 보

분류번호	보존기간

번 호 : WUS-4232   920916 1823   FY   종별 :

수 신 : 주　미　　　대사. 총영사 (임성준 참사관)

발 신 : 장 관 (이호진 배상)

제 목 : 업 연

92년 9월호 '말'지에 게재된 참고 기사를 별첨 Fax 송부합니다.

건승 기원드립니다.　　　　　　　　　　WUSF-0703

첨부 : 동 기사 1부.　끝.

보 안 통 제	

앙 고 재	92년 8월 16일	북미2과	기안자 성명 김진수	과 장	국 장	차 관	장 관	외신과통제

0055

92/9/17
여우정세 얼성

"北韓 핵개발 의혹 거의 해소됐다"
=日고도통신, 美국무부당국자 견해 보도=

　　(東京=聯合)文永植특파원=美국무부 당국자는 16일 北韓의 핵개발의혹에대해 「美國이 금년 1월하순 까지 불안감을 갖고 있었으나 국제원자력기구(IAEA)의 사찰이 진척됨에 따라 걱정이 거의 해소됐다」는 견해를 표명했다고 일본의 고도(共同)통신이 17일 워싱턴발로 보도했다.

　　고도통신에 따르면 이 당국자는 『북한은 이미 핵개발계획에 임하지 않고 있다고 생각되며, 핵개발계획에 임하고있는 지의 여부에대해서는 IAEA가 충분히 파악하고있을 것』이라고 말했다.

　　이 당국자는 또 핵 의혹이 거의 해소된 가운데 남북한핵 상호사찰을 美.北韓 국교정상화 의 전제조건으로 삼고 있는 이유에대해 『상호 사찰은 남북한이 가졌던 40여년간의 불신감 해소에 도움이 되고, 북한이 자발적으로 약속한 것』이라고 말했다

　　이 당국자는 따라서 『북한의 핵카드는 더이상 유효하지 않다』면서 『북한이 상호 핵사찰을 받아들일 때까지 미국측에서 양보나 새로운 제안을 할 생각은 없다』고 강조했다.

　　한편 고도통신은 이에대한 별도의 해설 기사를 통해 북한의 핵개발 의혹과 관련 美정부 당국자가 이처럼 확실한 형태로 「북한이 핵개발을 하지 않고 있다」는 견해를 표명한 것은 처음이라고 지적하고 앞으로 이 것이 美정부의 공식 견해로 확정되면 최근 2년여에 걸쳐 東아시아에서 최대 불안정요인의 하나가 되어온 「북한 핵의혹 문제」가 매듭지어져 전혀 새로운 국면을 맞게된다고 풀이했다.

　　고도통신은 또 미국측이 「핵의혹의 거의 해소」라고 판단하고 있는 배경에는 ▲금년들어 북한이 IAEA와 핵사찰협정에 조인.비준하고 「국제규칙에 따를 것」이라고 밝힌 사실과 ▲5월말부터 지금까지 3차례의 1AEA 특별사찰을 받아들인 사실을 평가한 점이라고 설명했다

　　고도통신은 이어 북한 대표가 16일 빈에서 개막된 IAEA이사회에서 「상호 사찰에 머지않아 진전이 있을 것」이라고 표명한 사실을 지적, 북한의 핵문제가 매듭지어질 경우 日.北韓국교정상화 회담에도 크게 탄력성이 붙게 될 것이라고 내다봤다.(끝)

0056

공   란

공   란

공　　란

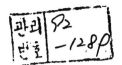

S
— 관리 file —

장관님 주한 미대사 면담요록

* 일시 및 장소 : 1992.9.18.(금) 09:25 - 09:55, 장관실

종 별	실 님	분 과 장	실 장	국 장	차 관		

미 주 국

0060

1. 일시 및 장소 : 1992.9.18.(금) 09:25 - 09:55, 장관실

2. 배   석

    ㅇ 우리측 : 미주국장 (기록: 북미1과 조태용 서기관)

    ㅇ 미 측 : Hendrickson 참사관

3. 면담 내용

대   사 : 이번 노대통령의 방미기간중 한.미 정상회담이 성사되지 못하여,
                매우 유감임.

                부쉬 대통령의 매우 분주한 국내일정으로 다른나라와의 정상회담을
                일체 하지 않기로 대통령과 베이커 비서실장이 결정을 내렸음.
                한.미 정상회담이 성사안된 것과 관련, 부쉬대통령은 노대통령의
                미국 체재기간중 친서(Personal message)를 보낼 것임.

                스코우크로프트 보좌관등이 많은 노력을 하였으나, 성사되지 않아
                대단히 죄송스럽게 생각함.

장   관 : 미측의 사정을 이해함.

                오늘아침 주미 대사관 보고에 의하면, 이글버거 국무장관 대리가
                9.21(월) 16:00 노대통령 예방을 회망해 왔음을 알려 왔음.

— 1 —

0061

대   사 : 참 잘되었으며, 부쉬대통령 친서가 그 기회에 전달될 것으로
          생각함. 부쉬대통령과 노대통령은 아주 가까운 사이이기
          때문에 노대통령이 이해를 해 주시기 희망함. 부쉬대통령은 지금
          아주 어려운 입장에서 선거운동을 하고 있음.

          EC를 비롯, 많은 다른나라 정상들이 회담을 희망해 왔으나, 모두
          거절하였음. 부쉬대통령으로서는 현시점에서 선거운동을 주력할
          수 밖에 없으며, 재선문제가 가장 중요한 당면 과제임.

          한국측이 이러한 미측의 사정에 이해를 표시해 주신데 감사드리며,
          다시한번 깊은 유감의 뜻을 표함.

장   관 : 오늘 새벽 알라스카에서 다시 화산이 폭발하여 부득이 경유지를
          앵커리지에서 시애틀로 변경하게 되었음. 최근 두차례 화산폭발이
          있었다고 듣고 있음.

대   사 : 경유지 변경으로 인해 서울 출발시간에 변동이 있는지 ?

장   관 : 출발시간이 20분정도 앞당겨 질 것 같음.

대   사 : 요사이 태풍, 지진, 화산 폭발등 자연재해가 많은 것 같음.
          경유지 변경과 관련, 미측에서 도와드릴 것이 있으면 최대의
          협조를 아끼지 않겠음.

장   관 : 지금 의전장이 미측과 긴급히 연락하고 있음.
          (미주국장에게) 의전실에 미측의 협조 제공의사를 전달바람.

대   사 : 금번 제8차 고위급회담 결과를 어떻게 평가하는지 ?

- 2 -

0062

장　　관 : 정 충리께서 오늘 오후 귀경하시게 되어 있는데, 이번에 3개 부속
　　　　　 합의서에 서명한 것은 큰 성과임.　또한 금년 12.21-24간 서울에서
　　　　　 제9차 회의 개최에 합의하였음.　당초 일부에서는 부속합의서 타결이
　　　　　 되지 않을 것으로 우려했는데 타결이 되어 잘 되었음.　부속합의서
　　　　　 서명으로 양측은 공동위원회를 활성화시킬 수 있게 되었음.

　　　　　 사실 회담전에는 한.중 수교등으로 남.북대화나 특히 충리회담에
　　　　　 악영향이 있지 않을까 일부에서 걱정하였는데, 거꾸로 한.중 수교가
　　　　　 북한으로 하여금 타협적 자세로 취하도록 촉진하는 결과가 된
　　　　　 것으로 봄.

　　　　　 다만, 핵문제와 관련하여는 아무런 진전을 보지 못했음.

대　　사 : 워싱턴에서 북한 핵문제와 관련한 국장급 한.미.일 3자협의를
　　　　　 제의한 바 있는데, 한국측의 입장은 어떤지 ?

미주국장 : 9.25 워싱턴에서 협의를 갖기로 하였으며, 미 국무부에서 이미
　　　　　 일본측과 이야기하고 있는 것으로 생각함.

대　　사 : 얼마전 신임 주한 일본대사와 만나서 여러가지 문제(various
　　　　　 matters)를 토의하기 위한 한.미.일 3자협의에 대해 의견을
　　　　　 나누었음.　신임 고또대사는 전임 대사보다 활동적인 것 같음.

장　　관 : 미측에서 클라크 동아.태 차관보의 10월중순 극동방문시, 한.미.일
　　　　　 3자협의를 갖자는 이야기가 있었음.

미주국장 : 클라크 차관보는 동경 또는 서울에서 차관보급 3자협의를 회망
　　　　　 하였으며, 우리측에서는 신기복 차관보를 참석시키도록 검토중임.

－ 3 －

0063

대   사 : 약 2주전 클라크 차관보의 북경방문후 공항에서 약 20분간 본인과
          전화통화를 하였는 바, 한.미.일 3자협의 추진에 관하여 의논하였음.

          클라크 차관보가 후속조치를 취해주어 기쁘게 생각함.

          이동복 위원장등에게 북한 핵문제와 관련 한.미간의 전술적
          검토가 필요하다고 이야기한 바 있음.

장   관 : 한.미.일 3자간에 북한 문제등과 관련한 협의를 갖고 공동입장을
          만들어 나가는 것은 좋은 일이라고 생각함.

대   사 : 한.미.일 3자협의는 여론에서도 좋게 생각하고 있음.(good public
          perception) 오늘 아침 7시 프레스 클럽에서 조찬간담회를 가졌는바,
          주한 대사로서의 3년간을 회고하고, 미국은 한.일 우호관계가
          강화되기를 바라며, 이를 위해 기여하고 싶다는 뜻을 밝혔음.

장   관 : 안병훈씨가 회장으로 있는 신문편집인 협회 조찬간담회였는지 ?

대   사 : 그렇슴. 노대통령 방미와 관련 아시아 협회를 포함, 모든
          일정이 확정되었는지 ?

장   관 : 대체로 확정되었으며, 다만 9.21(월) 오후에 다른일정을 마련중임.

미주국장 : 노대통령의 UN 및 아시아 협회 연설문이 오늘중 확정될 것으로
          예상되는데, 청와대에서 연설문을 받는대로 귀측에 사본을 보내
          드리겠음.

대　　사　:　감사함.

　　　　　　노대통령 방중과 관련, 중국에 관한 미측의 최신 분석자료를
　　　　　　방중전에 한국측에 전달해 드리겠음.

장　　관　:　노대통령은 25일 귀국한 후, 다시 27일 방중차 출국할 예정임.

대　　사　:　그 일정에 맞추어 자료를 귀측에 전달하겠음.

미주국장　:　김종휘 외교안보 수석 비서관이 방중결과 설명차, 10월초 미국과
　　　　　　일본을 방문 예정임.

　　　　　　미국에서는 스코우크로프트 안보보좌관과 이글버거 국무장관 대리를
　　　　　　면담 신청해 놓았음.

장　　관　:　김 수석은 10.2 동경에, 10.5 워싱턴에 갈 예정임.

대　　사　:　최근 주한 대사들과 이야기해 보니, EC의 한국에 대한 관심이 매우
　　　　　　높아졌음. 특히 남.북관계와 중국관계에 대하여 궁금해 하고 있음.

장　　관　:　사실은 어제 주EC 대사에 훈령을 내려, EC 집행위원장과 주요회원국에
　　　　　　관련사항을 설명해 주도록 하였음.

대   사 : EC권의 한국에 대한 관심이 매우 높아졌으며, 이들에게 최근 진전 상황을 브리핑해 준다면, 한국측에도 큰 도움이 될 것임.

귀측에서 EC에 충분한 설명을 해 주시겠지만, 우리의 NATO에서의 경험으로는 유럽사람들은 브리핑에 관한한 무한한 수용능력을 가지고 있음. 한국측이 조금더 자세히 설명을 해 준다면 도움이 될 것임.

며칠전 신임 주한 중국대사를 만났음. 영어는 못하지만 통역을 데리고 다녀서 의사소통에 아무런 불편이 없었음. 본인이 환영의 뜻을 표하자 고맙다고 하였는데, 아주 성격이 좋은 사람인 것 같았음.

장   관 : 장정연 중국대사는 평양에 3번이나 근무하여 한국어가 아주 유창함. 그리고 부인도 외교부 아주국에서 근무한다고 들었음.

대   사 : 주한 중국대사관 개설은 한국외교의 새 지평을 여는 것으로 다시한번 경하해 마지않음.

장   관 : 오늘 아침 김재순 전 국회의장등 대만에서 돌아온 고위사절단 일행과 아침을 같이 하였음. 대만측에서 그다지 환대를 받지 못한것 같으며, 특히 전복 외교부장과 김수기 전 주한대사가 감정적인 반응을 보였다고 함. 어제 저녁 외교부장 주최 만찬도 마지막 순간 취소가 되었다고 함.

대만측은 한.대만관계 수립과 관련 국호사용, 국기사용등을 포함한 4가지 요구사항을 제시했음.

우리측으로서는 한.대만 실질관계의 유지에 최대한 노력을 할 것이며, 대만측의 감정적 반응에 대하여 감정적으로 대응하지 않을 것임.

— 6 —

0066

대   사 : 한국측의 대처방향이 매우 현명함.

　　　　　　본인도 전복 외교부장을 잘 알고 있는데, 그는 매우 노련한 외교관
　　　　　　(Extremely Accomplished Diplomat)이며, 때로 매우 어려운 교섭
　　　　　　상대임.

　　　　　　장관님이 말씀하신 것처럼 냉정 침착한 자세를 유지하는 것이
　　　　　　최선의 대응일 것임.

　　　　　　대만측으로서도 국내여론의 압력등 때문에 고의로 냉담한 자세를
　　　　　　취하는 것으로 생각하며, 본심으로는 한.대만관계를 잃고 싶지
　　　　　　않을 것임.

장   관 : 대만측은 당초 한국 대통령 선거전 까지는 한.대만관계를 수립하지
　　　　　　않겠다고 말하였는데, 사실 대만도 12월달에 입법원 선거가 있기
　　　　　　때문에 그 전에 한국과의 관계수립을 하기는 어려운 점이 있을
　　　　　　것임.

대   사 : 대만측의 반응은 전형적인 중국식 외교술임. 실무교섭단은 예정대로
　　　　　　대만을 방문할 것인지 ?

장   관 : 김태지 대사를 단장으로 하는 실무교섭단은 대만측에서 명시적으로
　　　　　　받지 않겠다고 하지 않는 한, 계획대로 파견할 예정임.

　　　　　　대만측에서는 실무교섭단이 교섭 권한을 가지고 있어야 된다는
　　　　　　이야기는 하고 있지만, 방문을 접수 못하겠다는 말은 하지 않고 있음.

- 7 -

0067

대 　 사 ： 주한 미국대사관에 Burghardt 공사가 있는데, 그는 중국과 대만에서
공부를 한 미 국무부의 대표적인 중국전문가임.

대만측과의 교섭경험과 관련 만일 한국측이 궁금한 것이 있다면,
동인이 도움이 될 수 있을 것임.

미주국장 ： Burghardt 공사는 미.북한 접촉을 맡았던 최초의 미국 외교관으로
알고 있음.

참 사 관 ： Burghardt 공사는 미.북한 북경접촉의 처음 4차례를 맡았었음.

최근 북한접촉을 맡은 북경주재 정무참사관이 Kaiser 참사관에서
Silver 참사관으로 바뀌었는데, 성격이 더 강한 사람이기 때문에
북한측으로서는 과거보다 더 어려울 것임.

대 　 사 ： 미국방문의 성공을 기원하며, 다시한번 정상회담이 성사되지 못한데
대해 사과드림.

본인도 공항에서 노대통령을 전송할 것이며, 아까 말씀하신 경유지
변경과 관련, 미측의 협조가 필요한 사항은 최대한 도와드리도록
하겠음.

장 　 관 ： 오늘 아침 귀하의 신문 편집인 협회 조찬간담회 연설문을 보내줄
수 있는지 ?

대   사 : 본인은 사전 준비된 연설문을 읽기보다는 notes만 가지고 청중의
기분에 맞추어 이야기하기를 좋아하기 때문에 연설문은 없으나,
notes가 정리되면 보내드리도록 하겠음.

조찬간담회는 매우 잘 되었으며, 북한관계, 핵문제등 많은 질문이
있었음.

장   관 : 관훈 클럽과 신문편집인 협회는 한국에서 가장 권위있는 포럼임.

미주국장 : 대사님이 신문편집인 협회에 초청을 받은 것은, 한국에서 유명인사가
되었음을 말해주는 것임.

대   사 : 서울에서의 지난 3년은 아주 만족스러운 나날이었음.

장   관 : 9.23 노대통령이 닉슨 전 대통령과 오찬을 하게 되어 있음. 그때
닉슨 전 대통령으로부터 중국과의 외교경험을 들을 수 있을 것으로
기대함.

대   사 : 언젠가 닉슨 전 대통령과 한시간 반동안 단독으로 이야기를 한
적이 있는데, 아주 재미있는 이야기를 많이 들었음.

노대통령께서 닉슨 전 대통령과 오찬을 하시게 된 것은 아주 잘 된
일임.

예 고 : 1992.12.31. 일반   - 끝 -

1. 國際原子力機構(IAEA)理事會의 北韓 核問題 討議結果

○ 9.16 비엔나에서 開催된 IAEA 理事會에서 北韓 核問題 관련,
35개 理事國中 우리나라를 포함한 24개 理事國이 아래要旨
發言함. (6월 理事會時는 22個國 發言)

  - IAEA의 지속적이고 철저한 査察促求, 透明性提高 및 信賴
    構築을 위한 南北韓 相互査察 早速 實現 희망

○ 北韓 首席代表는 IAEA 査察 進展으로 北韓側의 誠實性이
명백해질 것이며, 南北韓 相互査察問題는 IAEA에서 論議될
事項이 아니나 곧 解決될 것이라고 언급함.

  - 오창림 巡回大使는 9.17 記者會見을 통해 南.北韓간 非核
    合意書가 履行되지 못하는 理由는 北韓이 3차례에 걸쳐 IAEA
    核査察을 받아왔음에도 불구, 韓國側의 駐韓 美軍基地에
    대한 査察拒否와 特別査察 要求 및 査察規定 協商過程에서의
    無理한 要求에 있다고 하면서 우리측에 책임을 轉嫁함.

○ IAEA 理事會는 北韓 核問題를 다음 理事會에서 계속 論議키로
결정함.

  ＊ 9.21-25간 開催될 IAEA 總會時 各國 基調演說을 통하여 北韓 核問題가
    계속 言及될 예정임.

0070

3. IAEA의 제3차 北韓 核査察 結果

○ 9.15 한스 블릭스 IAEA 事務總長은 IAEA 9월 定期理事會 관련
  主要 關心事項에 대한 非公式 브리핑시, 北韓 核問題 관련
  報告에서 제3차 臨時査察團이 査察活動中 2개의 未申告施設을
  訪問하였으며, 그중 하나는 軍事施設이 包含되었다고 설명함.

  - 同 未申告施設에 대한 査察은 IAEA 査察團이 당초 北韓側의
    未申告施設 査察許容 約束을 想起시키면서, 査察을 요청한데
    대해 北韓側이 上部許可를 받아 許容함에 따라 이루어진
    것임.

  - 上記 軍事施設의 구체적 內容에 관해서는 査察團의 歸任
    이후에야 알수 있을 것으로 보이나, 美 代表部 關係官에
    의하면 核廢棄物 貯藏處理 관련시설이 所在된 施設로
    推測된다고 함.   (駐오스트리아大使 報告)

    * 詳細內容 確認되는대로 別途 報告 예정임.

0071

분류번호	보존기간

발 신 전 보

번   호 : WUS-4327   920918 2016 FX 종별 : 지 급

수   신 : 주   미   대사. 총영사

발   신 : 장 관 (미이)

제   목 : 북한 핵문제 관련 일본 언론 보도

1. 일본 교도통신이 9. 17. 워싱톤발로 보도한 바에 의하면, 「미 국무부
    당국자가 9. 16. 북한의 핵개발 의혹에 대해 '미국이 금년 1월 하순까지
    불안감을 갖고 있었으나, IAEA 사찰이 진척됨에 따라 걱정이 거의 해소
    되었다'는 견해를 표명했다」함. (동 기사를 인용 보도한 9. 17.자 연합
    통신 기사 전문 별첨 Fax 송부)

    WUS-716

2. 이와 관련, 미 국무부 관계관과 접촉 동 기사 내용의 진위 여부를 확인
    하고, 사실인 경우 이러한 입장을 밝힌 경위등을 파악 보고 바람.

3. 아울러 북한의 핵능력 및 의혹 부분에 대한 미측의 최근 새로운 평가가
    있을 경우 보고 바람. 끝.

예고 : 1993. 6. 30. 일반

예고문에 의거 재분류(
권위

(미주국장 정태익)

		기안자 성명		과 장	심의관	국 장		차 관	장 관	
앙고재	92년9월18일 미2과	김전수				전번				

보안통제

외신과통제

0072

연합 H1-376 S06 외신(856)

"北韓 핵개발 의혹 거의 해소됐다"
=日고도통신, 美국무부당국자 견해 보도=

연합통신

(東京=聯合)文永植특파원=美국무부 당국자는 16일 北韓의 핵개발의혹에대해 「美國이 금년 1월하순 까지 불안감을 갖고 있었으나 국제원자력기구(IAEA)의 사찰이 진척됨에 따라 걱정이 거의 해소됐다」는 견해를 표명했다고 일본의 고도(共同)통신이 17일 워싱턴발로 보도했다.

고도통신에 따르면 이 당국자는 『북한은 이미 핵개발계획에 임하지 않고 있다고 생각되며, 핵개발계획에 임하고있는 지의 여부에대해서는 IAEA가 충분히 파악하고있을 것』이라고 말했다.

이 당국자는 또 핵 의혹이 거의 해소된 가운데 남북한핵 상호사찰을 美·北韓 국교정상화 의 전제조건으로 삼고 있는 이유에대해 『상호 사찰은 남북한이 가졌던 40여년간의 불신감 해소에 도움이 되고, 북한이 자발적으로 약속한 것』이라고 말했다

이 당국자는 따라서 『북한의 핵카드는 더이상 유효하지 않다』면서 『북한이 상호 핵사찰을 받아들일 때까지 미국측에서 양보나 새로운 제안을 할 생각은 없다』고 강조했다.

한편 고도통신은 이에대한 별도의 해설 기사를 통해 북한의 핵개발 의혹과 관련 美정부 당국자가 이처럼 확실한 형태로 「북한이 핵개발을 하지 않고 있다」는 견해를 표명한 것은 처음이라고 지적하고 앞으로 이 것이 美정부의 공식 견해로 확정되면 최근 2년여에 걸쳐 東아시아에서 최대 불안정요인의 하나가 되어온 「북한 핵의혹 문제」가 매듭지어져 전혀 새로운 국면을 맞게된다고 풀이했다.

고도통신은 또 미국측이 「핵의혹의 거의 해소」라고 판단하고 있는 배경에는 ▲금년들이 북한이 IAEA와 핵사찰협정에 조인·비준하고 「국제규칙에 따를 것」이라고 밝힌 사실과 ▲5월말부터 지금까지 3차례의 IAEA 특별사찰을 받아들인 사실을 평가한 점이라고 설명했다

고도통신은 이어 북한 대표가 16일 빈에서 개막된 IAEA이사회에서 「상호 사찰에 머지않아 진전이 있을 것」이라고 표명한 사실을 지적, 북한의 핵문제가 매듭지어질 경우 日·北韓국교정상화 회담에도 크게 탄력성이 붙게 될 것이라고 내다봤다.(끝)

0073

북한 핵문제, 1992. 전13권 (V.10 9월) 359

외 무 부

원 본

종 별 :

번 호 : USW-4643

일 시 : 92 0918 1645

수 신 : 장 관 (미이)미일)

발 신 : 주 미 대사

제 목 : 북한 핵문제 관련 국무부 논평

금 9.18. 국무부 정례 브리핑시 언급된 북한핵문제 관련 부분을 하기 보고함. (동 발표문은 별전 팩스 보고함)

1. 질문: 금일 NYT 지에 게재된 인터뷰 기사에따르면 한국대통령은 북한의 핵개발 위협이종래 미국이 얘기하는 것 보다는 덜한 것으로 말하고있는데, 미국도 이에 공감하는지 ?

답변 (RICHARD BOUCHER 국무부 대변인 대리):

- 본인도 동 기사를 보았으나 한국 대통령은 남북간 상호사찰 합의의 중요성을 강조하였음.

- 미국은 북한이 IAEA 안전협정에 따른 사찰을 수락한 것을 환영하나 북한이 현재 남한과 협상중인 상호사찰에 합의하는 것이 매우 중요하다고 생각하며, 동 상호사찰이 실현되어야 비로서 북한 핵개발의 진상을 알게 될수 있다고 생각함.

2. 질문: 동 기사가 북한 핵개발의 임박성에대한 종래 미국의 강력한 주장을 변화시킬것인지 ?

답변:

- 북한의 핵무기 보유, 북한의 핵개발, 북한의 핵무기 개발을 위한 시도 모두가다 심각한 위협임.

- 여사한 위협을 저지하기 위해 수립한 방책이 IAEA 사찰과 남북간 상호 사찰임.

- 따라서 미국은 상기 양대 사찰이 모두 실현되기전까지는 만족할 수 없으며, 가공의 위협에 대한 미국의 견해도 수정할 수 없음.

3. 질문:

- 서울에도 보도된 기사에 의하면 미국은 북한이 민간시설 1개소 및 군사기지 1개 소에 대한 시험사찰을 수락할 경우, 상호사찰에 대한 입장을 바꾸어 미-북한 관계를

미주국   차관   1차보   2차보   미주국   청와대   총리실   안기부

92.09.19   07:11 CR

외신 1과 통제관

0074

격상시킬 용의가 있다고 하는데 확인해 줄수 있는지 ?

　답변: - 그러한 기사를 본적이 없어 논평할수없음.

　- 미국의 기본입장은 이미 설명한바 있음.끝.

　첨부: IISW(F)-5983

　(대사 현홍주-국장)

9—18 : 17:53

주 미 대 사 관

USW(F) : 5983 년월일 : 82.9.18 시간 : 16:45

수 신 : 장 관 (머이,머일)

발 신 : 주미대사

제 목 : 첨부물   (출처 : FNS)

보안
통제

STATE DEPARTMENT REGULAR BRIEFING   BRIEFER: RICHARD BOUCHER
12:03 P.M. EDT   FRIDAY, SEPTEMBER 18, 1992

Q   Richard, there was an interview in the New York Times
today with the President of South Korea that suggested that North
Korea's nuclear program was less of a threat than the United States
and others had represented it to be. Does that reflect the US view?
Have you modified your view?

MR. BOUCHER: I also saw in the interview that he stressed the
importance of concluding the second mutual inspection agreement
between the North and the South, and certainly our view is the one
that I expressed the other day, that it's welcome that they've
accepted the idea of safeguards and that those safeguards programs
have started. We also think it's very important that they conclude
the mutual inspections that they've been discussing with the South
Koreans, and it's only when those things take place that we'll be
able to get a clearer picture and a firmer idea.

Q   But that was not the question. Last November the United
States senior US officials --

MR. BOUCHER: No, I mean, you're saying were we estimating
that they were going to get to a bomb too fast or were we overly
concerned about the program.

Q   Right.

MR. BOUCHER: And what I'm saying is we need this program of
inspections to really establish what, exactly, it was that they were
up to, and then we can answer those kind of questions.

Q   So you haven't modified your view at all that -- I mean,
there were some very strong statements made at the time: North
Korea was on the verge of a bomb, it was the greatest threat to the
region. I mean, I'd have to go back and dig them out. But are you
pulling back from that kind of very strong, very sort of urgent
assessment? From the tone of that interview, it sounded as if
Western concerns --

MR. BOUCHER: The acquisition of a bomb by North Korea, the

0076

5-983-2-1

남북합의서 실천대책 구체마련

정부, 월말 통일관계장관 회의

(서울=聯合) 정부는 제8차 南北고위급회담에서 3개 부속합의서가 발효되고 11월 중 화해 군사 경제교류협력 사회문화교류협력등 4개 분야 궁동위가 본격 가동하게 됨에 따라 이달말 崔永喆부총리겸 통일원장관 주재로 통일관계장관회의를 열어 궁동위에서 다룰 실천대책을 확정하기로 했다.

정부의 한 고위당국자는 19일 "정부는 그동안 고위급회담 진행을 4단계로 나누어 추진해왔다"고 밝히고 "이제 부속합의서가 발효되고 궁동위 가동되게 됨에 따라 마지막 단계인 실천단계에 대한 준비를 빠른 시일내에 완료하게 될 것"이라며 이같이 말했다.

이 당국자는 "이미 지난 8월 통일관계장관회의 실무협의회를 열어 부속합의서를 이행하기 위한 우선과제로 64개 사업을 선정한 바 있다"며 "특히 교류협력분야는 필요성, 실천가능성, 상호이익성등 3대 원칙에 따라 사업을 추진하되 다른 분야와도 균형을 맞추고 정치 안보적 측면도 고려하게 될 것"이라고 밝혔다.

이 당국자는 "북한도 이번 회담기간중 궁동위에서 다룰 실천사업을 년간계획을 세워 본기별로 이행해나가자고 제의했으며 우리측도 이미 이같은 계획을 세워놓고 있어 이행방법에 별다른 문제가 없을 것"이라고 덧붙였다.

이 당국자는 "각 분야별 궁동위 위원 7명과 수행원 15명등 전체 88명에 대한 고육을 이달말부터 실시하고 이같은 업무를 충괄하게될 남북대화사무국의 직제개편작업도 곧 확정짓게 될 것"이라고 말했다.

0077

그는 이산가족문제 해결전망과 관련, "북측이 이번 平壤회담에서 李仁模씨 송환 문제를 인도적 문제로 다루려는 태도를 보이며 李씨만 송환되면 10월중에 판문점 이산가족 면회소를 설치할 수 있다는 적극적인 입장을 보였다"며 "이에 따라 우리측도 李씨문제를 판문점 면회소설치, 서신왕래등과 연계해 인도적 문제로 풀어나가는 방안을 검토하게 될 것"이라고 말했다.

이 당국자는 또 핵문제에 대해 "국제원자력기구의 사찰결과 북한이 핵개발을 하고 있다는 최초의 정보가 과장됐다는 평가가 나오고 있다"며 "북측도 이번 회담기간중 핵통제공동위 위원장 접촉에서 빨리 核문제를 해결하려는 의사가 있음을 보여줌으로써 12월로 예정된 제9차 회담이전까지 核문제해결의 실마리가 풀릴 가능성이 있다"고 전망했다.

그는 특히 "북한이 최근 실시된 제3차 임시사찰에서 군사기지를 포함했다는 것은 의미있는 일"이라고 "사찰규정마련에서 문제가 되고 있는 특별사찰과 군사기지 사찰문제에서 우리측이 신축성을 보여야 하지 않나 생각된다"고 말했다.

그는 南浦조사단 訪北문제에 대해서도 "이번 회담대표들이 서해갑문을 시찰하려가는 도중 南浦시내에 입구에서 합작공단 건설사업 현장을 멀리서 보았다"며 "그 규모로 보아 조사단을 官民으로 구성할 필요가 있겠느냐는 생각을 했다"고 밝히고 "오는 22일 연락관 접촉에서 조사단 訪北문제에 대한 논의가 진전을 볼 수 있을 것으로 기대한다"고 밝혔다.(끝)

연합통신 (92. 9. 19)

0078

ZCZC HKA195 INS684
OO HAE HTB HED

A I
FT-JAPAN-PLUTONIUM ADV28 9-25
 UPI NEWSFEATURE
 ADV MONDAY SEPT 28 OR THEREAFTER
 (850)
 JAPAN SECRECY OVER PLUTONIUM SHIPMENT SPARKS FEARS
 ` BY RUTH YOUNGBLOOD
    TOKYO (UPI) -- A JAPANESE FREIGHTER BOUND FOR FRANCE TO PICK UP
HIGHLY TOXIC, RADIOACTIVE PLUTONIUM HAS CAUSED AN OUTCRY AMONG
COUNTRIES ALONG ITS POTENTIAL ROUTES ABOUT TOKYO'S TIGHT-LIPPED
POLICY OVER THE CONTROVERSIAL VOYAGE.
    WHILE THE GOVERNMENT CITES FEARS OF TERRORISM IN JUSTIFYING THE
SECRECY SHROUDING THE 4,800-TON AKATSUKI MARU, PROTESTS ARE MOUNTING
AS NATIONS BAR THE RETURNING VESSEL AND ITS LETHAL CARGO FROM THEIR
WATERS.
    +THE ROUTE WILL BE DECIDED SHORTLY BEFORE THE SHIP LEAVES FRANCE,+
SAID CHIEF CABINET SECRETARY KOICHI KATO, STRESSING THE PATH WILL NOT
BE DISCLOSED.
    MALAYSIA AND INDONESIA HAVE BANNED THE VESSEL FROM THEIR
TERRITORIAL WATERS IN THE STRAITS OF MALACCA, ONE OF THE WORLD'S
BUSIEST COMMERCIAL WATERWAYS AND PIRATE-INFESTED SITE OF FREQUENT
COLLISIONS AND OIL SPILLS.
    THEY ALSO ARE URGING THEIR NEIGHBORS IN THE ASSOCIATION OF
SOUTHEAST ASIAN NATIONS TO MAKE CLEAR THE AKATSUKI MARU IS NOT
WELCOME.
    +DESPITE JAPAN'S ADVANCED TECHNOLOGY, ACCIDENTS CAN ALWAYS HAPPEN.
HUMAN BEINGS CAN MAKE MISTAKES,+ SAID WIRYONO SASTROHANDOYO, A
DIRECTOR-GENERAL IN INDONESIA'S FOREIGN MINISTRY.
    THE SOUTH AFRICAN GOVERNMENT SAID IT WILL NOT GRANT PERMISSION FOR
THE FREIGHTER TO ENTER THE COUNTRY'S 200-MILE ECONOMIC ZONE,
INCLUDING THE CAPE OF GOOD HOPE, ONE OF THREE PATHS THE SHIP COULD
TAKE FROM EUROPE TO ASIA. THE OTHERS ARE AROUND CAPE HORN AT THE TIP
OF SOUTH AMERICA OR THROUGH THE PANAMA CANAL.
    +THERE EXISTS A GREAT CONCERN IN ALL THE COASTAL NATIONS THAT THEY
COULD BE AFFECTED BY A SERIOUS ATOMIC ACCIDENT,+ SAID CHILEAN SENATOR
RONALD MCINTYRE, A FORMER NAVY VICE ADMIRAL.
    THE SPECIALLY REFITTED AKATSUKI MARU LEFT JAPAN FOR FRANCE AUG. 24
ACCOMPANIED BY THE PATROL SHIP SHIKISHIMA TO PICK UP REPROCESSED
PLUTONIUM FOR JAPAN'S FAST-BREEDER REACTOR PROGRAM AND RETURN BY THE
END OF THE YEAR. THE SHIPMENT WILL CONTAIN A TON OF PLUTONIUM --
ENOUGH TO MAKE 120 ATOMIC BOMBS.
    JAPAN FORESWORE THE MANUFACTURE OR POSSESSION OF NUCLEAR WEAPONS
AFTER WORLD WAR II AND THE GOVERNMENT STRESSES THE PLUTONIUM WILL BE
USED TO FUEL POWER GENERATION PLANTS, HOPEFULLY SOLVING ONE OF THE
NATION'S MOST CRUCIAL ENERGY PROBLEMS.
    THE SHIPMENT HAS DRAWN STRIDENT OPPOSITION FROM ENVIRONMENTAL
GROUPS AS WELL AS GOVERNMENTS.
    THE NUCLEAR CONTROL INSTITUTE AND GREENPEACE INTERNATIONAL ARE
URGING COUNTRIES ALONG THE PROSPECTIVE SEA ROUTES TO DENY PASSAGE OF
THE HAZARDOUS CARGO EVEN IN CASE OF EMERGENCY. THEY HAVE SENT LETTERS
OPPOSING THE TRANSPORT PLAN TO OFFICIALS IN 80 NATIONS AND 19
TERRITORIES.
 MORE
 PA-EMKI
UPI 04:22 GMT

0079

표단 단장이 연설한 소식과 18일 국제원자력기구 총국장이 9월 관리이사
회 회의가 끝난 것과 관련해서 가진 기자회견에서 우리나라 핵문제에
언급하면서 조선민주주의 인민공화국과의 협조가 잘 진행되고 있다고 언
명한 소식을 주었습니다. 신문은 말타 인민의 민족적 명절인 독립의 날
에 즈음해서 "말타 독립 28돌" 이런 제목의 글을 실었습니다. 노동신문은
14일 나이제리아 대통령 "이브라힘 바다마시 바방기다" 가 수도 아부자에
서 가진 아프리카 통일기구 대표들과의 담화에서 아프리카대륙에 대한
식민지주의자들의 보상문제에 언급한 소식과 나미비아 대통령 "삼 누조마
" 가 14일부터 17일까지 말레시이사를 방문한 소식, 말레이시아 외무상
"다뜨하지 아브들라흐 빈 하지 아흐마드 바다위" 가 14일 기자회견에서
일본 플루토늄 수송선의 말라까해협 통과와 관련해서 깊은 우려를 표시
한 소식을 주었습니다. 신문은 "개선될 전망이 보이지 않는 세계 식량형
편" 이런 제목의 글을 실었습니다. 지금까지 9월 21일 노동신문을 개관해
드렸습니다.

20. 핵소동을 합리화 하려는 수작

(중방/ 평방 92.09.21 0928)

〈 노동신문 논평 〉 서울에서의 보도에 의하면 18일 남조선 주
재 미국 대사 "그레그" 가 기자회견에서 우리가 핵개발 대상을 다른 곳
으로 옮겼을 가능성이 있다느니 뭐니 하고 떠들어 댔다. 이것이 북과
남이 합의서를 통해 불가침을 선언하고 그 이행을 위한 기구를 발족시
키고 부속합의서까지 채택 발효시킨 조건에서 이제는 미군과 핵무기를
남조선에 남겨둘 구실이 없어졌기 때문에 어떻게 하나 북남 합의서와

I-20

0080

불가침의 이행을 가로막고 불신과 대결상태를 견지하여 미군의 남조선 영구강점의 구실을 마련하기 위한 마련치한 책동의 일환이라는 것은 다 말할 것도 없다. 더욱이 그것은 그 무슨 핵대상의 이동가능성을 들고나 옴으로써 미국이 남조선 진해에 핵잠수함기지를 건설하고 지금도 계속 이용하고 있다는 사실이 폭로되어 미국 대통령 부시가 남조선으로 부터의 핵무기 철수를 선언한 것이 거짓이고 기만이었다는 것이 드러나게 되자 우리 공화국을 터무니 없이 악랄하게 걸고들며 세상사람들의 주의를 딴데로 돌려보려는 철면피하기 그지없는 수작이다. 공화국 정부가 거듭 천명한 것처럼 우리에게는 핵무기를 생각이 없고 만들 필요도 없다 우리는 주변의 큰 나라들과 핵대결을 할 생각이 없으며 더욱이 동족을 멸살시킬 수 있는 핵무기를 개발한다는 것은 도전히 상상도 할 수 없는 일이다. 이에 대해서는 이미 세차례에 걸친 국제원자력기구의 사찰을 통하여 우리 공화국 정부의 평화적 핵정책과 조선반도를 비핵 평화지대로 만들기 위한 우리의 시종일관한 입장과 노력이 명백히 확증됨으로써 누구도 의심을 가질 수 없게 되었다. 국제원자력기구 총국장 "한스 블리스" 가 조선민주주의 인민공화국에서 세차례에 걸쳐 특정 사찰을 실시하였지만 핵개발 증거를 발견하지 못하였다고 지난 15일 이 기구 이사국들에 보고했다는 것도 세상에 알려진 사실이다. 그럼에도 불구하고 "그레그" 가 그 무슨 있지도 않는 핵대상의 이동가능성을 들고나와 우리를 걸고드는 것이 무엇 때문인가 하는 것은 극히 명백하다. 미국은 일종의 취패장 처럼 쥐고있던 우리에 대한 핵사찰 문제가 국제원자력기구의 핵사찰로 무난히 처리되어 국제 여론앞에 이제까지 북조선의 핵무기 개발이라는 날조된 여론을 퍼뜨려온 거짓소동의 내막이 낱낱히 드러나게 되

I-21

자 국제원자력기구의 핵사찰 결과를 희석시키고 특별 핵사찰, 남북 상호 핵사찰의 구실을 마련하여 제 2의 핵소동을 벌이려 하고 있다. 이렇게 하여 그들은 남조선에 미군과 대량 살육무리들을 그대로 두어둘 명분을 세우고 핵전쟁 책동을 계속 하자는 것이다. 미국과 남조선 당국자들이 남조선에 있는 미국의 핵무기, 핵기지에 대한 전면사찰을 한사코 반대하고 그 무슨 핵문제를 걸고들면서 핵시험 전쟁인 포커스 렌즈 합동군사 연습을 벌여놓으며 내년에 팀스피리트 합동군사연습을 재개할 것이라고 공언하고 있는 것은 그러한 속심을 노출시킨 것으로 된다. 미국이 떠들어 대는 이른바 비핵화요, 핵사찰이요 하는 것은 저들의 핵전쟁 정책을 은폐하기 위한 기만술책에 지나지 않는 것이다. 미국이 진정 조선반도의 비핵화를 바란다면 엉뚱한 소리를 꾸며낸데 급급할 것이 아니라 진해 핵잠수함기지를 포함하여 남조선에 있는 핵기지를 철폐하고 핵무기를 지체없이 끌어내가야 하며 남조선에 있는 미국 핵무기와 핵기지에 대하슷 전면적인 사찰을 하루빨리 받아들여야 한다.

21. 4.25기계공장, 착암기 생산 성과
  (중방 92.09.21 1200)

위대한 수령님께서 최근 함경북도에 주신 현지교시를 높이 받들고 4.25 일 기계공장 노동계급과 3대혁명 소조원들이 탄광에 보낼 착암기 생산에서 혁신을 일으키고 있습니다. 올해에 들어와 매달계획을 어김없이 해내고 있는 이들은 9월 계획도 앞당겨 해낼 신심드높이 날마다 새기록 새기준을 창조해 나가고 있습니다. 단조직장의 노동자 기술자들은 형단조화 프레스화를 비중을 높여 단조품 생산에서 일정계획을 120% 로

I-22   0082

368 북한 핵 문제 총괄 3

주 미 대 사 관

USW(F) : 6001   년월일 : 92.9.21.   시간 : 10:00
수 신 : 장 관 (미일)이이. 정독 정안)
발 신 : 주미대사
제 목 : 북한핵 논평 사

부 아
통 제

THE NEW YORK TIMES
MONDAY, SEPTEMBER 21, 1992   A16

Nuclear Opening in North Korea

International inspectors have now visited North Korea's only known nuclear installations and discovered a nuclear arms program more rudimentary than expected. The visits suggest that the North's determination to build the Bomb may be flagging, as Roh Tae Woo, South Korea's President, told The Times last week.

But doubts remain in Seoul, Washington and Tokyo. That's all the more reason for Pyongyang to lay this vexing issue to rest.

North Korea can start by agreeing with South Korea to mutual inspections of suspect nuclear sites not covered by the International Atomic Energy Agency. Pyongyang can also visibly fulfill its promise not to reprocess nuclear material by dismantling the reprocessing plant it has been building at Yongbyon.

Seoul can ease the way by limiting the number and kinds of challenge inspections it is demanding. And Washington can pledge to normalize relations with the North once inspections begin, thus allowing Western aid and investment to reinvigorate North Korea's stagnating economy.

North Korea has already opened a number of sites for handling nuclear material to inspectors from the I.A.E.A., including the reprocessing plant at Yongbyon and even some facilities the U.S. was unaware of. Pyongyang even seems willing to let South Korean inspectors into these sites. But it has balked at inspections of other sites, especially on short notice.

For its part, South Korea has been insisting on an unlimited number of challenge inspections anywhere in North Korea. That's more than it needs. It could make do with a limited number of inspections per year, at military as well as civilian installations, which it has strong reasons to suspect may be used for arms-making.

In return, Pyongyang could ease doubts in its own mind that South Korea is nuclear-free by inspecting military bases there.

Doubters who think Pyongyang still intends to pursue its arms-making efforts covertly may exaggerate how much the North can hide with the eyes and ears of the world trained on it. But their fears could drive Seoul and Tokyo toward nuclear arms.

Pyongyang thus has an interest in allaying suspicions and opening the way to more far-reaching accommodations on this divided peninsula.

(6001 - 3 · 1)

주 미 대 사 관

USW(F) :   년월일 :   시간 :

수 신 : 장 관

발 신 : 주 미 대 사

제 목 :

보 안
통 제

The Washington Times
PAGE E4 / MONDAY, SEPTEMBER 21, 1992

HENRY MOHR

Keeping America's military strength

House Majority Leader Rep. Richard A. Gephardt, Missouri Democrat, recently issued a "Congressional Update" to constituents in his district in St. Louis, Mo. — postage paid by taxpayers, of course. Here are some of his words:

"After the collapse of the Cold War, the Pentagon continues to spend $20 billion on overseas bases, mostly in Europe, Japan and Korea. ... Even as we cut more services and investments here at home, we are preparing to undertake new military commitments overseas. This policy is wrongheaded."

That statement could be passed off as election politics except that, during this election season, our country faces some of the most difficult choices it has made since World War II. Three centers of conflict cut through the election to cry out for attention.

The graphic horror pictures of life in Bosnia-Herzegovina, the desperate faces of men, women and children with no place to hide, appear nightly on television in our family rooms; the efforts of U.N. diplomacy and dangerous attempts to provide relief to the people are all beacons illuminating the tortuous road to peace in this, the No. One and most explosive hotspot.

Second, the endless bickering, posturing and obstinance of participants in the Israeli-Arab peace talks coupled with the intransigence of Iraq's Saddam Hussein have almost persuaded the American people that the maze holding the key to Middle East peace has no solution.

Finally, almost unnoticed, the Pacific Rim is heating up. New tensions are growing in communist China, Taiwan (Republic of China) and Korea. Containing possible conflict may require every ounce of military power the United States can muster. Even then, we may see international conflict erupt that is too great to be controlled.

Everyday we allow the morass in Yugoslavia to continue, it becomes deeper and implies that worse is yet to come. The European Community appears impotent; divided and leaderless. The United Nations seems ineffectual, as it tries desperately to bring relief to the suffering people of Sarajevo. As the situation moves relentlessly toward international military intervention, ghostly memories of World War I, which began in the same area, appear once again to haunt us.

In the third hotspot along the Pacific Rim, Red China and South Korea have just opened relations. That might be good were it not that long-standing South Korea-Taiwan relations have been severed; we barely noticed. Lowering Taiwan's flag at Seoul, South Korea, was a bitter pill for the free Chinese on Taiwan.

Why did South Korea accept this previously unacceptable condition? Simple logic offers a possible answer. The U.S. pullout from the Philippines added a new dimension to the dangerous balance of power game in the Far East. Following the U.S. abandonment of its Philippine bases and threats of further cuts in U.S. forces, South Korea may be taking precautionary steps in fear of U.S. force reductions there, too.

This would leave South Korea vulnerable to a new North Korean invasion backed by communist China. Separating China from North Korea and linking it politically to South Korea makes the sacrifice of Taiwan palatable under the "One

Henry Mohr, a retired U.S. Army major general, is a nationally syndicated columnist.

6001-3-2

0084

We need an America that truly believes the wise words of Elihu Root, one-time secretary of war, "If you would have peace, prepare for war." History has proven him right.

China" policy, to which both Red China and the Republic of China on Taiwan steadfastly adhere. It also justified politically the sale of F-16 fighter jets to Taiwan for Free China's own defense.

How do U.S.-election politics affect this deadly game? First, can-

didates for election, anxious to please voters influenced by rhetoric typified by Mr. Gephardt's quoted statement, support plans to reduce U.S. military strength and the U.S. presence in Europe by half, to cut our Navy to roughly 400 ships and reduce the U.S. Air Force to 20 wings. Presidential candidate Bill Clinton ups the ante by assuring voters he can reduce U.S. Armed Forces even further.

Whilst this election charade plays out, the "American Century", built on the productivity of U.S. industry and the invincibility of America's Armed Forces, slips away. Our military-industrial base, severely wounded by massive government contract cancellations, can no longer support a total mobilization of America's forces. A half-million professional military personnel are abruptly discharged without advance preparation for their futures, essential job training or prospect of

employment. More than a million defense workers join the ranks of the unemployed. The entire U.S. defense establishment is demoralized.

Meanwhile, the American people wonder why we have a recession.

Do we need a change? Desperately!

The president and Congress need to understand and heed the lessons of history. We, as a nation, must understand that freedom is not free. Our military establishment must be able to fight and win whenever and wherever America's interests are endangered.

We need an America that truly believes the words of Elihu Root, one-time secretary of war, "If you would have peace, prepare for war." History has proven him right. We need an America that not only prays for "Peace In Our Time" but works for the justice and prosperity that makes peace possible throughout the world.

6001-3-3

0085

외 무 부

원 본

종 별 : 지 급

번 호 : USW-4678

일 시 : 92 0921 1033

수 신 : 장관(미이,미일,국기,정특,기정)

발 신 : 주 미 대사

제 목 : 북한 핵문제관련 일본 언론보도

대: WUS-4327

2. 상기 면담이후, QUINONES 부한담당관이 당관에 수교한 보도지침을 아래 타전함.

EAP PRESS GUIDANCE

SEPTEMBER 18, 1992

NORTH KOREA: NUCLEAR PROGRAM

Q: IS IT TRUE THAT THE U.S. GOVERNMENT BELIEVES IAEA INSPECTIONS HAVE SOLVED MOST OF ITS SUSPICIONS ABOUT NORTH KOREA'S NUCLEAR DEVELOPMENT?

A: - NO.

미주국 안기부	장관	차관	1차보	미주국	국기국	외정실	분석관	청와대

PAGE 1

92.09.22   05:03

외신 2과 통제관 FM

0086

- WE HAVE REPEATEDLY STATED THAT INTERNATIONAL ATOMIC ENERGY AGENCY(IAEA) INSPECTIONS ARE. AN IMPORTANT MEANS OF ENHANCING CONFIDENCE THAT THE NORTH KOREANS ARE FULFILLING THEIR OBLIGATIONS UNDER THE NUCLEAR NON-PROLIFERATIN TREATY.

- HOWEVER, WE ALSO BELIEVE THAT CREDIBLE AND EFFECTIVE BILATERAL INSPECTIONS UNDER THE KOREAN JOINT DECLARATION ON THE DENUCLEARIZATION OF THE KOREAN PENINSULA ARE AN IMPORTANT COMPLEMENT TO INTERNATIONAL ATOMIC ENERGY AGENCY(IAEA) INSPECTIONS.

- AT THE RECENTLY COMPLETED IAEA BOARD OF GOVERNNORS MEETING IN VIENNNA, THE INTERNATIONAL COMMUNITY TOOK A SIMILAR POSITION ON THIS ISSUE.

- GIVEN OUR VERY LIMITED KNOWLEDGE OF NORTH KOREA"S NUCLEAR PROGRAM, IT WOULD BE PREMATURE TO GIVE ANY DEFINITIVE ASSESSMENT OF THEIR PRGRAM AT THIS TIME. ABSENT A CREDIBLE AND EFFECTIVE BILATERAL INSPECTION REGIME, OUR CONCERNS REMAIN.

,, Q: DOES THE U.S. GOVEFNMENT AGREE WITH ROKG PRESIDENT ROH'S CALL FOR "INTRUSIVE" NORTH/SOUTH NUCLEAR INSPECTINS AS REPORTED IN "THE NEW YORK TIMES" ON SEPTEMBER 18?

A: - YES. WE ARE PEASED WITH NORTH KOREA"S CONTINUED COOPERATION WITH THE INTERNATIONAL ATOMIC ENERGY AGENCY AND ITS INSPECTIONS. REGRETTABLY, NORTH KOREA HAS CHOSEN NOT TO MOVE TOWARD AGREEMENT ON A CREDIBLE BILATERAL NUCLEAR INSPECTION REGIME.

- WE AGREE WITH PRESIDENT ROH TAHT SUCH INSPCTIONS ARE AN ESSENTIAL COMPLEMENT TO IAEA INSPECTIONS SICNE THEY REASSURE US THAT NORTH KOREA IS MEETING ITS INTERNATIONAL COMMITMENTS TO NUCLEAR NON-PROLIFERATION.

(대사 현홍주-국장)

예고:일반 92.12.31.

PAGE 2

0087

공　　　란

공   란

공   란

공   란

공   란

북한 핵 문제 총괄 3

공　　　　란

공   란

공   란

공   란

공   란

'92 - 제 474 호

노대통령 제47차 유엔총회 연설 관련, 로동신문 논평
-"핵전쟁 머슴군의 파렴치한 망발,

('92. 9. 24. 09:20. 중 방)

23일 새벽 남조선의 노ㅇㅇ가 유엔총회 연단에서 북의 핵개발 움직임이
조선반도의 장래를 어둡게 하고 동북아세아와 세계평화를 위협하는 새로운
요인으로 된다느니, 북의 핵개발 의혹을 씻을것을 촉구한다느니 머니 하는 심
이 고약하고 파렴치한 망발을 줴쳤다.

이것은 우리의 평화적인 핵정책을 헐뜯고 유엔의 연단을 통해 세계여론을
오도하여 제국주의의 핵전쟁 머슴군으로서의 저들의 정체를 가리우기 위한
비열한 행동이다.

우리의 핵정책에 대해 말한다면 그것은 철두철미 평화적목적에 복종하고
있다. 우리의 핵정책의 정당성과 결백성에 대해서는 이미 세차례에 걸친
국제원자력기구의 비정기사찰을 통해 명백히 확증되었다.

우리는 처음부터 핵무기를 개발할 의사도 능력도 없다는 것을 천명하였다.
이러한 우리가 동족을 살륙할 목적으로 핵무기를 개발한다는 것은 생각조차
할 수 없는 일이다.

조선반도에서의 핵위협은 남조선이 미국의 핵무기를 끌어 들인데로부터
생겨난 것이며 그것으로 하여 계속되고 있다. 알려진바와 같이 남조선의

- 1 -   0098

최고당국자가 핵부재선언이란 것을 했지만 그 이후에도 드러난 것처럼 남조선의 비밀핵저장고들의 미국핵무기가 쌓여 있고 진해해군기지에는 미군핵잠수함들이 의연히 드나들고 있으며 포커스렌즈를 비롯한 북진핵전쟁연습이 계속 감행되고 있다.

남조선당국자의 핵부재선언은 사실상 거짓이다. 조선반도와 세계평화를 위협하는 핵위협은 미국의 핵무기와 함께 일본의 핵무장화로 하여 더욱 커가고 있다.

해외팽창과 군사대국을 추구하는 일본의 핵무장화의 위험성에 대해서는 누구도 부인할 수 없는 사실이다. 이 엄연한 현실에 대해서는 한마디 언급도 없이 아무런 문제도 없는 우리에 대해 핵개발이요 뭐요 하고 걸고드는 것은 도적이 매를드는 격의 극히 파렴치한 행위이다.

유엔에가서 한 남조선최고당국자의 발언은 그들에게 과연 조선반도를 비핵화 할 의사가 있는지 의심하지 않을 수 없게 한다. 조선반도의 비핵화문제가 일정에 오르고 그 실현을 위한 북남사이의 비핵화 공동선언이 채택·발표된 이후에도 남조선당국자들은 그 이행을 위한 협상에서 아무런 성의도 보이지 않고 있다.

그들은 북남 핵통제공동위원회 회의들에서 남조선에 있는 미국의 핵무기 핵기지에 대한 사찰을 한사코 반대하여 왔다. 그들은 또한 날이 갈수록 전개되는 일본의 핵무장화 위협에 대해 북과남이 공동대처할 데 대한 우리의 정당한 제안에 대해서도 거부하고 있다.

- 2 -

0099

이것은 남조선에 있는 미국의 핵무기와 핵기지를 그대로 두어둘 뿐 아니라 일본의 핵무장화도 외면하는 비열한 범죄행위로서 저들이야 말로 제국주의의 핵정책을 변호하는 추악한 핵전쟁 머슴군에 불과하다는 것을 스스로 드러내 보인 것이다.

조선반도의 비핵화를 실현하는데서 근본문제는 남조선에 있는 미국의 핵무기 핵기지를 철수 철페시키는 것이다. 남조선당국자들로 말하면 미국의 압력에 굴복하여 남조선을 외세의 핵기지로 내 맡긴 장본인이다.

노 ㅇㅇ 에게 진실로 조선반도의 장래를 걱정하고 아세아와 세계평화를 위협하는 핵위협을 제거할 의사가 있다면 저들이 저지론 죄행을 반성하고 남조선에 있는 미국핵무기 철수와 핵기지의 철페에 대해 말해야 했을 것이고 일본의 핵무장화를 방지할데 대한 목소리를 높였어야 할 것이다.

그런데 제가해야 할 일은 제쳐 놓고 국제무대에 나가 동족을 걸고 둘며 여론을 오도하는 망발을 쥐친것은 민족적 화해와 단합을 확약한 북남합의서 정신에 비추어 보나 비핵화공동선언의 이행의 견지에서 보나 심히 배치되는 범죄행위이다.

거짓소리는 이 밝은 세상에서 통하지 않는다. 남조선의 최고당국자는 남조선에 있는 미국의 핵무기를 철거시키고 핵기지를 철페할 용단부터 내려야 한다. 우리에게는 핵무기가 없다. 조선반도에 존재하는 핵위협은 남으로부터 오는 것이다.

북과남이 서로 핵사찰을 하되 남조선에 있는 미국의 핵무기와 핵기지를 전면 사찰하여 그의 존재여부를 검증하여야 한다는 우리의 입장에는 변함이 없

- 3 -

0100

남조선당국자들은 우리의 원칙적이고 정당한 이제안을 받아 들이고 북과남 사이의 채택한 비핵화 공동선언을 이행하여야 하며 남조선에 있는 미군과 핵무기를 철 수 시켜야 한다.

0101

공   란

공   란

공 란

공   란

공 란

공   란

공　　　　란

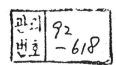

관리
번호 92
-618

長 官 報 告 事 項

報 告 畢

1992. 9. 29.
北 美 2 課 (78)

題 目 : 미 학계 및 언론계 인사 접촉

미주국장이 워싱톤 방문중 (9. 25) 접촉한 학계 및 언론계 인사의 언급 내용중
관심 사항을 아래 보고드립니다.

1.   Harry Harding 브루킹스 연구소 책임연구원 (아시아 문제 전문가)

　　가. 미국 대통령 선거

　　　　ㅇ 큰 이변이 없는 한 Clinton이 당선될 것으로 전망함.

　　　　　　- Bush의 Iran-Contra 사건 인지 문제가 다시 이슈화됨에 따라 Bush

　　　　　　　대통령 입장이 더욱 어려워지고 있음.

　　　　　　- Pero가 출마할 경우 Clinton 보다는 Bush의 표를 더욱 잠식할 것으로 봄.

　　나. 미.중 관계

　　　　ㅇ Clinton 당선시 일반적으로 미.중 관계가 더욱 악화될 것이라고 예상을

　　　　　　하고 있으나, 이는 단정적으로 말하기 보다는 실제 Clinton이 어떠한

　　　　　　상황을 인계받느냐가 중요하다고 봄.

　　　　　　- 301조 관련 무역 분쟁, MFN 문제등이 Bush의 집권 기간중 어떻게 처리

　　　　　　　되느냐가 주요한 요소임.

　　다. 북한이 한.중 수교에 대해 침묵하는 이유

　　　　ㅇ 북한이 한.중 수교전 중국으로부터 재화 (Goods)와 더불어 무기 공급

　　　　　　(Arms Supply)을 약속 받았다는 추정들이 있으나, 이는 신빙성이

　　　　　　없다고 봄.

예고문에 의거 재분류(19   )

직위   성명

- 1 -

- 첫째, 중국이 북한에 대해 신뢰(trust)를 가지지 않고 있으며,

    둘째, 현 상황에서 북한이 필요한 것은 무기가 아니고 석유, 원료,

        소비재를 구입할 수 있는 자금(money)이라는 면에서도 설득력이

        없는 주장임.

ㅇ 북한이 한.중 수교에 대해 침묵하고 있는 것은 침묵(silence) 외의 다른

    대안이 없기 때문임.

- 92. 8. 동경에서 접촉한 북한 학자는 한.중, 북한.중국 관계가 Zero-

    sum 관계가 아니라고 하면서, 앞으로도 북한.중국 관계는 좋을 것

    이라고 언급하였음.

라.   한.중 수교에 중국이 적극적인 태도를 보인 이유

ㅇ 등소평이 국내 정책 성공을 위해 한국과의 관계 개선등 모든 지원을

    끌어들일 필요가 있다고 판단하였다고 생각함.

ㅇ 대외 정책 면에서는

- 대만의 대외 관계 확장 노력을 저지하고

- 한.대만의 경제 관계가 더욱 심화되기 전에 차단하면서, 한.중국간

    경제 관계를 발전시키기 위한 토대를 구축하는 한편,

- 미국에 대해서는 대만과의 관계에 있어서 어리석은(stupid) 결정을

    하지 말라는 강한 메시지를 전달하려 한 것으로 평가됨.

마.   아시아지역 안보 협력 관계

ㅇ 일본의 PKO 파병, 북한 핵문제, 중국의 군사력 현대화, 아시아지역 군비

    경쟁 추세등은 상호적으로 영향을 주는 문제인 바, 다자간 접촉을 통한

    해결 방안 모색이 바람직함.

- 이런 견지에서 노 대통령의 금번 동북아 관련국 대화 구상에 대해

    관심이 많음.

- 2 -

0110

2. Spector 카네기재단 연구원

　　o 북한의 핵의혹 해소를 위해서는 철저한 남북상호사찰이 필요하다고 보며,
　　　한국측이 제안하고 있는 남북상호사찰규정안이 채택. 실시될 경우 이는
　　　핵비확산 검증에 있어서 model case가 될 것임.

　　o Foreign Policy 92년 가을호에 게재한 자신의 기고문에서 핵비확산 체제를
　　　확고히 하기 위해 UN에 의한 사찰 문제를 검토하여야 한다고 주장한 것은,
　　　주로 CIS 구성국들의 핵무기 폐기에 대한 검증 문제를 염두에 둔 것임.

- 끝 -

- 3 -

0111

공   란

공   란

공   란

공   란

공   란

USR(?) : *6217* 년월일 : *92.9.27* 시간 : *19:30*

수 신 : 장 관 (미원, 미이, 정특, 기정, 해외)

발 신 : 주미대사

제 목 : 첨부물

보통 : 안제

(출처 :   )

STATEMENT

BY

HIS EXCELLENCY MR. KIM YONG NAM
VICE-PREMIER AND
MINISTER OF FOREIGN AFFAIRS
DEMOCRATIC PEOPLE'S REPUBLIC OF KOREA

AT THE ASIA SOCIETY

SEPTEMBER 28, 1992

NEW YORK

(*6217 - 8 -1*)

역신 1각
통 격

First of all, I would like to thank you, Mr. Robert Oxnam, President of the Asia Society, and your colleagues in your Society for your kind invitation to this significant luncheon.

Over the years your Society has been engaged in exchanges with our Institute for Disarmament and Peace.

I would like to take this opportunity to brief you on the current international situation, on the foreign policy of the Government of our Republic, on DPRK-US relations and on our proposal for reunification by confederation.

1. Some Major Issues brought by Recent Changes of the International Situation

With the collapse of the structure of the East-West confrontation and the cessation of the Cold War, series of changes have been taking place recently in the international situation.

Although a phase of detente has opened up with the end of the Cold War, the situation still remains as strained as ever.

Religious, national and ethnic contradictions as well as territorial disputes are rapidly coming to light from behind the long-drawn curtains of the Cold War, plunging the world into renewed chaos and uncertainty.

After the breakdown of the superpowers' confrontational structure, new multilateral international relations are shaping up, and this is one of the characteristics of the current situation.

The emergence of the new poles is accompanied by fierce rivalry among themselves.

Following the destruction of the balance of forces in the international relations, such developments are fraught with dangerous elements, which might reverse the process of detente back to the Cold War era.

62/7- 8 -2

0118

Amid the changes in the overall international situation, delicate changes are arising in international relations surrounding the Korean peninsula.

What is particularly noteworthy is the fact that big powers, which had previously formed the balance of forces in a sharp confrontation across the Cold War barrier, are vying with one another to expand their respective spheres of influence in the vicinity of the Korean peninsula. And this is at present when the Cold War has ended.

Now that the Cold War has ceased and the 21st century is viewed as the Asia-Pacific era, the political, economic, military and geopolitical location of the Korean peninsula is the special interest of its neighboring powers.

The recent change in the Korea policy of the neighboring powers are based on these ground.

2. The Basic Ideals of the Foreign Policy of the DPRK Government

The changes now taking place in international relations clearly demonstrate the correctness and vitality of the independent, peace-loving, friendly foreign policy consistently maintained so far by the Government of our Republic.

Independence, peace and friendship are the basic ideal of the foreign policy of the Government of our Republic.

By embodying the basic ideal, the Government of our Republic has been making every effort to consistently and firmly adhere to an independent position in its external relations and to defend world peace and develop friendly and cooperative relations with other peoples.

As a result, even under the changes brought about by the complicated situation, the independent position of the Republic was further enhanced and its friendly and cooperative relations with the world peace-loving peoples were expanded.

Some countries, which used to live in a certain bloc or communities without their own independent opinions, have now lost direction and are floundering in social chaos under the present changed situation. Seeing these countries we naturally take a pride in the correctness of our consistent independent foreign policy.

We will in the future, too, develop good neighboring relations with peoples of different countries on the principles of respect for sovereignty, non-interference, mutual respect, equality and mutual benefit.

We will see to it that international issues will be solved independently in the interest of our people and in accordance with the common interests of the world peoples.

We will also endeavor to oppose domination and subjugation and to establish a new equitable international order.

Particularly, we as a country belonging to Asia, will further develop friendly and cooperative relations with other Asian countries on the principles of independence, equality and mutual benefit and will discharge our responsibility to attain peace and security and common prosperity of Asia.

3. DPRK-US Relations

There has been no change in the foreign policy of our Republic to develop friendly relations with all countries respecting the sovereignty of our country on the principle of peace and mutual benefit.

In the past, although we wished to improve the DPRK-US and DPRK-Japan relations, we could not succeed in improving them, because the Cold War barrier stood in our way.

Today when the Cold War disappeared, it is quite a natural development that improvement of our relations both with the US and Japan is the order of the day.

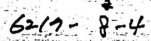

0120

Now the United States says the main obstacle to improving relations between the DPRK and the US is the question of nuclear inspection.

However, we do not agree with this.

We have accepted the ad hoc inspection groups of the International Atomic Energy Agency under our obligation to the Nuclear Non-Proliferation Treaty and proved the integrity of our peaceful nuclear programme.

Nevertheless, the United States is now raising the issue of "north-south mutual inspection" to create another obstacle. *(DPK agreed to this in Reconciliation accord of 12/91)*

This has caused us to be suspicious that the United States is using this for political purposes only to serve its own interests. At the same time, the U.S. is disseminating doubt about our nuclear development.

As we have already clarified several times, we do not have nuclear weapons. We do not need them. And we have no intention nor capacity to develop them.

The several ad hoc inspections of the IAEA conducted recently verified the integrity of our peaceful nuclear policy and our will of denuclearization. Therefore, the "nuclear doubt" about us is being removed.

However, the regulations of inspection for verifying the denuclearization of the entire Korean peninsula have not been adopted yet. Therefore, the doubt about existence of the U.S. nuclear weapons and nuclear bases in south Korea remains.

Recently, it was disclosed that a U.S. nuclear submarine base in Jinhae, south Korea, completed in Autumn 1979, had more than 40 times as many U.S. submarines' entry by 1982. This base serves as a forward base of strategic and tactical nuclear submarines for the U.S. Navy. *(Pres. Bush & Pres. Roh)*

Other public evidence has revealed that the Hyundai group of south Korea secretly conducted a project to store U.S. atomic bombs in the mountains.

These facts caused deeper doubt about the honesty of the U.S. Government when it declared the non-existence of its nuclear weapons in south Korea.

It has become more clear that the major reason a solution to the nuclear issue on the Korean peninsula has failed is that the U.S. continues to hold the old confrontation conception of the Cold War era.

Unless mistrust between the DPRK and the U.S. is removed, no form of nuclear inspection will even relieve the United States of its "suspicion" of us on the nuclear question.

The United States pretends not to see the behavior of some countries with which it has good relations that are busy becoming nuclear powers. On the other hand, the U.S. insists that the threat of nuclear development still exists by countries with which it has bad relations. This way of viewing the nuclear issue can not lead to correct solution at any time.

Several U.S. public figures have mentioned to us in the past that we should negotiate with the south Korean authorities on the nuclear issue since U.S. nuclear weapons are deployed in south Korea.

While we are proceeding with meetings of the North-South Joint Nuclear Control Committee, we feel that the south Korean authorities would like to evade responsibility because they have lost real authority on the matter.

Therefore,we are paying due attention to the attitude of the United States.

As a proverb of our country goes, it takes two hands to make a handclap.

The improvement of DPRK-US relations entirely depends on how sincerely the US responds to our generosity.

In view of the present situation in Asia, the improvement of the DPRK-US relations is in full accord with the interests of the United States.

The United States should readjust its Korea policy in line with the developing situation on the Korean peninsula.

If the United States chooses in good faith to improve the DPRK-US relations, we will adopt a forward-looking attitude without looking back on the past and will strive for the improvement of DPRK-US relations.

4. Proposal for Reunification through Confederation

How to achieve Korea's reunification is today a burning issue that brooks no further delay.

We have deeply studied the reunification of the countries which were divided during the Cold War era, such as physical reunification of Viet Nam by force of arms, Yemen's reunification through the formation of a coalition government and Germany's absorptive reunification through general election.

However, we have come to the conclusion that such reunification formulae are not suitable to the reality of our country.

We are convinced that the most appropriate method for the peaceful reunification of the Korean peninsula is the formula of confederation based on the principle of two systems and two governments.

Even multinational states are trying to solve the reunification issue by keeping socialist and capitalist systems in coexistence. The establishment of a confederation based on the coexistence of the two different systems in our country-which consists of one homogeneous nation-will be more solid than the confederation of different nationalities.

In realizing the reunification through confederation, how to remove military confrontation between the two conflicting systems was the main point at issue in the past.

In particular, the focal point of discussion was the absence of any legal and institutional mechanism to defuse and end military confrontation.

However, such misgivings have proved no longer necessary now that the north and the south have pledged themselves to non-aggression and the north-south military joint commission is now in operation.

At present, the proposed reunification through confederation is turning from possibility into feasibility.

6217-8-7

0123

In the "Agreement on Reconciliation, Non-aggression, Cooperation and Exchange between the North and the South", that went into effect last February, the north and the south have confirmed that their bilateral relations are not inter-state relations but a special relationship formed temporarily in the process of reunification, and therefore have pledged to recognize and respect each other's different systems and not to interfere in each other's internal affairs.

This indicates that both the north and south desire a single reunified state, not "two states", and in its form as well, desire a confederal form under which the two systems will remain intact.

Besides, the north-south agreement to promote cooperation and exchanges is as good as building a bridge to reconnect the severed artery of the nation.

The recent 8th North-South High Level Talks in Pyongyang have led to the normalization of functioning of joint commissions in different areas and this has brought north-south relations even closer to reunification. The on-going active human and economic exchanges between the north and south are part of the process toward a great national unity.

Whatever anybody would say, it is a stark reality that the Korean peninsula is moving toward reunification through confederation.

The reunification train has already started. The entire people in the north and the south should pull together to follow up the already started reunification process to its final goal of reunification.

It is my hope that the authoritative Asia Society would work out recommendations that will help readjust the Korea policy of the United States in the light of the changes of the current international situation.

Thank you.

0124

공   란

공   란

주 미 대 사 관

USW(F) : 6243 년월일 : 92.9.30 시간 : 18:35

수 신 : 장 관 (미일, 미이, 정능, 국기, 기정)

발 신 : 주미대사

제 목 : 현우들

북한 핵문제, 1992. 전13권 (V.10 9월) 413

(6243-3. ㅓ)

KOREA: NORTH/SOUTH NUCLEAR ISSUE

Q: Does the U.S. have any reaction to North Korean charges that it is blocking progress on a North-South agreement for bilateral nuclear inspections?

A: -- NO. THE DETAILS OF THE INSPECTION REGIME TO IMPLEMENT THE JOINT SOUTH/NORTH KOREA DENUCLEARIZATION ACCORD SIGNED ON JANUARY 20, 1992 ARE CURRENTLY BEING NEGOTIATED BETWEEN SOUTH AND NORTH KOREA, AND IT WOULD BE INAPPROPRIATE TO COMMENT ON THOSE DELIBERATIONS.

-- WE HAVE STATED OUR VIEWS ON THIS ISSUE SEVERAL TIMES: CREDIBLE AND EFFECTIVE BILATERAL INSPECTIONS UNDER THE KOREAN JOINT DECLARATION ON THE DENUCLEARIZATION OF THE KOREAN PENINSULA ARE AN ESSENTIAL COMPLEMENT TO INTERNATIONAL ATOMIC ENERGY AGENCY (IAEA) INSPECTIONS TO REASSURE THE INTERNATIONAL COMMUNITY THAT NORTH KOREA IS MEETING ITS INTERNATIONAL COMMITMENTS TO NUCLEAR NON-PROLIFERATION.

Q: Is the problem the inspection of U.S. military bases? What is the U.S. position on site inspections?

A: -- AS PRESIDENT BUSH STATED BEFORE THE REPUBLIC OF KOREA'S NATIONAL ASSEMBLY IN JANUARY, 1992, "TO ANY WHO DOUBT (PRESIDENT ROH'S) DECLARATION (OF DECEMBER 18, 1991), SOUTH KOREA, WITH THE FULL SUPPORT OF THE U.S., HAS OFFERED TO OPEN TO INSPECTION ALL OF ITS CIVILIAN AND MILITARY FACILITIES, INCLUDING U.S. FACILITIES." THIS REMAINS OUR POSITION.

6243-3-2

0128

Q: Does the U.S. have any revised estimate on North Korea's ability to build a nuclear bomb? Have U.S. concerns been lessened any by the International Atomic Energy Agency inspections?

A: -- GIVEN OUR VERY LIMITED KNOWLEDGE OF NORTH KOREA'S NUCLEAR

PROGRAM, IT WOULD BE PREMATURE TO GIVE ANY DEFINITIVE

ASSESSMENT OF THEIR PROGRAM AT THIS TIME. ABSENT

COMPLETION OF IAEA EFFORTS TO VERIFY NORTH KOREA'S NUCLEAR

INVENTORY, AND AGREEMENT ON AND INITIAL IMPLEMENTATION OF A

CREDIBLE AND EFFECTIVE BILATERAL INSPECTION REGIME, OUR

CONCERNS REMAIN.

Draft: EAP/K: CKQuinones
     9/30/92 SEKPOL 4851 SEEAPGEN 6377
     ext. 77717

Cleared: EAP: BLPascoe
     EAP/K: CKartman
     EAP/P: EYamauchi
     P: ERevere
     S/NP: GSamore
     OES/NTS: JCKessler
     PM/DRSA: FDay

6243-3-3

0129

'92 - 제 476 호

┌───┐
│   │
│ 「조평통」, 핵 문제 관련 기자회견 진행   │
│   │
│   │
│   ('92. 9. 30. 16:00, 중. 평방)   │
│   │
└───┘

조국평화통일위원회 주최로 남조선의 핵문제와 관련한 국내외 기자회견이 30일 오전 평양고려호텔에서 진행되었습니다. 기자회견장소정면에는 우리 당과 우리 인민의 위대한 수령 김일성동지의 초상화가 모셔져 있었습니다.

기자회견에는 평양시내 출판보도기관기자들, 외국기자들, 우리나라주재 여러나라대사관 출판관계일꾼들과 군사관계일꾼들이 참가했습니다.

여러분들도 알고 계시는것 처럼 최근 남조선에서는 진해항에 미군의 핵 잠수함기지가 비밀리에 건설되고 핵무기를 탑재한 잠수함들이 수십차례나 드나들었고 최근에도 드나들고 있다는 사실이 백일하에 폭로 되었습니다.

이와 관련해서 며칠전에 조국평화통일위원회 대변인은 이를 규탄하는 성명을 발표했습니다. 이 성명이 나간 이후에 출판보도기관들과 관계부문들에서는 남조선에 미군핵기지가 건설되고 있는 문제와 핵무기, 핵기지실태를 좀더 구체적으로 알고 싶다는 요청들이 많이 제기되어 왔습니다.

그래서 조국평화통일위원회 서기국에서는 이 문제를 인민무력부 군사논평원들에게 의뢰를 해서 오늘 이 기자회견을 마련했습니다. 오늘 기자회견에서 발언하실분은 인민무력부 군사논평원들인 대좌 문주호동지와 대좌 권

- 1 -   0130

병대 동지들입니다.

그럼 먼저 권병대 군사논평원이 이야기를 하고 질문을 받도록 하겠습니다.
이미 보도된 것처럼 최근 남조선 진해에 미군핵잠수함기지가 이제
비밀리에 건설되고 핵무기를 탑재한 미군잠수함들이 계속 드나들고 있는
사실이 온 세상에 드러났습니다.

전체 조선인민과 우리 인민군군인들은 조선반도의 비핵화에 역행하는 이
사실을 놓고 치솟는 격분을 금치 못하고 있고 깊은 우려를 표시하고 있습니다.
지금까지 남조선에 핵무기가 반입되고 저장되어 있다는 것은 이미 공인된
사실로 되어 있습니다.

그러나 직접 그 담당자들의 증언을 통해서 그것이 확인된 것은 이번이
처음입니다. 이번 진해핵잠수함기지를 직접 관리 담당한 전직·현직 연락
관들의 증언을 통해서 세상사람들은 남조선에 핵무기가 있다는 것, 부시의
핵무기철수, 노OO의 핵부재선언이 완전히 거짓이고 기만이라는 것, 이것을
다시한번 알게되었습니다.

그리고 미국과 남조선당국자들은 비핵화공동선언이 채택발효된 이후에도
핵무기를 계속 끌어들였다는 것을 이제는 더 부인할 수 없게 되었습니다.
이에 당황한 남조선당국자들은 국방부를 통해서 뻔뻔스럽게도 남조선영토안
에는 하나의 핵탄두도 존재하지 않는다느니, 그 어떤 형태의 핵잠수함기지
도 없다느니, 그것이 잘못된 보도라느니 뭐니 하면서 구차한 변명까지 늘어
놓았습니다.

이것은 참으로 어리석고 파렴치하기 그지없는 행동이 아닐 수 없습니다.
그래서 오늘 미국과 남조선당국자들이 진해잠수함기지뿐 아니라 남조선

- 2 -

0131

전역을 핵기지로 만들고 그리고 핵전쟁책동을 추구하고 있는 것과 관련해서 이렇게 내외 기자어러분들과 이야기를 나누자고 합니다.

그럼 먼저 핵잠수함기지가 비밀리에 건설된 진해항에 대해서 간단히 말씀드리겠습니다.

진해항은 부산으로부터 37마일 지점에 있는 남해안에 위치하고 있습니다. 진해항은 자연지리적 조건의 유리성으로 해서 많은배들이 안전하게 정박할 수 있는 이런 항구입니다.

일반적으로 좋은 항구가 되려면 우선 파도가 없어야 됩니다. 그리고 큰 배가 들어올 수 있도록 바다 수심이 깊어야 됩니다. 그런데 진해항은 거제도와 가적도와 같은 큰 섬들이 그 앞에 방파제 처럼 가로놓여 있기 때문에 우선 물결이 잔잔합니다.

그리고 물 깊이가 보통 8 - 10메터 정도입니다. 그렇기 때문에 큰 배들이 자유롭게 들어올 수 있습니다. 그리고 겨울에도 얼지않기 때문에 사철 배들이 드나들수 있습니다.

다음으로 이 항의 수역이 넓기때문에 많은 배들이 동시에 정박할수 있습니다. 그래서 현재 자료에 의하면 진해항에는 11개의 기본부두가 있습니다.

그래서 3.000톤급 배들 30여척이 동시에 정박할 수 있고 이외에도 2만톤급 이런배들이 정박할 수 있습니다. 진해항은 이뿐아니라 이 진해를 중심으로 해서 이 뒤에 반달형으로 높이 400 내지 500메타의 남해안 산줄기가

- 3 -

0132

진해항을 반달형으로 둘러막고 있습니다.

이렇게 되니까 진해항은 그 은폐와 위장에서 아주 유리하고 방어에서도 아주 유리한 곳입니다. 바로 그렇기 때문에 이 진해항에는 지금 한.미연합 해군사령부, 남조선해군작전사령부를 비롯해서 세개의 전단지휘부와 해상 작전을 수행하는 주요 기관들과 보장 군대들이 여기에 집중배치되어 있습니다.

그럼 왜 미제가 여기 진해항에 핵 잠수함기지를 꾸려 놓았는가? 그것은 첫째로 진해항을 발진기지로 해서 우리에게 불의의 핵타격을 가하기 위해서 입니다.

우리에 핵타격을 가하기 위해서 여기다가 핵잠수함기지를 꾸려놓은 것입니다. 진해항은 조선반도의 최 남단에 위치하고 있기 때문에 상대측으로 부터 타격에 일정한 안전성이 담보됩니다.

그러면서도 동해안과 서해안으로 아주 쭉쭉 기동할 수 있는 그런 유리한 위치에 있는 것입니다. 항으로부터 이 동.서 해안 군사분계선수역까지, 대체로 350내지 500마일 기동하면 그쪽까지 도달할 수 있습니다.

그렇기 때문에 빠른 시간내에 동 서해안으로 기동해서 우리 공화국 북반부를 타격하는 그런 유리한 기지로 되는 것입니다. 그렇기 때문에 바로 이 진해항에 핵잠수함기지들을 꾸려놓고 있는 것입니다.

다음 둘째로 해외무력이 남조선으로 투입하는데서와 미국과 일본과의 해상 연합작전을 실현하는데서 이런 측면에서 봐도 바로 이 진해항이 매우 은밀 성을 보장하고 신속성을 보장하는데서 유리한 위치에 있기 때문입니다.

지난 시기에 남조선에서 많은 군사훈련들을 진행했는데 훈련이 진행될때

- 4 -

0133

마다 해외에서 투입해 오는 무력들이 다 진해항으로 들어 왔고 그리고 미국과 남조선과의 해상연합작전을, 해상연합훈련을 진행할때도 바로 이 진해항 앞바다에서 전선을 편성하고 했습니다.

셋째로 핵잠수함기지 비밀을 보장하기 위해서 여기다 설치했습니다. 일반적으로 핵잠수함기지들은 수상함선기지로부터 멀리 떨어진곳에 그 기지들을 설치하는 것이 전술상 원칙입니다.

그런데 이 진해에 있는 이 핵잠수함기지는 복잡한 수상함선집단이 있는 이 진해항 턱밑 가까이에 이렇게 배치해 놓았습니다. 이것은 이 기지가 수상함선집단처럼 보이도록 위장하는 것이고 자체를 위장하자는데 그 목적이 있는 것입니다.

이전에 많은 사람들이 핵잠수함기지가 감히 거기에 있을 수 있겠는가 하는 그렇게 생각하는 바로 그런곳에 이렇게 핵잠수함기지를 꾸려놓은 것입니다. 이것은 제2차 세계대전시기 히틀러가 돌프산체 본영을 위장하기 위해서 교통이 가장 번화한 이런 철도로부터 불과 200메터 떨어진 이런 지대에 정함으로써 자기 위치를 위장했던 이 수법과 같은 것입니다.

그럼 다음으로 미제가 최근 시기에 왜 이 유도탄잠수함에 큰 기대를 걸고 있는가 하는 문제입니다. 그것은 핵유도탄잠수함이 기동에서 은밀성을 보장할 수 있고, 타격에서 불의성을 달성할 수 있기 때문입니다. 군사학적으로 볼 때 현대전의 내용을 이루고 있는 것은 타격과 기동입니다.

이것이 유기적인 배합으로 이루어지고 있습니다. 다시 말하면 상대측을 타격하자면 원활한 기동이 실현되어야 됩니다. 원활한 기동이 실현되어야 상대측을 성과적으로 타격할 수 있습니다.

- 5 -

0134

그런데 여기서 중요한 문제가 뭤인가 이것은 바로 기동입니다. 기동을 어떻게 은밀하고 신속하게 보장하는가　하는 것이 지금 현대전에서 아직 초미의 문제입니다.

　특히 위장문제 입니다. 현재 이 과학기술기재, 정찰기재가 발전된 조건에서 어떻게 대상물을 타격하기 위해서 그 진지까지 은밀하게 기동해 나가는가　하는 문제가 아직 초미의 문제로 나서고 있습니다.

　이러한 군사학적 견지에서 볼때 지상핵미사일들은 지상으로 화력진지까지 일정하게 기동해 나가야 되고 일정하게 발사기지를 차지한 다음에는 거기에 오랫동안 일정하게 고착되어 있어야 됩니다.

　역시 핵전투폭격기들도 기지에서 발진해서 일정한 거리를 비행해야 하는 것입니다. 그렇기 때문에 여기에서도 역시 은밀성을 달성하기 어렵고 공중에서 타격받기 쉬운것입니다.

　그러나 이 핵잠수함들, 핵유도탄잠수함들은 수중으로 항행하기 때문에 이런 약점을 극복할 수 있습니다. 이번에 증언에서 제기된 바와 같이 로스안젤스급 이런 핵잠수함들은 보통 침하깊이가 600내지 900메터 이런 한도에서 물 밑으로 기동해 나가는 것입니다.

　그렇기 때문에 그　망망한 대해에 그 한개의 잠수함이 물 밑으로 기동해 나가는 것을 정찰한다는 것은 아주 어려운일인 것입니다. 그러니까 핵잠수함기지들은 은밀에서 불의성을 달성할 수 있고 자기 발사진지를 노출시키지 않을 수 있고 이렇기 때문에 타격에서 불의성을 달성할 수 있는 것입니다.

　이렇게 이 잠수함, 핵유도탄잠수함들에 큰 기대를 걸고 있기 때문에 지금

- 6 -

0135

진해항에는 전술적인 핵잠수함들인 로스안젤스급, 스터전급 이것을 비롯해서 전략적인 핵유도탄잠수함들이 분주히 돌아치고 있습니다.

그리고 이 진해핵잠수함기지 기항시설들을 계속 보수하고 확장하고 있는 것입니다. 오늘 남조선에는 이 진해핵잠수함기지 하나뿐만 아니라 수 많은 기지가 남조선전역에 그대로 있는 것입니다.

다음으로 남조선에는 오늘도 핵무기와 핵기지가 그대로 남아 있으며 핵전쟁위험이 더욱 커가고 있는데 대해서 말하겠습니다. 다 아는바와 같이 남조선당국자는 작년 12월 18일 핵무기부재선언을 발표를 했습니다. 그리고 금년초에 미국대통령부시는 이 전술적인 핵무기를 다 철수했다고 발표했습니다.

미제와 남조선당국자들이 이 핵무기와 핵기지를 다 철수했다고 이렇게 광고를 내고 있지만 우리 군사전문가들은 이것을 절대로 인정하지 않습니다. 이것은 새빨간 거짓말이고 기만입니다. 그럼 왜 우리 군사전문가들이 이 핵무기철수를 인정하지 않는가, 그것은 첫째로 군사학적으로 볼때 이 철수가 도저히 불가능하다는 것입니다. 지금 남조선에는 방대한 핵무기가 들어가 있습니다.

미국은 벌써 1950년대 중반기부터 남조선에 핵무기를 반입하기 시작했습니다. 남조선에 제일먼저 들어온 핵무기가 바로 280미리 원자포와 어네스트존핵미사일 입니다.

미제는 1958년 2월에 280미리 원자포 2문과 어네스트존핵미사일 2기를 의정부 부근에 있는 미1군단 비행장에다 내다 놓고 사열식을 벌이면서 벌써 그때 기자들에게 공개했습니다.

- 7 -

0136

이때로부터 남조선에는 핵무기들이 줄지어 들어오기 시작했습니다. 그래서 1976년 2월 미국방장관 슐레징거는 나토국방장관회의에서 전술적핵무기의 남조선배비에 대해서 벌써 통보를 했고 1976년 2월에는 미육군 공병부총감 이란자가 막대한 딸러를 들여서 남조선에 핵저장시설을 현대화 했다고 공언했습니다.

그래서 벌써 1975년 5월 미국회하원에서는 남조선에 1.000여개의 핵무기가 있고 54대의 핵적재기가 있다고 벌써 발표를 했습니다. 1,000여개의 핵무기가 있다는 것은 벌써 1975년부터 미국회하원에서 발표된 자료입니다.

그리고 그후 10년 후인 1985년 125회 남조선국회 본회의 회의록 제111호에는 남조선에 배치된 미국의 핵무기 수자가 1,720개 라고 발표를 했습니다. 오늘 남조선에 배치된 핵무기는 그 배치밀도에서 나토의 4배나 되고 그 폭발위력에서 히로시마용 핵탄에 비해서 무려 1,750배에 달하는 것입니다.

그럼 미제가 35년동안이나 남조선에 핵무기를 끌어 들였고 핵기지를 건설해 놓았는데 이 방대한 핵무기를 일순간에 철수할 수 있겠는가 하는 것입니다.

부시가 작년말까지 남조선에 핵무기가 있다는 것을 인정도 하지 않고 부정도 하지 않는 엔씨 엔디 정책을 실시해 왔는데 비핵화공동선언이 발표된 후인 금년초에 핵무기를 철수했다고 발표를 했습니다.

이건 불과 짧은 기간에 그 많은 핵무기를 남조선에서 다 철수했다는 것을 의미하는데 이걸 누가 믿겠는가 하는 것입니다.

- 8 -

0137

다음으로 핵기지를 철폐하려면 핵기지에 부속된 모든 요소들을 다 철수해야 됩니다. 다시 말해서 이 핵기지를 이루고 있는 핵탄과 그 창고들, 핵기지를 조종하는 구분대 그 조종기구들 그리고 여러가지 보장시설들 이런 것들이 다 깡그리 철수를 해야 우리는 핵기지를 철수했다고 보는 것입니다.

그런데 지금 핵기지를 철수 했다고는 하지만 핵기지 기본요소를 이루고 있는 것은 그대로 남아 있습니다.

한가지 실례만 들겠습니다. 지금 남조선강점 미 8군의 그 후방부대라고 볼수 있는 19지원사령부 소속의 핵탄을 공급하는 큰 구분대가 있습니다. 이게 현실적으로 남조선에 그냥 있습니다.

그다음에 모든 기지들의 기본설비들은 하나도 지금 철수된게 없습니다. 우리 군사전문가들이 핵무기를 철수하지 않았다고 인정하는 것은 다음으로 둘째로 부시가 핵무기철수를 공개하지 못하고 있는 바로 그것입니다.

응당 핵무기를 철수했다면 언제부터 언제까지 어떻게 어떤 종류의 핵무기를 얼마나 철수했는가 하는 것을 응당 이세상에 공개해야 됩니다. 그래야 모든 세상사람들이 그를 인정할 것입니다.

조선반도의 비핵화를 위해 핵무기를 철수했다면 왜 부시가 이를 공개하지 못하겠습니까? 그러면 그렇다고 해서 핵무기를 철수하는것을 본 사람이 있는가 아직 이 세상에 단 한사람도 없는 것입니다.

이것은 실제로 핵무기를 철수하지 않고 있기때문에 공개하지 못하고 있는 것입니다. 이것은 비유해서 말한다면 요술사가 요술사 손에서 탁구알이 없어졌지만 그 탁구알은 그 요술사의 몸에 있는 이런것과 같습니다.

- 9 -

0138

우리들이 부시의 핵무기철수를 부정하는 것은 셋째로 미제와 남조선당국 자들이 우리의 전면적인 핵사찰을 반대하고 있는 바로 거기에 있는 것 입니다.

만일 미제와 남조선당국자들이 말 그대로 핵무기를 다 철수했다면 우리 가 가 보겠다고 하는 것을 왜 반대하는가?

이것은 한마디로 말해서 자기뒤가 캥기기때문에 한사코 반대하는 것 입니다.

이것은 결국 남조선에 미국의 핵무기가 그냥 그대로 있다는 것을 잘 실 증해 주는 것입니다.

이렇게 놓고 보면 남조선당국자의 핵부재선언도 하나의 정치적 연극에 지나지 않습니다.

노00자신도 핵무기상태에 대해서 잘 알고 있지 못하고 있는 것입니다.

그에 대해서는 이번에 그 관계자들이 증언에서도 말한 바와같이 진해 에 핵잠수함기지가 들어왔다는 것을 노00가 모른다고 했습니다.

바로 이런 상태에서 노00자신이 핵부재선언을 발표할 수 있는가 이것 입니다.

이것은 바로 자기네들이 핵무기가 없다는 이런 연막을 슬쩍 쳐놓고 우리가 전면적인 핵사찰을 진행하는 것을 반대하고 우리에게만 일방적으로 핵사찰을 강요하기 위한 그런 하나의 정치적 모략에 불과 하다고 이렇게 말할 수 있습니다.

우리공화국정부는 핵문제를 우리민족의 생사운명과 직결된 초미의 문 제로 보고 오래전부터 조선반도의 비핵화를 위한 투쟁을 줄기차게 벌어 왔습니다.

- 10 -

0139

우리는 벌써 1956년 11월에 원자무기도입을 반대하는 공식적인 입장을 취했습니다.

그리고 1985년 12월 조선반도를 비핵 평화지대로 만들려는 자기의 평화애호적인 정책을 구현하기 위해서 핵전파방지조약에 가입했습니다.

그리고 우리의 일관한 노력에 의해서 금년에 비핵화 공동선언이 채택되게 되었습니다.

조선반도를 비핵화하고 조선과 아시아의 평화를 보장하기 위해서는 무엇보다도 비핵화 공동선언을 성실히 이행해야 하는 것입니다.

여기서 중요한 것은 이 비핵화를 검증하는 핵사찰을 진행하는 것입니다.

우리는 핵무기를 만들 의사도, 능력도 없다는 것을 한두번만 천명하지 않았습니다.

더욱이 국제원자력기구의 3차례에 걸치는 비정기사찰을 통해서 우리의 평화애호적인 핵정책이 확인되었습니다.

그럼에도 불구하고 미국과 남조선당국자들은 북의 핵개발에 대해서 지금 고아대고 있고 심지어 노00는 유엔무대를 이용해서 우리의 그 무슨 핵개발움직임에 대해서 떠들기까지 했습니다.

이것은 저들의 핵정책을 합리화하기 위한 궤변에 지나지 않습니다.

사실 조선반도에서 핵문제는 남조선에 핵무기를 끌어들인 것으로해서 산생된 것입니다.

그리고 미제가 남조선에서 핵전쟁연습을 강화함에 따라서 바로 이 핵전쟁위험이 더욱 커가고 있는 것입니다.

때문에 비핵화를 검증하기 위해서 기본은 북과 남이 서로 핵사찰을

- 11 -

0140

진행하되 남조선에 있는 미국의 핵무기와 핵기지에 대한 전면적인 사찰을 진행하는 것입니다.

그러나 미제와 남조선당국자들은 특수사찰이요, 동수사찰이요 하면서 우리의 제안을 반대하고 있습니다.

이것은 비핵화 공동선언을 유린하는 것이고 그를 이행할 의지가 없다는 것을 보여줍니다.

다음으로 조선반도의 비핵화를 실현하고 우리나라의 평화를 공고히 하자면 북과 남이 군축을 실현하고 남조선에서 핵전쟁연습을 그만두어야 하며 미군과 핵무기를 완전히 철수해야 합니다.

북과 남이 북남합의서와 비핵화 공동선언을 통해서 벌써 서로 불가침을 할 것을 약속한 조건에서 그를 담보하자면 북과 남이 각기 같은 수의 무력을 유지할 수 있도록 군축을 실현해야 합니다.

남조선당국자들은 민족적 양심이 조금이라도 있다면 조선강토를 외세의 핵기지로, 핵전쟁마당으로 내맡기는 반민족적 행위를 그만두어야 하며 겨레의 요구대로 비핵화 공동선언을 성실히 이행해 나가야 합니다.

우리들은 조선반도를 비핵화지대로 만들기 위해서 계속 모든 성의와 노력을 다 할 것이며 우리의 인민군 군인들은 미제의 핵전쟁도발책동을 예리하게 주시할 것입니다.

발언을 끝마치겠습니다.

- 12 -

0141

남.북한의 상호사찰에 대한 입장, 금후 전망 및 향후 대책 방향은 ?

〔9위〕

o 우리는 북한 핵문제의 해결을 위해서는 남.북한이 효과적인 상호사찰을 실시
  함으로써 북한의 핵개발에 대한 국내.외적인 의혹이 완전히 불식되어야 한다는
  입장에서 북한과의 핵협상에 임해왔으나 그간 8차에 걸친 핵통제공동위 회의와
  수차의 위원 접촉에도 불구, 아직 별다른 진전을 보지 못하고 있음. 특히
  우리는 상호사찰이 그 대상에 있어 어떠한 성역도 존재해서는 않된다는 입장
  이며 민간.군사기지를 모두 사찰대상으로 하는 포괄적 사찰과 특별사찰을
  필수적으로 포함함으로써 효과적인 사찰이 되어야만 비로서 남북이 비핵화
  공동선언을 통해 합의한 한반도 비핵화 검증이 가능하다는 입장임.

o 일반적으로 국제군축조약상 사찰제도는 '믿고싶다. 그러나 확인해 봐야 된다'
  (trust, but verify)는 정신이 기초를 이루고 있는바, 상대측이 의심하는
  군축의 대상에 대하여 불시적인 사찰을 허용하는 any time, any place 개념의
  특별사찰제도는 모든 핵군축조약의 필수 요소로 간주되고 있음. 북한이 지지
  의사를 표명해 온 화학무기금지협정(CWC)상에도 특별사찰제도가 포함되어 있는
  만큼 우리는 북한이 진정 핵무기 개발 의사가 없다면 특별사찰에 굳이 반대할
  이유가 없다고 보고 있으며, 이것이 남북간 신뢰구축의 시발점이 될 수 있다고
  보고 있음.

0142

o 한편 「한반도 비핵화 공동선언」 제1항은 남.북한이 핵무기를 보유, 저장,
  배비 또는 사용하지 않을 것을 규정하고 있는 바, 이를 검증하기 위해서는
  핵무기가 저장, 배비, 사용되어 질 수 있는 장소, 즉 군사기지에 대한 사찰이
  필수적인 것임.   따라서 이는 비핵화 공동선언상의 법적 의무를 충실히 이행
  하는 것이며, 이것이 이루어지지 않는다면 반쪽 사찰밖에 될 수 없음.

o 현재 남북 핵협상은 상기 특별사찰제도와 군사기지 사찰에 대하여 북한이 계속
  반대하고 있어 어려움을 겪고 있으나, 그러한 사찰의 핵심적인 요소가 결여된
  사찰은 형식적인 사찰에 그치므로써 북한의 핵개발 의혹을 해소시키기는 커녕
  오히려 북한의 은닉된 핵무기 개발을 합법화시키는 구실로 이용될 수 밖에
  없을 것임.

o 그러나 북한이 현재 자신이 처해있는 경제적.외교적 난국을 극복하고 국제
  사회에서 생존하기 위하여는 결국은 자신의 핵개발에 대한 국제사회의 의혹을
  해소시키는 길 밖에 없을 것이며 이를 위해서는 특별사찰, 민간 핵시설뿐만
  아니라 군사기지 사찰이 포함된 효과적인 사찰규정에 합의하여 조속한 시일내에
  남북상호사찰을 실시하는 것이 요구되고 있는 것임.

0143

o 우리는 이러한 효과적인 사찰규정 채택을 위해 북측을 계속 설득해 나갈 것인
　바, 특히 북한 핵문제가 완전히 해결되지 않는 한 정부 및 민간 차원의 실질적
　교류.협력이 진전될 수 없다는 점을 분명히 하면서, 북한의 성실한 자세를
　계속 촉구해 나갈 것임.　 국제적으로는 미, 일등 우방국과의 협조를 통한
　대북 압력, 그리고 러시아, 중국등을 통한 대북 설득등 가능한 모든 외교
　노력을 다하여, 북한으로 하여금 남북상호사찰을 수용토록 추진해 나갈 것임.

작년말 한반도 비핵화 공동선언을 채택, 핵재처리시설등을 포기한 것은 성급한 결정이 아니었는지 ?

o NPT 체제등 국제법상으로 농축 및 재처리시설 보유를 금지하는 규정이 있는 것은 아님. 그러나 우리가 이의 포기를 선언하게 된 것은 현재로서 이를 보유할 경제적 필요성이 크지 않은 상황에서 북한의 핵무기 개발을 저지하는 것이 무엇보다도 시급한 과제였기 때문임. 특히 북한이 핵재처리시설을 계속 건설하고 있는 것은 핵무기 개발의 의혹을 야기시키고 남.북한간에 핵경쟁을 불가피하게 유발시킬 위험이 크므로 우리가 선제적으로 핵재처리시설을 포기하여 북한의 상응한 포기를 유도할 수 있게 된 것임.

o 이는 남북이 군사적으로 대치하고 있는 한반도의 특수한 안보 현실에 따른 것임. 또한 핵재처리시설등을 보유하기 위해서는 핵재처리 기술 보유국의 협력이 필요한 것이 현실인바, 이를 위해서는 우선 핵에너지의 평화적 이용과 관련 우리측 의도에 대한 국제사회의 신뢰가 선행되야 한다는 실제적 고려에도 기인하고 있음.

0145

o 또한 우리의 비핵정책 선언은 최근 범세계적인 핵군축 노력에 적극 참여함으로써

  국제사회의 지지와 협력을 유도하고 이를 기반으로 하여 유리한 위치에서

  한반도 통일 노력을 주도해 나간다는 고려가 있었는 바, 우리의 선제적 조치

  결과로서 남.북한 기본관계 합의서와 한반도의 비핵화에 관한 공동선언의 채택이

  가능할 수 있게 되었음.

0146

우리의 핵정책은 앞으로 비핵지대화를 지향해야 한다는 지적이 있는바, 정부 입장은 ?

o 핵무기 없는 세계의 구현이라는 이상적 측면에서만 본다면, 한반도 비핵지대화에
   대하여 어느 누구도 이론을 제기할 수는 없을 것임.

o 그러나, 이미 유엔군축특별총회나 NPT 검토회의의 최종선언에서도 나타난 바와
   같이 비핵지대 설치는 지역내 안보 환경이 고려되어야 하고, 역내 모든 국가가
   함께 합의.참여하는 경우에야 현실적으로 가능한 것임. 또한, 비핵지대 설치가
   기존의 안보체제를 저해하여서는 안된다고 봄.

o 오늘날 국제적으로 통용되는 「비핵지대화」의 개념은 예컨대 일본 또는 한반도
   등 국한된 지역이 아닌, 국가 안보 문제가 상호 연관되는 일정 지역내 모든
   국가가 참여하는 경우에 사용되고 있는바(예 : 남미 비핵지대조약, 남태평양
   비핵지대조약등), 동북아지역의 모든 국가가 함께 참여하지 않는 한, 한반도의
   경우에는 비핵지대화가 맞지 않는 개념임.

0147

o 즉, 주변국가가 다량의 핵무기를 보유.배치하고 있는 한반도 상황과 오늘날의
  발달된 핵무기 운반수단을 감안하여 볼때 전반적인 역내 안보 정세를 고려하지
  않고 주변 관계국간의 완전한 합의와 보장없이 극히 좁은 지역인 한반도에만
  국한하여 비핵지대를 창설하자는 주장은 무의미하고 비현실적인 것임.   이는
  일본이 비핵지대를 설정한 것이 아니라 비핵3원칙을 선언한 것과 같은 소이에
  따른 것임.

o 우리는 그러한 한반도 현실을 고려하여 이미 91.11.8. 비핵정책을 선언하였으며
  이를 바탕으로 북한과 함께 「한반도 비핵화 공동선언」을 채택하는 조치를
  취하게 된 것임.

북한의 핵개발 상태와 정도에 대한 평가는 ?

o 북한 핵개발 현황에 대해서는 미국이 85년부터 위성항공 촬영등을 통하여 영변
  핵시설 건설을 포착한 이래 그간 국내외적으로 북한의 핵개발에 대한 의혹이
  제기되어 왔으며 각종 자료를 분석한 결과 북한은 핵무기 개발을 추진중에
  있는 것으로 평가되어 왔음.

o 한편, 최근 IAEA 제1차 임시사찰(5. 25~6. 5)과 제2차 임시사찰(7. 11~21)
  등을 통하여 북한의 핵개발 현황이 일부 공개되었으나 아직도 북한에 대한 핵
  의혹은 가중되고 있는 실정임.   즉, 5MW 원자로의 가동 실적, 플루토늄 추출량,
  시험재처리시설(pilot reprocessing plant) 존재 여부등 의심되는 부분이 많은
  것으로 드러났으며, 비핵화 공동선언에 따라 보유하지 않기로 약속한 재처리
  시설을 건설하고 있다는 사실도 밝혀 지는등 북한 핵개발 실상에 대해 과거
  우리가 갖고 있던 것보다 훨씬 많은 의혹과 문제점이 제기되고 있음.

o 북한의 핵개발 실상에 대하여는 금후 IAEA 정규 사찰등을 통해 좀더 분명해
  질 것으로 보이나 IAEA 사찰의 한계성을 감안할때 북한 핵개발 실상을 보다
  명백히 파악하기 위해서는 효과적인 남.북한 상호핵사찰이 조속히 실시되어야
  할 것임.

0149

최근 일본의 플루토늄 대량 반입 계획 관련 금후 일본의 핵무장 가능성 및 남북 공동 대처 방안 유무 ?

o 일본은 미국의 묵시적 양해아래 핵무기 개발을 해온 것이 아니라 핵에너지의 평화적 이용에 관한 신뢰를 계속 쌓아 왔다고 해야 할 것임.

o 일본은 핵에너지의 평화적 이용에 있어 연료의 해외 의존을 탈피하고 자립적인 핵에너지 확보를 위해 가장 효율적이며 첨단 기술로 알려진 고속증식로의 개발을 추진중에 있으며, 이의 연료로서 필요한 플루토늄을 2010년까지 총 85톤을 비축할 계획을 세우고 그중 30톤은 영국, 프랑스등에 위탁하여 재처리 한 후 해상 수송 도입 예정이며, 55톤은 국내 재처리공장을 통하여 생산할 예정임.

o 이와 관련, 지리적 인접국인 아국으로서는 유해 물질인 플루토늄의 운반과 관련하여 안전의 차원에서 관심과 우려를 갖는 것은 정당한 일이라 하겠지만 일본의 핵무장 가능성에 대하여 객관적 증거없이 막연하게 문제를 제기하는 것은 바람직하지 않음.

0150

- 첫째, 일본은 과거 피폭 경험으로 인하여 일반 국민 감정상 핵무기에 대한
  거부감이 어느 나라보다 강하다고 할 수 있으며, 미.일 안보 협력 관계 및
  미국의 강력한 핵비확산 추진 정책등 주변 정세를 감안할때, 현재 및 가까운
  장래에 핵무장을 추진할 가능성이 현재로서는 없다고 보므로, 우리측이
  우려를 제기하는 것은 한.일 관계 발전에 바람직하지 않음.

- 특히, 일본이 비핵3원칙을 견지하면서 국내적으로 법적 장치를 통하여
  자체적인 감시 체제를 계속 강화해 오고 있으며, IAEA의 철저한 사찰하에
  원자력의 평화적 이용 정책을 추구해 온 점에서도(IAEA 사찰 평가 등급 :
  A급), 현 단계에서 핵무장 우려 문제를 제기하는 것은 객관적 설득력이
  없음.

- 일본의 플루토늄 확보 계획을 핵무장 가능성과 직접적으로 연계시키는 것은
  과학적 측면에서도 타당성을 결하고 있다고 보아야 할 것임.   핵무기 제조용
  플루토늄(순도 95% 이상)과 일본이 해외에서 재처리 도입 예정인 고속증식로용
  플루토늄(순도 60% 수준)은 동일한 것이 아니므로 핵무기로의 전용 가능성이
  우려된다고 주장하는 것은 과장된 측면이 있음.

0151

미국의 간섭으로 핵주권이 상실됐다는 주장에 대한 정부의 입장 및 통일후를 포함한 우리의 장래 핵정책의 모습에 대한 견해 ?

o 핵문제에 대한 시각은 기본적으로 핵에너지의 이중성에 대한 올바른 인식으로
  부터 출발해야 한다고 생각함. 즉, 핵에너지는 평화적으로 이용되어 인류의
  복지를 향상시킬 수 있는 중요한 자원이 될 수 있는 반면 인류를 파멸로 몰고
  갈 수 있는 대량살상무기의 원료로도 쓰일 수 있음.

o 따라서 일국의 핵정책은 세계적인 핵정책과의 조화속에서 추진되어야 할
  뿐만 아니라 핵에너지의 평화적 이용 분야에서도 외국으로부터의 기술 협력이
  불가피한 경우에는 더더군다나 국제적인 신뢰 획득이 일국의 핵정책 추진에
  가장 중요한 요소라 하지 않을 수 없음.

o 특히 우리의 경우는 핵정책이 우리의 평화 통일 정책과의 조화 위에서 추진
  되어야 하는 부담도 있는 바, 현재 북한이 핵무기 개발 계획을 추진하고
  있는 상황하에서는 이를 저지하기 위해서는 그만큼 우리의 핵정책은 핵에너지의
  평화적 이용에 대한 투명도가 더욱 강하게 요구되는 제약을 갖게 되는 것임.

0152

o 따라서 우리의 핵정책은 남.북한 분단 상황에서 오는 안보 정책적 측면이 강할
수 밖에 없고 특히 북한의 핵무기 개발을 저지하기 위한 정책 판단과 핵에너지의
이용 확대에 필요한 정책 판단을 균형적으로 고려하여 우리가 주도적으로
추진하고 있는 것임.   현재 북한 핵문제 해결을 위하여 한.미간에 긴밀한
협의가 있지만, 이는 어디까지나 한반도에서의 평화 유지와 안전 보장 차원
에서의 협의이며, 미국의 압력에 의해 핵정책을 추진하고 있다는 말은 어불
성설임.

o 향후 북한 핵문제가 완전히 해결되고 통일의 여건이 보다 성숙하게 될 경우
우리의 핵정책은 국가 안보 목적 달성과 핵에너지의 평화적 이용 수요등 상황
변화를 감안하여 조정 추진될 수 있을 것임.

0153

> 북한 핵문제에 대한 한.미간의 공동 대처 방안은 ?
> (불가피할 경우 미국의 무력사용설에 대한 정부 입장 포함)

o 한.미 양국은 북한의 핵무기개발계획이 한반도 및 동북아 안보의 최대 위협 요소가 된다는데에 일치된 인식을 가지고 북한 핵문제의 해결을 위해 긴밀한 협의를 해왔음.

o 앞으로도 북한의 핵무기개발계획에 대한 의혹을 철저히 해소시킬 수 있도록, IAEA에 의한 충실한 사찰과 더불어 남북상호사찰을 수용하도록 한.미간에 다각적인 방안을 협의.수립해 나갈 것임.

o 우리는 남북상호사찰 실시를 통한 북한의 핵개발 의혹이 완전히 해소되지 않는한 남북 관계의 실질적 진전을 유보시키는 방침에는 아무런 변화가 없으며, 미, 일, EC 국가등 우방국과의 긴밀한 협조 아래 필요한 외교적 조치를 취해 나갈 것임.

o 특히 미국은 최근 한.중 수교등 동북아지역 안보 환경에 있어서의 새로운 상황 전개에도 불구하고 효과적이고 철저한 남북상호사찰이 실시되지 않는한 북한 과의 접촉 수준 격상등 대북 관계 개선 조치가 이루어질 수 없다는 점을 분명히 하고 있음.

0154

o 미국내에서 북한 핵시설에 대한 군사적 대응 문제가 한때 제기된 적이 있다고
  하나, 이는 어디까지나 미의회 또는 학계, 언론계 일부 인사들의 개인적 견해
  로서 미국정부의 공식적 입장이 아니며, 정부는 어디까지나 북한 핵문제가
  조속 해결될 수 있도록 모든 외교적 방안을 강구혀 나갈 것임.

0155

2. 한·미국·일본 협의. New York, 9.23

0156

외 무 부

종 별 : 지 급

번 호 : USW-3579   일 시 : 92 0716 1750

수 신 : 장 관 (미이) 미일,정특) 사본: 주일대사(중계필)

발 신 : 주 미 대사

제 목 : 한.미.일 실무협의

대: WUS-3108

연: USW-3386

1. 금 7.16. 오후 국무부 KARTMAN 한국과장은 당관 임성준 참사관에게 연락, 미측이 제의한바 있었던 연호 한. 미.일 실무협의와 관련, 일본측은 금번 협의를 7.27. 동경에서 가질수 있겠는지 타진하여 왔으나 동 시기에 ANDERSON 부차관보가 WASHINGTON 을 떠나기 어려운 사장(CLARK 차관보의 ASEAN PMC 참석) 때문에 미측은 WASHINGTON 개최를 희망하며, 일본측도 미측 사정을 감안 KAWASHIMA 북미국 심의관 (주한공사 내정)과 MUTO 북동아 과장을 파견할 용의가 있다고 알려왔다고 말하였음.

2. 미측은 우리측이 적절한 대표를 7.27. WASHINGTON 에 파견할수 있는지 여부를 긴급 통보하여 줄것을 요청하면서, 별도 대표파견이 어려운 경우에는 당관에 곧 부임예정인 반기문 공사가 참석하는 것도 좋을 것이라는 견해를 표명하였음.

3. 상기 미측제의에 관한 본부 방침 지급 회시바람. 끝.

(대사 현홍주-국장)

예고 : 92.12.31.에 일반문서에 1가 일반문서로 재분류됨

미주국 중계	장관	차관	1차보	미주국	외정실	분석관	청와대	안기부

PAGE 1

관리
번호 92
-983

외 무 부

종 별 : 긴 급

번 호 : USW-3607

일 시 : 92 0720 1544

수 신 : 장 관 (마어) 사본: 주일대사(중계필)

발 신 : 주 미 대사

제 목 : 한.미.일 실무협의

대: WUS-3361

1. 당관 임성준 참사관은 금 7.20(월) 오전 국무부 KARTMAN 한국과장과 접촉, 한. 미.일 실무협의 개최를 위한 대호 우리측 희망일정을 제시하였던바, 동 과장은 7.27(월) WASHINGTON 개최가 어려운 경우, 일본측은 당초부터 금번 협의의 동경개최를 선호하고 있으므로 7.31(금) 동경개최를 제의하고 있으며, 이경우미측도 참석이 가능하므로 우리측 사정이 어떠한지 지급 타진하여 줄것을 요청하였음.

2. 상기와 같이 동경개최가 확정되는 경우 미측에서는 ANDERSON 부차관보와KARTMAN 한국과장이 7.29. 당지 출발 7.30. 동경 도착하는 일정으로 동 회의에임할 예정이라함.

3. 미.일 양측의 상기 1 항 제의에 대한 아측 입장을 지급 회시바람. 끝.

(대사 현홍주-차관)

예고: 92.12.31. 일반문서로 재분류됨

P.S 7.27 귀상른 초기 될정된 미측)
우 한적인 ASSTANT MLC Clarkil
기상은 비기 때문기 Anderson. (부착반)

미주국	장관	차관	1차보	분석관	청와대	안기부	중계

92.07.21 05:17
외신 2과 통제관 BZ
0158

분류번호	보존기간

발 신 전 보

번 호 : WUS-3361　920720 1734 WG 　종별 : 지급

수 신 : 주　미　　대사. 총영사

발 신 : 장 관　(미이)

제 목 : 한. 미. 일 실무협의

　　　　대 : USW-3579

　　　　연 : WUS-3108

1. 아측은 대호, 미측의 한. 미. 일 핵문제 관련 실무협의 개최 제의에 대해
　원칙적으로 동의하며 동 회의에 7월말 귀관 부임 예정인 반기문 공사와
　이호진 북미2과장이 참석하도록 할 예정임.

2. 다만, 회의 일정 관련 아측으로서는 반 공사 귀관 부임 일정상(7. 29. 당지
　출발 예정) 가급적 8. 3～4간　　　　워싱턴에서 개최하는 것이 좋겠음.
　만일 미측 사정이 여의치 않을 경우에는 7. 30～31간 개최하는 것도 가능할
　것으로 보는 바, 이에 관해 미측과 협의하고 결과 보고바람.　끝.

　　　　　　　　　　　　　　　(차관　노창희)

예고 : 1992. 12. 31에 일반세
　　　　까지 일반문서로 재분류됨

장관특인 : 7율

보안 통제	[signature]

| 앙고재 | 92년 7월 20일 | 북미2과 | 기안자 성명 김전수 | 과 장 심의관 [signature] | 국 장 [signature] | 제차관보 [signature] 전결 | 차 관 | 장 관 [signature] | 외신과통제 |

0159

발 신 전 보

번 호 : WJA-3164   920720 1954 FY 종별 : 지급

수 신 : 주   일   대사. 총영사

발 신 : 장 관 (미이)

제 목 : 북한 핵문제 관련 한.미.일 실무 협의

1. 북한 핵문제에 대한 한.미.일 실무협의 문제를 미측과 논의해 온 바, 한.미 간에는 동 협의회를 8. 3~4간 (또는 7. 30~31간) 워싱톤에서 개최하는 것으로 협의되고 있으며, 동 회의에 우리측에서는 7월말 워싱톤 부임 예정인 반기문 공사와 이호진 북미2과장이 참석하도록 할 예정임.

2. 상기 한.미.일 실무협의 관련 진행 상황을 귀주재국 외무성측에 참고로 알리기 바람. 끝.

(미주국장 정태익)

예고 : 92. 12. 31 일반에 의거 일반문서로 재분류됨

앙고재	92년7월20일	북미2과	기안자성명 진진수	과장	국장 전명	차관	장관

보안통제	

| 외신과통제 |

0160

공   란

공   란

관리 번호	92 -885

분류번호	보존기간

발 신 전 보

번   호 :   WUS-3389   920721 2002 FY   종별: 지 급

WJA-3186

수   신 :   주   미   대사. 총영사 (사본: 주일대사)

발   신 :   장   관   (미이)

제   목 :   한. 미. 일 실무협의

대 : USW-3607

대호 한.미.일 실무협의의 7. 31(금) 동경 개최에 이의 없으며, 이 경우 아측
으로서는 정태익 미주국장과 이호진 북미2과장을 참석시킬 예정임.   끝.

예고 : 1992. 12. 31. 에 일반에
의거 일반문서로 재분류됨

장 관
(미주국장 정태익)

외정실장: ㄹ

보안 통제	

	북미 2과	기안자 성명		과장 신의관	국장	1차관보	차 관	장 관
앙고재	원질							

외신과통제

0163

외 무 부

종 별 :

번 호 : USW-3659   일 시 : 92 0722 1905

수 신 : 장관 (민이 미일)

발 신 : 주미대사

제 목 : 한. 미. 일 3자 회의

대 : WUS-3389

연 : USW-3607

1. 당관 임성준 참사관은 금 7.22. 국무부 한국과 KARTMAN 과장에게 아측은 연호와 같이 동경에서의 3자 회의를 개최하는데 문제가 없음을 통보하였음.

2. 이에 대해 KARTMAN 과장은 그간에 미측 입장에 변경이 생겼다고 하면서, (1) 7.21. 제 7 차 JNCC 에서 아무런 진전이 없었으며, (2) 미측 참석자인 ANDERSON 부차관보도 개인적인 사정으로 동경 출장이 어려운 형편이므로, 미측으로서는 금번 회의를 연기하는 것으로 KANTER 차관선에서 결정이 되었다고 알려왔음.

3. 이어서 KARTMAN 과장은 차기 3자 회의를 제 8 차 JNCC 이후 IAEA 9 월 이사회 이전인 9 월초 정도에 3자 모두에게 편리한 장소에서 개최하고자 하는 것이 현재 미측의 의견이라고 덧붙였음. 끝.

(대사 현홍주-국장)

예고 92.12.31. 에 알반문에 의거 일반문서로 재분류됨

미주국   장관   차관   1차보   미주국   분석관   청와대   안기부

관리 번호	*P₂-1771*

외 무 부

종 별 : 지급

번 호 : USW-4509   일 시 : 92 0914 1956

수 신 : 장관 (미일, 미이)

발 신 : 주 미 대사

제 목 : 북한 핵 3자협의

연: USW-4508

1. 금 9.14. 당관 반기문 공사-PASCOE 차관보간의 오찬시 PASCOE 차관보는 그간 2차에 걸친 북한 핵문제에 관한 한.미.일 협의가 좋은 성과를 거두었음에 비추어 IAEA 9월 이사회 및 제8차 나뭴북 고위급회담이 개최된 직후에 또 한차례 3자협의를 갖는 것이 좋을 것으로 본다는 희망을 피력하였음.

2. PASCOE 부차관보는 1차가 워싱톤, 2차가 서울에서 개최되었으므로 구태여 따지자면 금번에는 동경이 순서이겠으나 미측사정으로는 워싱턴을 선호한다고 하였음.

3. 이어서 PASCOE 부차관보는 과거 2차례 3자협의가 과정급에서 개최되었음에 비추어 금번 회의는 직급을 상향조정하는 것도 좋을 것으로 본다고 하면서, 이 경우에는 아국에서는 미주국장이 비둘기 행사후 워싱톤을 방문하고, 미측에서는 자신이 참여하고, 일본에서는 미주국장등 이에 상응하는 직급 인사가 참여하면 될 것으로 본다는 의견을 제시하였음.

4. 상기와 같은 PASCOE 부차관보 제의에 대한 본부 입장을 회시바람. 끝.

(대사 현홍주 - 국 장)

예 고 : 93.6.30. 일반

"25일 대답하고방를 味"⇒

미주국	장관	차관	1차보	미주국	분석관	청와대	안기부	

PAGE 1   92.09.15   10:03

외신 2과 통제관 BX

0165

	분류번호	보존기간

관리	
번호	

발 신 전 보

번   호 : _____   종별 : **지 급** _____

수   신 : 주   미   대사, 총영사 _____ (사본 : 주일대사)

발   신 : 장   관   (미일, 미이) _____

제   목 : ___북한핵 3자 협의_____

대 : USW - 4509

1. 대호, 비둘기행사 이후 워싱톤에서 표제 3자 국장급 협의를
갖자는 미측 제안을 수락하니, 미측에 통보바람. (아측에서는 미주국장이 ~~비둘기행사~~
~~참가측~~ 참석 ~~예정~~)

2. 우리측으로서는 표제협의를 ~~9.24 (목) 오후 또는~~ 9.25 (금) ~~않은~~
9.24(목) 갖는 것이 편리한 바, 이를 미측에 아울러 제의하고 결과 보고바람.   끝.
오후에

(차 관 노 창 회)

예   고 : 92.12.31. 일   반

앙 고 재	92년 9월 15일	북미1과	기안자 성명 조세용		과 장	심의관	국 장	차관보	차 관	장 관

보 안 통 제	
외신과통제	

0166

발 신 전 보

번 호 : WUS-4206   920915 1919 FY 종별 : 지 급

수 신 : 주   미   대사. 총영자

발 신 : 장 관 (미이)

제 목 : 북한 핵 3자 협의

대 : USW-4509

연 : WUS-3389

1. 아측은 대호, 미측의 북한 핵문제 관련 한.미.일 3자 협의 개최 제의에
   동의하며, 회의 시기 및 장소는 9. 25(금) 워싱톤에서 개최하는 것이 좋을
   것으로 생각하는 바, 미측과 협의후 결과 보고바람.

2. 동 협의회시 본부에서는 미주국장과 핵문제 실무자가 참석토록 계획하고
   있음. 끝.

예고 : 1992. 12. 31. 일반

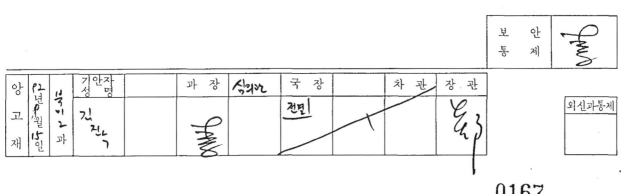

0167

외 무 부

종 별 :

번 호 : USW-4539   일 시 : 92 0915 1814

수 신 : 장관 (미일, 미이)

발 신 : 주미대사

제 목 : 한.미.일 3자협의

연: USW-4509

대: WUS-4206

1. 당관 임성준 참사관은 금 9.15 국무부 KARTMAN 한국과장과 접촉, 아측은 한.미.일 3 자협의 개최에 동의하며 9.25(금) 워싱턴 개최를 선호함을 통보하였던 바, 미측은 아측의 조속한 회보에 사의를 표하고 곧 일본측과도 협의하여 결과를 알리겠다고 말하였음.

2. KARTMAN 과장은 상기 접촉시 CLARK 차관보가 10 월 한. 미 SCM 회의 직후 아주지역 순방을 계획하고 있음을 알리면서 동 순방기회에 한. 미.일 아시아 문제전문가 회의 개최를 구상하고 있으며, 동 회의에는 한. 일 양국에서 CLARK 차관보 수준의 아시아 문제 담당 고위간부급이 참석하여 공통의 관심 사항에 관한 비공식 협의를 갖게 되기를 바란다고 말하고, 회의장소는 한. 일 양국중 편리한 장소를 상정하고 있다고 설명하였음. 동 과장은 현재 상기 구상이 초기 검토 단계에 있으므로, 구체화 되는 대로 한. 일 양측과 협의 할 것임을 아울러 밝혔음.

3. 상기 2 항 미측의 구상과 관련, 미측은 북한 핵문제 대처를 위한 한. 미.일 3 자협의 성과에 만족을 표하면서 동 협의 FOMRMAT 의 격을 높여 3 국의 공통관심 사항에 관한 비공식협의 체제로 확대 발전시키고자 하는 방안을 검토하고있는 것으로 보이며, 그간 본직의 백악관 PAAL 선임보좌관, 국무부 CLARK 동아태 차관보 면담시 미측은 그와같은 협의 필요성에 관하여 강조한 바 있음을 참고바람. (USW-3768 참조)

(대사 현홍주-국장)

예고 : 92.12.31 일반

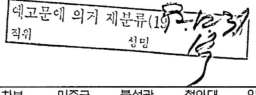

예고문에 의거 재분류(19   )
직위   성명

───
미주국   장관   차관   1차보   미주국   분석관   청와대   안기부

관리 92
번호 -1252

외 무 부

종 별 : 지급

번 호 : USW-4613   일 시 : 92 0917 1913

수 신 : 장관 (미이,미일)

발 신 : 주 미 대사

제 목 : 한.미.일 3자 협의

연 : USW-4539

1. 국무부 KARTMAN 한국과장은 금 9.17. 당관 임성준 참사관과의 면담시, 미측이 일본에 대하여 연호 3자 협의를 제의하였던바, 일측은 이러한 제의를 환영하면서 일본으로서도 금번 와타나베 외상의 UN 방문기회에 북미국 관계자 및 무또 동북아 과장이 수행할 예정이므로 3자 협의를 갖는데 문제가 없을 것으로 본다는 반응을 보였다고 알려왔음. (아측은 본부에서 미주국장이 참석 예정이므로 일본측도 이에 상응하는 직급의 인사가 참석함이 바람직할 것임을 지적해 두었음)

2. 이어서 KARTMAN 과장은 PASCOE 부차관보가 ASIA SOCIETY 만찬참석차 23,24 양일간 뉴욕을 방문할 예정이므로 미국으로서는 23 일 오후 또는 24 일 오전중 주 UN 미국대표부 회의실에서 3자 협의 회의를 가질 것을 제의한바, 본부 입장을 회시바람. 끝.

(대사 현홍주-국장)

예고 : 92.12.31. 일반

예고문에 의거 재분류(12.3)
직위   성명

미주국	장관	차관	1차보	미주국	분석관	청와대	안기부

공　　　란

Sep. 17, 1992
Jim Pierce 원본

U.S. STATEMENT ON DPRK FOR IAEA BOARD MEETING

AS EVIDENCED BY THE DIRECTOR GENERAL'S REPORT TO THE
BOARD, THE UNITED STATES WISHES TO COMMEND THE IAEA FOR
ITS VIGOROUS AND THOROUGH EFFORTS TO IMPLEMENT THE
DPRK'S FULL SCOPE SAFEGUARDS AGREEMENT, WHICH ENTERED
INTO FORCE ON APRIL 10. IN PARTICULAR, WE WELCOME THE
AGENCY'S CAREFUL EFFORTS TO VERIFYING THE DPRK'S NUCLEAR
FACILITY DESIGN INFORMATION AND INITIAL INVENTORY,
ESPECIALLY THE OPERATING HISTORY AND SPENT FUEL OF THE 5
MW REACTOR, AND ITS EFFORTS TO DETERMINE WHETHER ANY
ADDITIONAL REPROCESSING CAPABILITY HAS BEEN DEVELOPED OR
ACQUIRED BY THE DPRK. WE ENCOURAGE THE IAEA TO CONTINUE
IN THESE EFFORTS.

WE WELCOME THE DPRK'S COOPERATION WITH THE IAEA IN THESE
EFFORTS AND ITS PLEDGE TO ALLOW THE IAEA ACCESS TO ANY
FACILITY THAT IT REQUESTS. THESE ARE ENCOURAGING
DEVELOPMENTS. CONTINUATION OF THIS COOPERATION BY THE
DPRK IS ESSENTIAL TO ENSURE COMPLETE AND SATISFACTORY
IMPLEMENTATION OF FULL SCOPE SAFEGUARDS IN NORTH KOREA.

IN ADDITION, WE ENCOURAGE THE DPRK AND ROK TO MOVE AHEAD
TO CONCLUDE AN EFFECTIVE AND CREDIBLE BILATERAL
INSPECTION REGIME, AS CALLED FOR BY THE NORTH-SOUTH
NON-NUCLEAR DECLARATION. SUCH A BILATERAL INSPECTION
REGIME WILL SERVE AS AN ESSENTIAL COMPLEMENT TO IAEA
SAFEGUARDS IN ENSURING STABILITY AND CONFIDENCE-BUILDING
ON THE PENINSULA.

AS AN INDICATION OF ITS COMMITMENT TO THE NORTH-SOUTH
DECLARATION, WE URGE THE DPRK TO MAKE CLEAR THAT IT DOES
NOT INTEND TO COMPLETE AND OPERATE ITS REPROCESSING
FACILITY, SINCE THE POSSESSION OF REPROCESSING
FACILITIES IS CLEARLY PROHIBITED BY THE NORTH-SOUTH
DECLARATION. SUCH A STATEMENT BY THE DPRK WOULD BE AN
IMPORTANT STEP TO CONFIRM THE DPRK'S COMMITMENT TO THE
NORTH-SOUTH DECLARATION.

IN CLOSING, WE REQUEST THAT THE DIRECTOR GENERAL KEEP
THE BOARD INFORMED OF PROGRESS IN IMPLEMENTING THE DPRK
SAFEGUARDS AGREEMENT.

0171

분류번호	보존기간

발 신 전 보

WUS-4328   920918 2019 FY   종별: 지급

번   호 :

수   신 : 주   미   대사. 총영사

발   신 : 장 관 (미이)

제   목 : 한.미.일 3자 협의

대 : USW-4613

연 : WUS-4206

1. 대호 북한 핵문제 3자 협의 일정 관련, 동 협의의 성격상 가급적 9. 25(금) 워싱턴 미 국무부 회의실에서 개최하는 것이 가장 바람직하다고 생각되는바, 특히 한.일 양측의 대사관 관계자 및 미 국무부 실무자의 참석도 필요한 만큼 Pascoe 부차관보가 9. 24. 오후에는 워싱턴에 귀환할 것으로 예상되니 워싱턴 개최가 되는 것이 좋겠음.

2. 그럼에도 불구하고 미측이 불가피하게 뉴욕 개최를 희망한다면, 아측으로서는 9. 24. 오전중 개최하는 것은 가능할 수 있음.

3. 상기 협의회에 본부에서는 북미2과 김진수 사무관이 출장, 참석할 예정이며, 귀관 관계관도 참석토록 조치바람.   끝.

예고 : 1993. 6. 30. 일반

(미주국장 정태익)

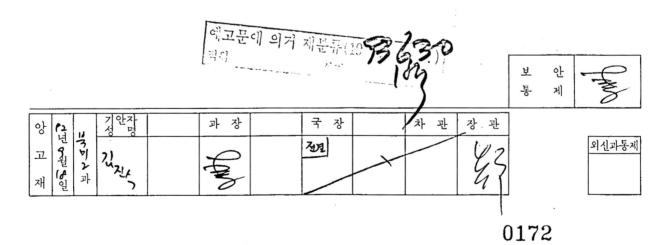

앙 고 재	12년 9월 18일	북미2과	기안자 성명 김진수	과 장	국 장 전결	차 관	장 관		외신과통제

0172

외 무 부

종 별 : 긴 급

번 호 : USW-4640   일 시 : 92 0918 1559

수 신 : 장 관 (미이, 미일)

발 신 : 주 미 대사

제 목 : 북한 핵문제 3자 협의

대: WUS-4328

연: USW-4613

1. 금 9.18. 오전 당관 임성준 참사관의 국무부 KARTMAN 한국과장 면담시, 대호 3 자 협의 관련 사항을 문의하였던바, 동 과장은 3 자 협의회를 9.23.(목) 오후 주유엔 미국대표부 회의실에서 개최키로 최종 확정하였다고 하면서, 일본측 대표로는 와타나베 외상 수행직원 중에서는 국장급 인사가 없기 때문에 당지 일본대사관 오사마 정무공사가 뉴욕에 출장하여 무또 북동아과장과 함께 참석 예정이라고 설명하였음.

2. KARTMAN 과장은 종전예에 따라 금번 협의회도 매우 비공식적이고 자유로운 분위기에서 진행시키는 것이 좋겠다고 말하고, 우선 한. 미.일 3 국이 각각 북한과의 대화 또는 교섭진행 상황과 전망등에 관하여 의견을 개진토록 하며 가능한 범위내에서 IAEA 관련 사항도 취급하면 좋을 것이라는 견해를 표명하였으니 회의 준비에 참고바람.

3. 동 과장은 미주국장의 워싱톤 방문도 환영한다고 말하고, 9.25(금) PASCOE 수석 부차관보 오찬을 계획하고 있다고 밝혔음. 끝.

(대사 현홍주-국장)

예고: 92.12.31. 일반

미주국   장관   차관   1차보   미주국   상황실   분석관   정와대   안기부

외 무 부

```
┌─────────┐                                              ┌──────────┐
│ 관리 92 │                                              │ 원   본 │
│ 번호_1258│                                              └──────────┘
└─────────┘
```

종 별 : 긴 급

번 호 : USW-4644   일   시 : 92 0918 1653

수 신 : 장 관 (미이 미일)

발 신 : 주 미 대사

제 목 : 북한 핵문제 3자 협의

     연: USW-4640

     연호 관련 미측은 금 9.18. 표제회의 일시를 9.23(목) 오후 3:00-5:00 로 최종
확정하였다고 통보하여 왔음. 끝.

     (대사 현홍주-국장)

     예고: 92.12.31. 일반

예고문에 의거 재분류(19   )
직위   성명

───

미주국   장관   차관   1차보   미주국   분석관   청와대   안기부

PAGE 1   92.09.19   06:19
* 원본수령부서 승인없이 복사 금지

                                                외신 2과 통제관 FM

                                                      0174

분류번호	보존기간

발 신 전 보

WUS-4364   920921 1605 WH

번   호 :   종별 : 급

수   신 : 주   미   대사. 총영사

발   신 : 장 관 (미이)

제   목 : 북한 핵문제 3자 협의

대 : USW-4640, 4644

미주국장과 김진수 사무관은 표제 회의후 아래 일정으로 귀지 방문 예정인 바, 일정 주선(9. 25. Pascoe 부차관보 주최 오찬 포함)과 숙소(싱글 2실) 예약 조치 바람.

- 9. 24(목) 15:34 워싱톤 착(DL 1757, National 공항)
- 9. 27(일) 10:05 워싱톤 발(AA 4991)   끝.

예고 : 1992. 12. 31. 일반

(미주국장대리 배   진)

예고문에 의거 재분류(19   )

보안통제	

앙 고 재	82 년 9 월 21 일	미 2 과	기안자 성명 김진수	과 장 심의관	국 장 전결	차 관	장 관	외신과통제

분류번호	보존기간

발 신 전 보

번   호 : WUN-2555   920921 1606 WH   종별: 지급

수   신 : 주   유엔   대사. 총영사

발   신 : 장   관   (미이)

제   목 : 미주국장 출장

연 : WUN-2412

연호, 미주국장은 귀지 체재중 9. 23(수) 15:00 - 17:00 주유엔 미국대표부
회의실에서 개최되는 북한 핵문제 관련 한.미.일 3자 협의회 (미측 Pascoe
동아.태 부차관보, 일측 오사마 주미대사관 공사 참석)에 참석하며, 동 회의
참석후 9. 24(목) 14:30 워싱턴 향발(DL 1757, 라구아디아 공항) 예정임.

끝.

예 고 : 92. 12. 31. 일반

(미주국장대리 배 진)

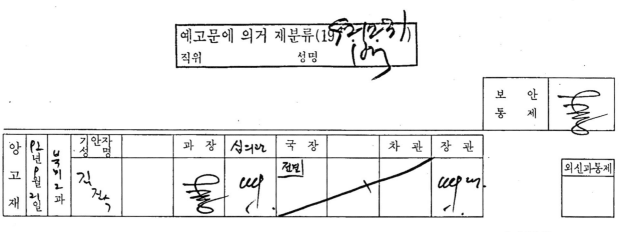

예고문에 의거 재분류(19   )
직위   성명

			보 안 통 제	

앙고재	안년월일북기12과	기안자성명	과장 심의관	국장 전빈	차관	장관	
		김정수					외신과통제

공   란

공   란

공   란

공   란

공   란

공   란

공　　　　란

공   란

공   란

공　　　　란

공   란

공　　　란

공   란

공　　　란

공   란

공   란

공   란

공 란

공   란

외교문서 비밀해제: 북한 핵 문제 3
북한 핵 문제 총괄 3

초판인쇄 2024년 03월 15일
초판발행 2024년 03월 15일

지은이 한국학술정보(주)
펴낸이 채종준
펴낸곳 한국학술정보(주)
주 소 경기도 파주시 회동길 230(문발동)
전 화 031-908-3181(대표)
팩 스 031-908-3189
홈페이지 http://ebook.kstudy.com
E-mail 출판사업부 publish@kstudy.com
등 록 제일산-115호(2000. 6. 19)

ISBN   979-11-7217-076-9 94340
       979-11-7217-073-8 94340 (set)